Diese Jean-Paul-Biographie ist ein Kabinettstück biographischer Erzähl-kunst und zugleich ein literarisch aufgearbeitetes Stück Geschichte. Kenntnisreich und mit dem Erzähltalent des Schriftstellers ordnet de Bruyn die Entwicklung Jean Pauls ein in die Strömungen seiner Zeit von der Französischen Revolution bis zum ausklingenden Biedermeier und spürt Widersprüche und Brechungen in Leben und Werk dieses skurrilen großen Erzählers auf.

Johann Paul Friedrich Richter, als Schriftsteller Jean Paul genannt, der aus ärmlichen Verhältnissen kam und zum berühmten Mann wurde, dessen Ruhm einst den von Goethe und Schiller überschattete, der als erster das ungewisse Schicksal »freien« Schriftstellertums wagte – häufig um den Preis bitterster Armut –, der von Frauen umschwärmte »Dichter der Jünglingsgefühle«, der große Satiriker und der unvergleichliche Gestalter der Lebensprobleme der »kleinen Leute«, ihres Alltags und ihrer Gefühls-welt, der von Herder und Wieland gefeiert wurde und über Börne und Heine bis zu George und Hesse und Jüngeren immerzu bewundernde Für-sprecher fand: Jean Paul und seine Zeit macht de Bruyn in seiner kunstvol-len farbigen Darstellung lebendig.

Günter de Bruyn wurde 1926 in Berlin geboren: als Abiturient Flakhelfer und Soldat; kurze Kriegsgefangenschaft; danach Landarbeiter. Ab 1946 vorübergehend Lehrer in Brandenburg; 1946 bis 1953 Bibliothekarschule in Berlin, anschließend acht Jahre wissenschaftlicher Mitarbeiter im Zen-tralinstitut für Bibliothekswesen; seit 1963 freier Schriftsteller. Im Fischer Taschenbuch Verlag außerdem lieferbar: ›Babylon‹ (Bd. 11334), ›Buridans Esel‹ (Bd. 1880), ›Jubelschreie, Trauergesänge‹ (Bd. 12154), ›Lesefreuden‹ (Bd. 11637), ›Märkische Forschungen‹ (Bd. 5059), ›Neue Herrlichkeit‹ (Bd. 5994), ›Preisverleihung‹ (Bd. 11660), ›Zwischenbilanz‹ (Bd. 11967), ›Vierzig Jahre‹ (Bd. 14209), ›Deutsche Zustände‹ (Bd. 15044).
Zuletzt erschien bei S. Fischer der Band ›Unzeitgemäßes. Betrachtungen über Vergangenheit und Gegenwart‹.

Unsere Adresse im Internet: www.fischerverlage.de

Günter de Bruyn

Das Leben des Jean Paul Friedrich Richter

Eine Biographie

Fischer Taschenbuch Verlag

6. Auflage: Mai 2004

Ungekürzte Ausgabe
Veröffentlicht im Fischer Taschenbuch Verlag,
einem Unternehmen der S. Fischer Verlag GmbH,
Frankfurt am Main, November 1991

Lizenzausgabe mit freundlicher Genehmigung des
S. Fischer Verlages GmbH, Frankfurt am Main
© Mitteldeutscher Verlag, Halle (Saale), 1975
Druck und Bindung: Clausen & Bosse, Leck
Printed in Germany
ISBN 3-596-10973-6

»Ich beschwöre dich (ich erscheine dir sonst),
daß du nach meinem Tode über mich derb
und frei schreibst, nicht verdammt-klein-
städtisch-zart und delikat über alles. O ich
bitte dich; und mache diese Stelle zum
Motto deines Aufsatzes.«
(Jean Paul an Christian Otto, 1802)

Jean Paul im Alter
Stich nach einer Zeichnung von Vogel von Vogelstein

1.

Frühlingsbeginn

*

Nachts ein Uhr dreißig wird das Kind geboren. Es lebt und ist gesund, was damals als selbstverständlich nicht gelten kann. Von den sieben Kindern, die Rosine Richter im Laufe ihrer Ehe zur Welt bringt, überleben zwei die ersten Tage nicht. Statistisch gesehen entspricht das etwa dem Durchschnitt der Kindersterblichkeit,

Die hygienischen Zustände sind, besonders auf dem Lande und in so abgelegenen Gegenden wie dem Fichtelgebirge, katastrophal, die Hebammen schlecht oder gar nicht ausgebildet. Ärztliche Geburtshilfe gibt es in den unteren Schichten kaum. Denn Ärzte sind Männer, und diese hinzuzuziehen gilt als unschicklich. Schon neun Jahre vorher legte die erste Frau ihre medizinischen Examen ab, aber Jahrzehnte werden noch vergehen, ehe sie Nachfolgerinnen findet. Wenn man im Jenaer »Almanach für Ärzte und Nichtärzte« von 1789 liest, daß die protestantischen Kirchenkonsistorien den Hebammen unter Strafandrohung befehlen, bei Lebensgefahr von Neugeborenen »eher nach den Predigern zu laufen, als nach der Klystierspritze zu greifen und Versuche zur Lebensrettung zu machen«, so charakterisiert das gut, was alles medizinischen Fortschritt hemmt.

Auch die falsche Pflege der Säuglinge führt oft zu ihrem

Tod. Da man fürchtet, daß sie sich beim Schreien Brüche zuziehen, daß sie krumm, lahm, bucklig werden, wickelt man sie so fest ein, daß sie kein Glied bewegen können. Viele gehen an einseitiger Überfütterung mit Mehlbrei zugrunde. Bedenkenlos werden als Schlafmittel Branntwein und ausgekochter Mohn verwendet.

Es ist die Nacht zum 21. März. Mit dem Kind zugleich kommt der Frühling, wie immer sehnlich erwartet. Noch ist auch das Leben der Städter stärker dem Wechsel der Jahreszeiten unterworfen. Die Straßen sind im Winter kaum passierbar. In den meist zu engen Wohnungen der Kleinbürger ist selten mehr als eine Stube heizbar. Kerzen, Kienspan oder Ölbeleuchtung geben miserables Licht. Das macht die Freude verständlich, mit der noch der alte Jean Paul immer wieder betont, daß der Frühling und sein Leben zugleich begonnen haben. Die Tag- und Nachtgleiche scheint ihm in Beziehung zu stehen zu seinem »Doppelstil«, dem humoristisch-satirischen und dem pathetisch-sentimentalen, er zählt die Zugvögel auf, die mit ihm zusammen anlangten, und er weiß die Pflanzen zu nennen, deren Blüten man auf seine Wiege hätte streuen können: Scharbockskraut, Ackerehrenpreis oder Hühnerbißdarm – Namen, die sich anhören, als seien sie seine Erfindung.

Nachzulesen ist das im Fragment seiner Autobiographie, die erst nach seinem Tode veröffentlicht wurde. Der nicht von ihm stammende Titel erregte Goethes Unmut. Nach »Dichtung und Wahrheit« mußte dem Greis »Wahrheit aus Jean Pauls Leben« wie ein anmaßender Gegenentwurf erscheinen. »Aus Geist des Widerspruchs« habe Jean Paul das geschrieben, bemerkte er zu Eckermann. Während seine eigene Autobiographie »sich durch höhere Tendenzen aus der Region einer niedern Realität erhebt«, bleibe Jean Paul ihr verhaftet. »Als ob die Wahrheit eines solchen Mannes etwas anderes sein könnte, als daß der Autor ein Philister gewesen!« Ein hartes und falsches Urteil, das aber die Unterschiede trefflich markiert.

Bezeichnend sind auch die Anfänge der beiden Autobiographien. Feierlich setzt Goethe seinen Lebensbeginn in Bezie-

Erste Seite des Autobiographie-Fragments
(mit Einfügungen des ersten Herausgebers Christian Otto)

hung zu Kosmischem. »Die Konstellation war glücklich: die Sonne stand im Zeichen der Jungfrau, und kulminierte für den Tag; Jupiter und Venus blickten sie freundlich an ...« Jean Paul aber (ganz der »niederen Realität« verhaftet) weist, bevor er zu Schnepfen, Bachstelzen, Löffelkraut und Zitterpappeln kommt, auf das politische Hauptereignis des Geburtsjahres hin. »Es war im Jahre 1763, wo der Hubertusburger Friede zur Welt kam ...«

Im Jagdschloß Hubertusburg bei Oschatz (heute Bezirk Leipzig) hatten seit dem Dezember des Vorjahres die Unterhändler Österreichs und Sachsens auf der einen, Preußens auf der anderen Seite um die Bedingungen zum Abschluß des Siebenjährigen Krieges gefeilscht, der durch allgemeine Zerrüttung der an ihm beteiligten Länder bereits zum Erliegen gekommen war. Der zerstörerischste, verlustreichste Krieg des 18. Jahrhunderts, der sich, unter Beteiligung fast aller europäischen Mächte, vorwiegend auf deutschem und böhmischem Boden abgespielt hatte, war beendet. Am 15. Februar 1763 wurde ein Friede unterzeichnet, der deutlich wie selten die Sinnlosigkeit aller dieser Machtkämpfe beurkundete. Man einigte sich darauf, daß alles so bleiben sollte, wie es vor dem Krieg gewesen war. Als einige Tage nach Jean Pauls Geburt Friedrich II. nach Berlin heimkehrte, fühlte er sich keineswegs als Sieger. Beim Dankgottesdienst, den der atheistische König in der Charlottenburger Schloßkapelle abhalten ließ, soll er geweint haben. Mehr Grund dazu hatten seine verelendeten Untertanen.

Der Säugling Johann Paul Friedrich Richter gehört nicht zu ihnen. Das Fichtelgebirgsstädtchen Wunsiedel, sein Geburtsort, ist Teil eines der mehr als 300 deutschen Staaten, des Fürstentums Bayreuth, das zwar seit dem ausgehenden Mittelalter auch von Hohenzollern regiert wird, aber von denen der unbedeutenden fränkischen Linie, deren letzter, kinderloser Sproß Christian Friedrich Karl Alexander das inzwischen mit Ansbach vereinigte Ländchen 1791 an seine preußischen Verwandten abgibt, für eine Lebensrente, die sie nicht lange zu zahlen haben, da der fürstliche Rentier schon 1806 in England stirbt. Trotzdem rentiert sich das Geschäft für Preußen nicht. Nur bis zum gleichen Jahre kann Hardenberg, der spätere Staatskanzler, die neue preußische Provinz verwalten; dann trennt der siegreiche Napoleon sie von Preußen ab und verschenkt sie großzügig an seine bayrischen Verbündeten, bei denen sie auch nach 1815 bleiben kann, da die Bayern noch rechtzeitig das sinkende Schiff Napoleons verlassen haben.

Wesentlichen Einfluß auf Jean Pauls Leben, Werk und Gesinnung üben diese Staatsangehörigkeitswechsel nicht aus, wohl aber die Tatsache, daß er in einem winzigen Feudalstaat aufwächst, und zwar nicht unter Adligen oder Patriziern, sondern unter Kleinbürgern und Bauern.

2.

Hungerquellen

*

Jean Paul ist Sohn und Enkel von Schulmeistern, das heißt: von Hungerleidern. Sein Großvater verdiente als Rektor in Neustadt am Kulm 150 Gulden im Jahr. »Sein Schulhaus war ein Gefängnis, zwar nicht bei Wasser und Brot, aber doch bei Bier und Brot; denn viel mehr als beides – und etwa frömmste Zufriedenheit dazu – warf ein Rektorat nicht ab... und an dieser gewöhnlichen bayreuthischen Hungerquelle für Schulleute stand der Mann 35 Jahre lang und schöpfte«, bis er endlich mit 76 Jahren eine bessere Stelle bekam, und zwar auf dem Neustädter Friedhof, im Jahre von Jean Pauls Geburt.

Da ist der Vater schon 36, zwei Jahre verheiratet und seit drei Jahren Lehrer und Organist in Wunsiedel. Nur ist er noch ärmer dran als der Großvater. Denn er ist nicht Rektor, nicht Subrektor, sondern nur dritter Lehrer, Tertius, und ihm fehlt die fromme Zufriedenheit. Zehn Jahre mußte der Kandidat der Theologie Johann Christian Christoph Richter auf diese bescheidene Stelle warten. Als Hauslehrer irgendwo bei Bayreuth fristete er so lange sein Leben. Nicht religiöser Eifer, sondern Armut hatte ihn zur Theologie getrieben. Es war das einzige Studium, das großen Talenten kleiner Leute offen stand. Seine Begabung lag anderswo. Auf dem Regensburger Gymnasium, wo er sich als Alumnus, als Armenschüler durchhungerte, hatte man sie entdeckt: die zur Musik. Er ließ sie nicht verkümmern, spielte als junger Mensch in der Kapelle des Fürsten von Thurn und Taxis, komponierte später Kirchenmusiken, aber den Schritt vom Schulmeister und Pfarrer zum Künstler wagte er nie. Zu groß war die Angst vor Elend und Unsicherheit, zu wenig ausgebildet der Wille zur Selbstverwirklichung, der seinen ältesten Sohn später, allen widrigen Umständen zum Trotz, zu großen Leistungen treiben sollte.

Das erste, was ein armer Kandidat beim Antritt einer Schulstelle machen mußte, waren Schulden. Denn das Amt mußte erkauft werden; das des Kandidaten Richter in Wunsiedel 1760 für fünf Gulden – für mehr als die Hälfte eines Monatsgehalts, das so gering war, daß auch nur einen Pfennig zur Schuldentilgung von ihm einzusparen unmöglich schien.

Nach Erhöhung im zweiten Jahr belief sich das Jahresgehalt des Tertius Richter auf 119 Gulden. Zur Erhaltung einer Familie reichte das nur aus, wenn viele Taufen, Hochzeiten und Leichenfeiern ein paar Sondergroschen für Orgelspielen einbrachten oder die Erhöhung der Schülerzahl den Anteil am Schulgeld vergrößerte. Denn kostenlos war der Schulbesuch nur für die Ärmsten der Armen.

Lehrerelend war deutsche Tradition, die sich nur unter allmählicher Milderung, bis in unser Jahrhundert fortsetzte. Das bekannte Spottlied vom armen Dorfschulmeisterlein war lange aktuell. Zwar erließen fast alle deutschen Staaten im 18. Jahrhundert Schulpflichtgesetze, doch wurden diese weder irgendwo durchgesetzt, noch durch sie die Lage der Lehrer wesentlich verbessert. In Preußen zum Beispiel wurde ein erstes Gesetz dieser Art 1736 erlassen, 100 Jahre später aber waren noch mehr als eine halbe Million schulpflichtiger Kinder, vor allem in den großen Städten, ohne jeden Unterricht. (In Berlin besuchten 1838 von 100 schulpflichtigen Kindern nur 60 die Schule, in Posen nur 49 und in Aachen sogar nur 37.) Um die Lehrerbesoldung aber stand es noch schlechter, was nicht verwundern kann, wenn man in § 19 des erwähnten Gesetzes liest, daß den Adligen auf dem Lande »freisteht, die Sache nach ihrem besten Gefallen einzurichten.«

Überhaupt zeigt dieses vielbejubelte Gesetz deutlich das Ausmaß des Elends. Da dem als Soldatenkönig bekannten Friedrich Wilhelm I. von Preußen die Volksschulen, die er einrichten ließ, vor allem als Vorschulen künftiger Rekrutenausbildung wichtig waren, galt das Gesetz nur für Landschulen: die Städter waren nicht rekrutierungspflichtig. Für die vier Taler festen Gehalts jährlich, die die Kirche dem Schulmeister zu zahlen hatte, war dieser unter anderem dazu verpflichtet, die Gotteshäuser sauberzuhalten. Erlaubt wurde ihm dafür, »eine Kuh und ein Kalb, item ein paar Schweine und etwas Federvieh frei auf der Weide« zu halten, einen Teil der sonntäglichen Kollekte zu beanspruchen und von jedem Kind »4 Gute Groschen« jährlich zu kassieren. Am anschaulichsten aber illustriert der § 10 die Lage des Lehrers. Er lautet: »Ist der Schulmeister ein Handwerker, kann er sich schon ernähren, ist er keiner, wird ihm erlaubt, in der Ernte auf 6 Wochen auf Tagelohn zu gehen.«

In der zweiten Hälfte des 18. Jahrhunderts besserten sich die Zustände nur geringfügig. Jean Pauls Werke sind voll davon. Der feudale Staat legte wenig Wert auf die Bildung seiner Untertanen. Lesen und Schreiben dienten hauptsächlich dazu, die Kinder Gottes- und Obrigkeitsfurcht zu lehren. Das Zeitalter der Aufklärung war keins der Aufklärung der Massen. Das Bürgertum, in dessen Dienst die Aufklärung stand, hatte insgesamt weder Macht noch Willen, eine wirkliche Volksbildung durchzusetzen. Ansätze dazu scheiterten am Widerstand des Adels und der von ihm abhängigen Geistlichkeit. Bezeichnend dafür, daß nicht einmal bei führenden Köpfen der Bewegung der Wille zu tiefgreifender Änderung der Verhältnisse vorhanden war, sind Bemerkungen Herders zur Eröffnung des mit seiner tatkräftigen Hilfe 1780 in Weimar gegründeten Seminars zur Ausbildung von Landlehrern. Zweck des Seminars, sagt er, könne nicht sein, »jungen Leuten, die sich zu Landschulen vorbereiten, eine Art von Literatur und Aufklärung zu

14

geben, die ihnen . . . eher schädlich als nützlich wäre. Zu viel Klarheit und Räsonnement in Ständen, wo sie nicht hingehören, ist gewiß eher schädlich als nützlich.« Und er fügte hinzu, daß es den Seminaristen auch nicht zu gut gehen dürfe, weil sonst die Gefahr bestünde, daß ihnen »nachher arme Schulstellen, wie sie meistens in diesem Lande sind, ungefällig und zur Last« werden würden.

Auch Friedrich II. von Preußen, der aufgeklärte »Philosoph auf dem Thron«, wollte die Grenzen der Aufklärung möglichst eng halten. An Voltaire schrieb er: »Der gemeine Mann verdient nicht, aufgeklärt zu werden«, und in einer Verordnung von 1764 verbot er, »Kinder der Bauern, Gärtner und noch geringerer Leute . . . in die lateinische Schule« aufzunehmen. Er hatte, nicht etwa aus Lehrermangel, sondern um Pensionen einzusparen, die Idee, die Invaliden seiner Kriege mit Lehrerstellen zu versorgen, allerdings nur, wenn sie, wie es in seiner Kabinettsorder von 1779 mit weiser Einschränkung heißt, lesen, schreiben und rechnen können. (Nach Mitteilung des Kriegsministers waren das von 4000 Invaliden nur 79.) Darauf und auf die schlechten Schulverhältnisse im Bayreuthischen anspielend, schreibt Jean Paul im »Quintus Fixlein«: »Im Brandenburgischen werden die Invaliden Schullehrer; bei uns werden die Schullehrer Invaliden.«

Unter diesen Umständen war es nicht verwunderlich, daß die Kandidaten der Theologie, die als Schulmeister ihr Dasein fristeten, ihr Lehramt nur als Übergang zum besser dotierten Pfarramt ansahen. Manche warteten ihr Leben lang darauf.

Johann Christian Christoph Richter hat mehr Glück. Schon fünf Jahre nach seinem Amtsantritt in Wunsiedel kann er mit seiner Frau, dem zweijährigen Johann Paul Friedrich (Fritz genannt) und dem einjährigen Adam in das Pfarrhaus des Dörfchens Joditz einziehen. Ausschlaggebend war dafür wohl weniger seine durchaus vorhandene Befähigung zum geistlichen Amt, als seine Beziehung zur Freifrau von Plotho im Gutsdorf Zedtwitz, die ihn als Musiker, Klavierlehrer ihrer Töchter und geistreichen Plauderer schätzte.

3.

Wohlgeruch
der
Kindheitsjahre

*

Für die Erinnerung ist Vergangenheit nichts Unabänderliches. Nie hat sie ihren Zweck in sich selbst, immer dient sie gegenwärtigen Zwecken. Durch Vergessen, Verfälschen, Korrigieren, Deuten, Idealisieren paßt die Erinnerung vergangene Tatsachen der Gegenwart an. Mit Unehrlichkeit hat das nichts zu tun, nur mit veränderlichen Standpunkten.

Wenn sich Jean Paul seiner Kindheit erinnerte, idealisierte er sie. Der Schriftsteller hatte Grund dazu, denn ihr verdankte er viel: die dem Prosaisten notwendige sinnliche Anschauung der Welt und die Blickrichtung, aus der er sie vorwiegend beschrieb. Kaum eins seiner erzählenden Werke kommt ohne die in der Kindheit gesammelte Stoffülle aus. Immer blieb er sich bewußt, daß dort alles seinen Anfang genommen hatte: die Liebe zu den kleinen Leuten, die Verachtung der Großen, die Naturschwärmerei, der Einblick in Not und Elend, der Drang nach Veränderung auf der einen, der Lichtseite seines Könnens, und auf der anderen, der Kehrseite, im notwendig zum Licht gehörenden Schatten: sein Provinzialismus, seine Sentimentalität, sein naiver Glaube an Tugend und Seelenunsterblichkeit, sein Behagen an der Enge, seine Skurrilität. So hoch er auch stieg, so viel er auch las, so weit er auch dachte: die Enge der Kindheit blieb um ihn. Nie wollte und konnte er seine

16

Herkunft verleugnen. Das ließ ihn dem großstädtischen Patriziersohn Goethe so fremdartig erscheinen. Ein wunderliches Wesen nannte der ihn nach der ersten Begegnung, und Schiller stimmte zu: »Fremd wie einer, der aus dem Mond gefallen ist.«

Der Mond – das war für den Professor und den Hofmann gesellschaftlich gesehen das Untere, die Fronbauern und armen Schulmeister, geographisch das Entlegene, das Fichtelgebirge, kulturell die Dürftigkeit und Enge von Dorf und Kleinstadt.

Das alles begann in Joditz, nicht weit von Hof, dem »eigentlichen«, nämlich dem »geistigen« Geburtsort. »Die Saale, gleich mir am Fichtelgebirge entsprungen, war mir bis dahin nachgelaufen.« Sie war das »Schönste, wenigstens das Längste von Joditz, und läuft um dasselbe an einer Berghöhe vorüber, das Örtchen selber aber durchschneidet ein kleiner Bach mit seinem Stege kreuzweise. Ein gewöhnliches Schloß und Pfarrhaus möchten das Bedeutendste von Gebäuden da sein.« In diesem Pfarrhaus lebte er vom dritten bis zum 13. Lebensjahr. Von dort her wehte noch bis ins Alter der »Wohlgeruch ... verwelkter Kindheitsjahre« ihm zu, und er grüßte aus zeitlicher Ferne die Dorfleute, wünschte ihnen Wohlergehen und als wichtigste Voraussetzung dazu: »Und jede Schlacht ziehe weit von ihnen vorbei.«

Gründe, die Kindheit zu idealisieren, gab es auch andere. Verglichen mit dem, was danach kam, war es die sorgloseste Zeit seines Lebens, ärmlich, doch ohne Not. Zwar sind für die stets wachsende Familie nicht genug Betten da, so daß der Vater und Fritz und die jüngeren Brüder Adam und Gottlieb sich je eins miteinander teilen müssen, doch ruht der Haushalt auf der sicheren Basis der Selbstversorgung. Das Einkommen des Vaters hat sich, gemessen an der Wunsiedeler Lehrerstelle, fast verdoppelt. In den zum Pfarrhaus gehörenden Ställen stehen Rinder und Schweine. Auf dem ummauerten Hof lärmt Federvieh. In der Gesindestube wohnen zwei Mägde, die der Hausfrau zur Hand gehen. Die Pfarre, zu der fünf Ortschaften gehören, besitzt Weiderechte und Pfarrfron. Die Bauern des Ortes müssen also nicht nur dem Gutsherrn, sondern auch dem Pfarrer die Feldarbeit machen. Daß der Pfarrer und seine Kinder dabei selbst mithelfen, scheint selbstverständlich zu sein, und trotzdem muß die Erkenntnis, zu den Privilegierten zu gehören, sich schon früh in dem Jungen gefestigt haben.

Jeder, der als Kind des Bürgermeisters, Lehrers oder Arztes in Dorf oder Kleinstadt aufwuchs, kennt das. Schon allein die Reaktion der anderen zwingen einem das Bewußtsein seiner gesellschaftlichen Rolle auf. Wenn die Leute es für wichtig halten, daß man das Kind von dem oder dem ist, lernt man es selbst als wichtig betrachten. Und die Pfarrer gelten im 18. Jahrhundert noch als große Autoritäten. Immer ist der Staat darum bemüht, seinen kirchlichen Stützen Respekt zu verschaffen. Und der Dorfpfarrer hat nicht nur geistliche, sondern auch Verwaltungsaufgaben. Er ist der Standesbeamte. Er leitet Volkszählungen. Ihn fragt man nach dem Leumund der Bauern. Er führt die Rekrutierungslisten.

Für den Knaben Fritz Richter ist diese Erfahrung deshalb bedeutsam, weil sie seine Isolierung nicht nur fördert, sondern sie auch ertragbar macht, indem sie sein Selbstvertrauen stärkt. So beginnt bei ihm schon früh, wenn man dem alten Jean Paul glauben soll, ein Prozeß der Emanzipation, ein bewußtes Heraustreten aus der festgefügten Hierarchie der Gesellschaft, das Vorstufe zum Rebellentum sein kann, ein Ich-Bewußtsein, das er beschreibt wie einen mystischen Vorgang, wie das, was die Pietisten »Durchbruch« oder »Erleuchtung« nannten: »An einem Vormittag stand ich als ein sehr junges Kind unter der Haustür und sah nach der Holzlege, als auf einmal das innere Gesicht, ich bin ein Ich, wie ein Blitzstrahl vom Himmel vor mich fuhr und seitdem leuchtend stehenblieb: da hatte mein Ich zum ersten Male sich selber gesehen und auf ewig.«

Wenn das auch literarisch stilisiert scheint (»Ich bin ein Ich« sollen die letzten Worte des wahnsinnigen Swift gewesen sein, und Jean Pauls Romanheld Schoppe aus dem »Titan« stirbt mit den Worten »Ich gleich Ich«), so wird der Vorgang doch stimmen und ist nun wohl genau das Gegenteil von dem, was sein Vater erreichen will, wenn er alles tut, um in seinem Ältesten das gesellschaftliche Rollenbewußtsein zu stärken. Er läßt ihn sonntags den »Fronbauern der Woche« das »gesetzmäßige Halbpfund Brot samt Geld« austragen. Er nimmt ihn mit, wenn er Amtskollegen in benachbarten Pfarrdörfern besucht. Er reißt ihn aus nichtigem Anlaß aus der Gemeinschaft der Dorfschulkinder heraus und unterrichtet ihn zu Hause selbst. Er rühmt sich in der Familie ständig seiner guten Beziehungen zur Gutsherrschaft und fördert in jeder Weise im Kinde das Bewußtsein, von deren Gnade abhängig zu sein.

Nun kann man sich in der Tat die Abhängigkeit der Landlehrer und Dorfpfarrer vom grundbesitzenden Adel nicht schlimm genug denken. Die fast unbeschränkte Herrschaft des Feudalbesitzers endet nicht bei den leibeigenen Bauern. Während er im Staat politisch, ökonomisch und juristisch privilegiert war (zum Beispiel keine Grundsteuern zu zahlen brauchte, das Jagdrecht, das Brauerei- und Brennmonopol besaß), übte er in seinem Bereich nicht nur die Polizeigewalt und die niedere Gerichtsbarkeit aus, sondern besaß auch die Schulaufsicht und das Kirchenpatronat, das ihn berechtigte, Geistliche nach eigenem Gutdünken zu berufen. Auch in Preußen, wo Friedrich Wilhelm I. im Interesse seines despotischen Zentralismus »den Junkers die autorité ruiniert« hatte und die eigne »souveraineté stabiliert wie eine rocher von bronce«, einen Fels also, ruhte dieser Fels doch weiterhin auf der Grundlage des Feudalbesitzes, wurden dem Adel keine Rechte innerhalb seines Grundbezirkes beschnitten. Noch viel weniger war das in Klein- und Zwergstaaten der Fall, wo unfähige Fürsten oft machtlos den Eigenmächtigkeiten des Adels gegenüberstanden. Während in Preußen das Verhältnis von Zentralgewalt und Feudaladel so geordnet war, daß die Staatsverwaltung praktisch beim Landrat aufhörte, die untere Ebene also völlig dem Adel überlassen blieb, waren manche Kleinstaaten von einer Ordnung dieser Art noch weit entfernt. Die sogenannte Reichsritterschaft war, unter Umgehung des Landesfürsten, nur dem praktisch nicht existierenden Kaiser verpflichtet. Auch stimmten die Grenzen adligen Grundbesitzes oft nicht mit denen der Landesterritorien überein. Deshalb spielten im

18. Jahrhundert noch immer die sogenannten Huldigungen des Adels eine Rolle. Oft mußten sie von den Fürsten mit Militärmacht erzwungen werden. Zu diesem Mittel mußte auch der preußische Kabinettsminister Hardenberg greifen, als er 1791 mit der Verwaltung der ehemaligen Fürstentümer Ansbach und Bayreuth die Aufgabe übernahm, deren Verwaltungsorganisation denen der anderen preußischen Gebiete anzupassen.

Zu den Verordnungen, die er erließ, gehörte bezeichnenderweise auch, daß in Sonntagsgottesdiensten das Gebet für den Landesherren, den König von Preußen, *vor* dem für den Kirchenpatron, den Gutsbesitzer also, zu stehen habe – eine Verordnung, die vielfach auf Widerstand bei den Adligen stieß, die in zwei Jahrhunderten lutherischer Gehorsamstheorie ihre Pastoren als Propagandainstrumente ihrer persönlichen Herrschaft anzusehen gelernt hatten.

Welcher krummer Wege sich die Kirchenpatrone bei der Berufung ihnen genehmer Pfarramtskandidaten bedienten, geht aus der Satirenliteratur der Zeit hervor. Einer der sichersten war (nach dem sonst so vorsichtigen Satirenschreiber Rabener) der über das Kammermädchen des Gutsherrn: Um berufen zu werden, muß der Kandidat das Mädchen heiraten und ihm erlauben, ihre intimen Beziehungen zum Gutsherrn auch in der Ehe weiterhin zu pflegen. Rabener teilt auch einen Brief mit, in dem ein Feudalherr dem anderen seinen Feldprediger als Pfarrer empfiehlt, weil dieser nie etwas gegen das Saufen und Huren seines zukünftigen Patrons einzuwenden haben werde. »Gib ihm alle Wochen ein paarmal zu fressen, so ist er zahm wie ein Lamm.«

Jean Paul kommt in seinen Werken oft auf diese Mißstände zu sprechen. Im »Wutz« hat das Schulmeisterlein seinen Posten nur dem Umstand zu verdanken, daß gute Köche rar sind; denn der Patronatsherr hat die Lehrerstelle eigentlich seinem Koch zugedacht, den er aber, ohne vollwertigen Ersatz zu bekommen, nicht weglassen will. Fixlein, der die Pfarre nicht kriegen soll, weil er angeblich seinen Hund auf den Namen des Gutsherrn getauft hat, kriegt sie schließlich nur durch eine

Namensverwechslung, und der Sohn des »Jubelseniors« hat seine Berufung nur einem Betrugsmanöver zu verdanken.

Abhängig von der Herrschaft in Zedtwitz ist der Joditzer Pfarrer Richter also wirklich, als orthodoxer Lutheraner aber weit davon entfernt, diese Tatsache kritisch zu sehen. Er erkennt »die unabsehliche Größe des Standes wie das Erscheinen der Gespenster an, ohne vor ihnen zu beben«, erzählt Jean Paul und fügt, obwohl er immer darum bemüht ist, das Bild des Vaters nicht durch Kritik zu beschädigen, kommentierend hinzu: »Wie glücklich seid ihr jetzigen Kinder, die ihr aufgerichtet erzogen werdet, zu keinem Niederfallen vor dem Range gebeugt und von innen gegen den äußern Glanz gestärkt!«

Er selber hat es, trotz reichen Innenlebens, immer schwer, der Blendung durch äußeren Glanz zu entgehen (asketisch lebt er nur der Not gehorchend), und das Niederfallen vor dem Range muß er als Kind schon aus einer Stunde Entfernung üben, mindestens einmal im Jahr am Gründonnerstag, wenn der Vater von der Abendmahlsfeier der Herrschaft auf Zedtwitz zurückkommt und Frau und Kinder »in das größte ländliche Erstaunen« versetzt mit seinen bewundernden Erzählungen »über hohe Personen und deren Hofzeremoniell und über die Hofspeisen und Eisgruben und Schweizerkühe, und wie er selber aus dem Domestikenzimmer sehr bald zu dem Herrn von Plotho, oder auch zum Fräulein, dem er auf dem Klavier einige Vor- und Nachübungen gab, und endlich zur Freiin von Bodenhausen und stets wegen seiner Munterkeit zur Tafel gezogen wurde, wenn auch daran (dies änderte nichts) die bedeutendsten Rittergutsbesitzer Vogtlands saßen und aßen.«

Einmal aber nimmt der Vater den Sohn sogar mit aufs Schloß. Dort darf der Junge, trunken von all der Schönheit, zwischen den Laubengängen und Springbrunnen des Parks mit »gefüllter Brust« umherwanken und vor der hohen Person der Freifrau niederfallen und ihr den Rock küssen. Eine Szene, die man sich merken muß, um ermessen zu können, was es später für ihn bedeuten wird, wenn adlige Damen vor seiner hohen Person ehrfürchtig niederzufallen bereit sind.

4.

Geistige Sahara-Wüsten

*

Fast jeder ist ein Leben lang damit beschäftigt, Vorurteile los-
zuwerden, die man ihm in seiner Jugend antrainiert hat. Jede
Generation bekommt von der vorigen Verhaltensmaßregeln für
eine Welt, die ihre nicht mehr ist. Selbst zukunftsbewußte Erziehung gewinnt den Wettlauf mit der Zeit nie, da sie mit Materialien der Vergangenheit arbeiten muß. Daß in früheren
Jahrhunderten die Entwicklung langsamer verlief, ändert die
Lage nur graduell.

Außerdem trifft das auf Zeiten großer Umwälzungen nicht
zu. Und Jean Pauls Zeit war so eine, nämlich die der Französischen Revolution und ihrer Folgen. Als er geboren wurde, war
Friedrichs despotisches Preußen auf der Höhe seiner Macht,
als er starb, war Karl Marx schon geboren und Europa hatte
ökonomisch und politisch Veränderungen durchgemacht, die
auch durch die Restauration nicht zurückgenommen werden
konnten. In seine Lebenszeit fielen die geistigen Bewegungen
der Aufklärung, des Sturm und Drang, der Klassik, der Romantik. Nach seinem Tod bekennen Vertreter des Jungen
Deutschland sich zu ihm. Sein Vater aber, der ihn erzog, gehörte
geistig noch voraufklärerischen Zeiten an.

Pfarrer Richter glaubte tatsächlich an Gespenster, und wenn
er wirklich vor ihnen nicht bebte, so tat das doch sein Sohn.

Während in der Aufklärungstheologie sich der Streit um die Existenz oder Nichtexistenz des Teufels längst entschieden hatte, war für den orthodoxen Joditzer Pfarrer und für die Masse der Kleinbürger und Bauern Belzebub so real wie für Luther, der ihn bekanntlich oft gesehen und gehört hatte. Priester und Laien, die als Teufelsaustreiber berühmt wurden, gab es sowohl im katholischen wie auch im protestantischen Bereich. Das Glockenläuten bei Gewitter, dem man segensreiche Wirkungen zuschrieb, wurde im aufgeklärten Berlin erst 1783 abgeschafft. Die Schauerballaden der Zeit waren kein Echo mittelalterlicher Geisterfurcht, sondern beschworen Ängste, die im Volk noch gegenwärtig waren. Die letzte Hexenverbrennung in Deutschland fand 1775 statt. Da ist Jean Paul schon zwölf Jahre alt – und Ängsten dieser Art völlig ausgeliefert.

Wenn am Abend die Magd beim Spinnen Schauergeschichten erzählt, liegt er zitternd im Bett, bis sein Vater kommt und sich neben ihn legt. Noch mehr verstört es den mit überreicher Phantasie ausgestatteten Knaben, wenn der Vater ihn zwingt, bei Begräbnissen die Bibel allein durch die leere, düstere Kirche, an der aufgebahrten Leiche vorbei, in die Sakristei zu tragen. Daß diese Grausamkeit des Vaters in dem sensiblen Kind Neurosen hervorruft, ist anzunehmen.

Der (bis heute noch nicht ganz siegreiche) Kampf gegen Aberglauben in jeglicher Form, den die Aufklärung führte, erreichte im wesentlichen nur kleine Bildungsschichten. Bis in die Volksschulen hinunter drang er vorläufig nicht. Die Bildung, die diese vermittelte, war minimal. Sie lehrte wenig Wissen und viel Ideologie. Sie sollte keine gebildeten Bürger erziehen, sondern furcht- und gehorsame Untertanen. Ihr Hauptinhalt war das orthodoxe Christentum. Lesen und Schreiben wurden an Katechismus und Bibel gelehrt. Friedrich II., der die Religion nur als Mittel zur Manipulation schätzte, erließ 1763 ein Schul-Reglement für alle preußischen Staaten, das auch einen genauen Stundenplan verordnete, in dem nur einmal, ganz nebenbei, vom Rechnen die Rede ist, sonst nur von Gebeten, Kirchenliedern, Psalmen, Episteln, den beiden Testamenten und dem Katechismus. »Am Sonnabend wird folgendes vorgenommen: In der ersten Stunde wird nicht katechisiert, wie an den übrigen Tagen geschieht, sondern die Kinder wiederholen die gelernten Sprüche, Psalmen und Lieder, wovon sich der Schulmeister ein Verzeichnis halten muß. Darnach erzählet er ihnen von Woche zu Woche abwechselnd aus dem Alten und Neuen Testament eine biblische Historie, zergliedert dieselbe durch Fragen und zeigt den Kindern mit wenigem, wie solche anzuwenden... An Sonn- und Feiertagen sollen die Eltern gehalten sein, die Kinder vor der Predigt zum Schulmeister zu schikken, damit sie ordentlich zur Kirche gebracht werden und daselbst unter guter Aufsicht sein mögen ...«

Unterricht solcher Art genießt der kleine Fritz Richter, wie gesagt, nicht lange. Daß er sich immer danach zurücksehnt, wirft kein gutes Licht auf die Lehrmethoden seines Vaters. Während der Junge voll Neid die Dorfkinder in die dem Pfarrhaus gegenüberliegende Lehrerwohnung gehen sieht, muß er, zusammen mit seinem Bruder Adam, in der Einsamkeit des Zimmers sein erstaunlich aufnahmefähiges Gehirn mit unnützem Ballast beladen. »Vier Stunden vor- und drei nachmittags gab unser Vater uns Unterricht, welcher darin bestand, daß er uns bloß auswendig lernen ließ, Sprüche, Katechismus, lateinische Wörter und Langens Grammatik. Wir mußten die langen Geschlechtsregeln der Deklination samt den Ausnahmen, nebst der beigefügten lateinischen Beispiel-Zeile lernen, ohne sie zu verstehen.«

Wenn man das Kind, das sich später Jean Paul nennen wird, als Wunderkind bezeichnen will, dann unter anderem auch deshalb, weil sein nach Nahrung hungernder Geist sich von diesem Fraß den Appetit nicht verderben läßt. Die sieben täglichen Unterrichtsstunden in Christenlehre und Latein (vom Rechnen, von Geschichte, Rechtschreibung, Naturkunde oder Geographie hört er in Joditz kein Wort) reichen seinem Lerneifer nicht aus. Er versucht sich selbst an lateinischen Übersetzungen und findet keinen Korrektor. An einer in lateinischer

Sprache verfaßten Grammatik der griechischen Sprache lernt er das griechische Alphabet. Die »Baireuter Zeitung«, die sein Vater bandweise vom Gutsherrn mitbringt, liest er mit Nutzen (den er darauf zurückführt, daß er sie nicht täglich, sondern vierteljährlich liest; denn eine politische Zeitung bringe nur bandweise die Wahrheit, weil erst ein Band von ihr »Blätter genug zum Widerruf ihrer anderen Blätter gewinnt«). Die Sonntagspredigten des Vaters lernt er auswendig und verblüfft mit ihrem Vortrag Familie und Gäste. Ein schrecklich unkindliches Kind muß dieser Knabe gewesen sein.

»Desto lechzender war mein Durst nach Büchern in dieser geistigen Sahara-Wüste. Ein jedes Buch war mir ein frisches grünes Quellenplätzchen, besonders der Orbis pictus« – was leicht vorstellbar ist, wenn man weiß, wie haushoch dieses, damals bereits 120 Jahre alte Lehrbuch des Tschechen Amos Comenius (eigentlich Komensky) alle damals üblichen Schulbücher überragte.

Der »Orbis sensualium pictus. Die sichtbare Welt, das ist: aller vornehmsten Weltdinge und Lebensverrichtungen Vorbildung und Benamung«, Vorläufer unserer heutigen fremdsprachlichen Bilderlexika, war noch bis zum Ende des 19. Jahrhunderts, in zeitgemäßer Erneuerung, im Gebrauch. In ihm hatte Komensky, der Prophet unter den Pädagogen, wie er mit Recht genannt wurde, zum erstenmal konsequent die Anschauung zur Grundlage des Unterrichts gemacht und war dabei auch sozial zukunftsgewandt vorgegangen, indem er die Welt des Bürgertums in seine gemalte und benamte mit einbezog. Hier kann nun also der mit unverstandenen lateinischen Regeln traktierte Junge im Bild sehen, was all das Gepaukte bedeutet, gemäß dem im Vorwort ausgesprochenen Grundsatz des Comenius: »Es ist aber nichts in dem Verstand, wo es nicht zuvor im Sinne gewesen.« Hier lernt er nicht nur den Satz: Das Kind wemmert eee – Infans ejulat eee, sondern sieht dazu auch das Bild mit dem Wickelkind in der Wiege. Aus dräuenden Wolken bläst ein dickbäckiges Gesicht, und dazu heißt es: Der Wind wehet fi fi – Ventus fiat fi fi. Und des

Monds Gestalten – Phases lunae werden beschrieben und gezeigt, und die Cantores singen im Bild der Gemeinde vor, und Imker gewinnen Honig, das Haus-Geflügel – Aves domesticae fliegt und schnattert, Übeltäter werden gepeitscht und gehenkt, Bergleute bohren und hämmern, der Teufel versucht den Menschen, Gottes Riesenauge wacht überall und: In der Mühl (1) laufft Stein (2) auf Stein (3) durch Umtreibung des Rads (4) und mahlet das durch die Triechter (5) aufgeschüttete Geträid und scheidet die Kleyen (6) so da fället in den Kasten (7) von dem Meel das da stäubet durch den Beutel (8), und das gleiche auf Latein, mit den gleichen Zahlen, die aufs nebenstehende Bild verweisen.

Das ist gewiß eher »eitel Wollust«, wie Comenius es wollte, und »keine Marter«, wie des Vaters Unterricht. »Alles Lernen war mir Leben, und ich hätte mit Freuden, wie ein Prinz, von einem Halbdutzend Lehrern auf einmal mich unterweisen lassen, aber ich hatte kaum einen rechten.«

Das ändert sich erst in Jean Pauls 13. Lebensjahr, als Pfarrer Richter mit Frau und inzwischen drei Söhnen aus dem »Stilleben des Dorfes« in das nicht weit entfernte Städtchen Schwarzenbach übersiedelt, in eine besser bezahlte Stellung, die er wieder seiner Gönnerin zu verdanken hat.

Es ist der erste bewußte Abschied des Jungen von einem Ort, den er liebgewonnen hat. Aber »für Kinder gibt es kaum Abschiede; denn sie kennen keine Vergangenheit, sondern nur eine Gegenwart voll Zukunft.«

5.

Das gelehrte Kind

*

Daß Drang zu künstlerischer Schöpfung sich gerade im Bücherschreiben entlädt, ist immer auf meist frühzeitigen Einfluß von Lektüre zurückzuführen. Man gibt in der Form, in der man genommen hat. Übers Lesen kommt man zum Schreiben.

Das gilt auch für Jean Paul. Prinzipiell unterscheidet er sich darin nicht von anderen, wohl aber durch die Massen, die er bewältigt. Einen beleseneren deutschen Schriftsteller hat es wohl nicht gegeben. Seit der Zeit, in der der Junge, während der Vater predigt, auf der Kirchenempore liegt, um sich verbotener Lektüre aus väterlichem Bücherschrank hinzugeben, hält ihn die Lesewut gepackt wie eine unheilbare Krankheit. Sein Gedächtnis speichert Unmassen von Stoff. Auszüge aus Gelesenem füllen später Tausende von Blättern. Was er davon, nicht immer zu ihrem Vorteil, in seine Bücher umlagert, scheint enorm, ist aber nur ein Bruchteil des vorhandenen. Daß am Anfang der unermeßlichen Lektürenreihe der »Orbis pictus« mit seiner gemalten Weltschau steht, scheint bezeichnend für die Weite seines Interesses, das kein Wissensgebiet ausläßt.

Aber er liebt nicht nur die Literatur, er liebt auch die Bücher; mit besonderer Inbrunst sicher deshalb, weil er in seiner Jugend keine besitzt. Schon in Joditz ist kindliches Spiel darauf gerichtet. Aus Papierschnipseln heftet er sich eine Bibliothek aus kleinen Bänden zusammen, die er selbst beschreibt. »Der Inhalt war theologisch und protestantisch und bestand jedesmal aus einer aus Luthers Bibel abgeschriebenen kleinen Erklärnote unter einem Verse.«

Das ist der autobiographische Kern der grotesken Geschichte von der Büchersammlung des vergnügten Schulmeisters Wutz, »die, wie die heidnischen, aus lauter Handschriften bestand.« Denn Wutz schrieb sich alle bedeutenden Neuerscheinungen, deren Titel er im Leipziger Meßkatalog fand und die er natürlich nicht kaufen konnte, selbst – ohne das Original auch nur in der Hand gehabt zu haben. »Kaum waren die Physiognomischen Fragmente von Lavater da« (nebenbei gesagt, eines der teuersten Bücher der Zeit: vier Großquartbände für insgesamt 100 Taler), »so ließ Wutz diesem fruchtbaren Kopfe dadurch wenig voraus, daß er sein Konzeptpapier in Quarto brach und drei Wochen lang nicht vom Sessel wegging, sondern an seinem eignen Kopfe so lange zog, bis er den physiognomischen Fötus herausgebracht... und... sich dem Schweizer nachgeschrieben hatte.« Bei dieser seltsamen Art des Kopierens passierte es dann wohl, daß ein philosophischer Traktat über Raum und Zeit bei Wutz nur vom Schiffsraum und von »der Zeit, die man bei Weibern Mensis nennt« handelte, aber die Freude, eine eigne Bibliothek zu besitzen, trübte das nicht.

Lesen konnte den Jungen bis »zu körperlichem Verzücken« hinreißen. Das sagt der Fünfundfünfzigjährige, als er des zweiten Buches gedenkt, das großen Einfluß auf ihn gehabt hat. Wieder war es eins, das, wie der »Orbis pictus«, aus bürgerlicher Sicht Weltschau vermittelte, wenn auch in anderer, nämlich spannender Form: Defoes »Robinson Crusoe«, die Geschichte des bürgerlichen Selfmademans, der sich, fern feudaler Herrschaft, mit Aktivität und Gottvertrauen eine eigne, bessere Welt des Besitzes schafft.

Das ist schon in Schwarzenbach an der Saale, wo es offensichtlich Leute gibt, von denen man Bücher leihen kann. 1500 Einwohner hat der Marktflecken. Die Pfarre unterhält zwei Pastoren. Die Stadtschule hat einen Lehrkörper, der aus Rektor und Kantor besteht, erteilt Lateinunterricht und ist so vertrauenerweckend, daß Pfarrer Richter es über sich bringt, sein inzwischen pubertierendes Wunderkind dorthin zu schikken und ihm so mit 15 Jahren zum erstenmal geregelten Unterricht zuteil werden zu lassen.

Diese Lateinschule hat so etwa das Format der bis in unsere Zeit hinein noch existierenden einklassigen Dorfschulen. »Die Schulstube... faßte ABC-Schützen, Buchstabierer, Lateiner, große und kleine Mädchen – welche wie an einem Treppengerüste eines Glashauses oder in einem alten römischen Theater, vom Boden bis an die Wand hinaufsaßen – und Rektor und Kantor samt allem dazugehörigen Schreien, Summen, Lesen und Prügeln in sich.« Rektor Werner, ein eitler Mann mit »Naturberedsamkeit... aber ohne Tiefe«, unterrichtet den jungen Richter in alten Sprachen (was so viel heißt wie: in allem, was die Schule bietet), und zwar in einer Methode, die er als eigne Erfindung ausgibt, von der aber Jean Paul behauptet, sie sei die Basedowsche gewesen – was aber dem Philantropen Basedow gegenüber ungerecht ist.

Dieser verdienstvolle Hamburger Pädagoge, der zwei Jahre vor Jean Pauls Schwarzenbacher Zeit als Gründer des Philantropins (der »Werkstätte für Menschenfreundschaft«) in Dessau berühmt geworden war, hatte nämlich, auf Comenius fußend, die bis heute fruchtbare Methode entwickelt, Fremdsprachen durch deren praktischen Gebrauch zu lernen. Als er 1776 ein öffentliches Examen abhielt, zu dem alle bedeutenden Pädagogen Deutschlands herbeigeeilt waren (die er unter anderem dadurch erschreckte, daß er den Kindern an Hand eines Kupferstichs den genauen Geburtsvorgang beim Menschen erläuterte), ließ er zum Beispiel auch den Zeichenunterricht in Latein abhalten. Lateinisch aufgefordert, einen Löwen an die Tafel zu zeichnen, zeichnet der Lehrer zuerst einen Schnabel, worauf die Kinder rufen: Non est leo! Leo non habet rostrum! (Das ist kein Löwe! Ein Löwe hat keinen Schnabel!)

Dieser fortschrittlichen Methode gleicht die des Rektors Wer-

Pfarrer Vogel
Gemälde in der Friedhofskirche in Wunsiedel

ner (»der oft im Feuer seiner Rede sich selber so lobte, daß er über seine eigne Größe erstaunte«) nur darin, daß auch er die Einführung in die Grammatik kurz abtut. Dann aber geht er, völlig unbasedowisch, sofort zur schwierigen Lektüre eines römischen Klassikers über. So muß also der bisher nur mit lateinischem Regelkram traktierte Fritz Richter sofort Cornelius Nepos lesen, im Griechischen das Neue Testament und, ein Jahr später, im Hebräischen das erste Buch Mosis.

Erstaunlicherweise geht das gut. Der lernbegierige Knabe (der allerdings auch nichts Besseres zu tun hat, als gelehrt zu werden, da der Vater ihn aus unklaren Gründen kaum noch aus dem Hause läßt), kann geistig nicht genug gefordert werden und liefert mit seinen Erfolgen dem Lehrer den Beweis für die Richtigkeit der falschen Methode.

Bald kann er das griechische und hebräische Testament mündlich ins Lateinische übersetzen und zwar so fließend, daß sein Lehrer, statt ihn zu verbessern, sich Mühe geben muß, ihn zu verstehen. In das »hebräische Sprach- und Analysier-Gerümpel und Kleinwesen« verliebt er sich so, daß er »aus allen schwarzenbachischen Winkeln hebräische Sprachlehren zusammenborgt. »Darauf nähte er sich ein Quartbuch und fing darin bei dem ersten Buch Mosis an und gab über das erste Wort, über seine sechs Buchstaben und seine Selbstlauter ... so reichliche Belehrungen aus allen entlehnten Grammatiken mehrere Seiten hindurch, daß er bei dem ersten Wort ‚anfangs‘ (er wollte so von Kap zu Kap fortschreiten) auch ein Ende machte.« Wirklich eine kauzige Art kindlicher Beschäftigung, die er später in spielerischer Form (nämlich als Suchen nach falsch gedruckten hebräischen Buchstaben) seinem Quintus Fixlein andichtet, der dadurch, wie auch Wutz, als Erwachsener kindlicher wird, als der Dichter als Kind war.

Wichtiger als diese und die nächste Schule und selbst die Universität wird aber für den Jungen die Bekanntschaft mit zwei Menschen, die für lange Zeit richtungsweisend für ihn werden sollen. Es sind zwei junge Theologen, die zur orthodoxen Kirchenlehre in Opposition stehen, Anhänger der Hetero-

31

doxie, wie man die rationalistische Theologie der Aufklärung nennt. Daß der Vater ihre Einflußnahme duldet, ist wohl weniger auf Toleranz als auf beginnende Resignation zurückzuführen.

Der Kaplan Johann Samuel Völkel erkennt schnell die enorme Begabung des Kindes, das sich beim Lernen nicht stören läßt, wenn er in Richters Pfarrhaus zu Besuch kommt. Er bittet um Erlaubnis, ihn zusätzlich zu unterrichten, und opfert dafür die tägliche Mittagsruhe. Sein Geographieunterricht erschöpft sich darin, Landkarten aus dem Kopf zeichnen zu lassen, seine theologischen Unterweisungen aber fördern nicht nur den deutschen Stil des Kindes, sondern weisen vor allem sein Denken in eine Richtung, dem es immer treu bleiben wird: in die Richtung der Aufklärung.

Das beginnt ziemlich harmlos mit den schon angestaubten »Ersten Gründen der gesamten Weltweisheit«. Deren Verfasser, Professor Gottsched, Literaturpapst der dreißiger Jahre und (später viel verspotteter) Wegbereiter des deutschen bürgerlichen Dramas, hatte von Leipzig aus, immer ängstlich darauf bedacht, bei den Dogmatikern nicht anzuecken, auch seine auf Wolff fußenden Lehren vom vernunftbestimmten Christentum verbreitet. »Bei aller Trockenheit und Leerheit« erquickt das den orthodox erzogenen Jungen »doch wie frisches Wasser durch die Neuheit«. In Feuer aber gerät er beim Studium moderner Heterodoxer, von denen er in seiner späten Autobiographie Nösselt und Jerusalem erwähnt.

Johann August Nösselt, Professor in Halle, war ein aufrechter Charakter. »Werke des Geistes gedeihen nur auf dem Boden der Freiheit«, schrieb er später, freilich ohne Erfolg, an den zweiten Friedrich Wilhelm von Preußen, als der die Lehrfreiheit an den Universitäten einschränkte. Jahre vorher hatte Lessing von ihm gesagt, er sei »doch noch ein Theologe wie er sein sollte«, und damit wohl nicht nur seine aufrechte Gesinnung, sondern auch seine wissenschaftliche Leistung gemeint, die sich vor allem in der Dogmenkritik bewies. Der preußischen Staatsgewalt warf er zu verschiedenen Gelegenheiten vor, Frömmigkeit auf Kosten der Wahrheit befördern zu wollen. Frommen Betrug nannte er das, der alle Religion verdächtig und verhaßt machte. »Eine Obrigkeit kann nicht verordnen, eine Schrift solle ... so oder so gemeint sein«, auch die Bibel sei »bloßer Gegenstand gelehrter Untersuchung«.

So deutlich ist der Abt Jerusalem (Vater des Juristen Jerusalem, der sich in Wetzlar umbrachte und dadurch zum Urbild von Goethes »Werther« wurde) wohl kaum geworden. Er war erst Prinzenerzieher in Braunschweig, und an ihn kann Jean Paul vielleicht gedacht haben, als er den Aphorismus schrieb: »Ich habe zuweilen gefunden, daß das einzig Gute, was noch in großen adligen Familien nachwuchs, bloß dem bürgerlichen Hofmeister zu danken war.« Später war Jerusalem Hofprediger und führte sich dementsprechend, nämlich vorsichtig. Trotzdem ist Wahres an seinem Grabspruch, der zu rühmen weiß: »Zur Aufklärung legte er den ersten Grund.« Das tat er unter anderem mit Leugnung der Erbsündenlehre, durch die die Kirche sich jedem einzelnen unentbehrlich gemacht hatte: Dem, der erbsündenbelastet zur Welt kam, kann nur sie in eine bessere verhelfen. Bürgerlichem Optimismus war diese Verunglimpfung der Menschenwürde natürlich verhaßt. Sündenpessimismus widersprach dem Glauben an die Bildungsfähigkeit des Menschen. Moralische Erbkrankheit paßte nicht zu bürgerlicher Gesinnung, die man »Tugend« nannte und tränenreich verehrte. Auch bei Jean Paul wird im Überschwang des Tugendkults viel geweint – vor Freude und Rührung über den von Erbsünde befreiten (und vom Laster der Höfe nicht befallenen) Bürger.

Die zweite Theologenbekanntschaft, die Fritz Richter in dieser Zeit macht, ist eine der wichtigsten seines Lebens. Erhard Friedrich Vogel ist Pfarrer im Dorfe Rehau, nicht weit von Schwarzenbach. Sein Interesse an geistigen Strömungen der Zeit ist groß. Seine Bibliothek enthält alte und neue Literatur vieler Wissensgebiete. Nicht aus Bibel und Gesangbuch, sondern aus deutscher Dichtung läßt er bei Konfirmationsfeiern vorlesen. Den lustigsten aller Prediger nennt Jean Paul den

Mann mit der langen Nase und den verschmitzten Augen, der erst sein pädagogisch bewußter Berater, dann sein Freund und Verehrer wird. Pfarrer Vogel bringt den Jungen endgültig von der Orthodoxie des Vaters ab, vor allem dadurch, daß er ihm Bücher leiht, stapelweise, über Jahre hin. »Ihre Bibliothek ist meine Akademie, und ich darf bei allen Ihren Büchern Kollegien hören, die ich obendrein gratis bekomme.«

Damit beginnt für Jean Paul die Zeit des Lesens und Schreibens, des Abschreibens freilich erst. In Verzeichnissen gelesener Bücher notiert er pedantisch jeden Titel. Passagen, die ihm wichtig scheinen, schreibt er ab. Die drei starken Bände, die sich in Schwarzenbach füllen, sind erst bescheidener Anfang. Planlos, unsystematisch liest er Bücher aller Wissensgebiete, der Masse nach vorrangig Aufklärungstheologie, viel Philosophie, wenig Dichtung. Eingeschlossen zwischen Hofmauern lebt der Knabe nur mit Büchern. Lesen ersetzt ihm Leben. Die 45 Jahre, die ihm noch bleiben, reichen nicht aus, um diese Masse von Gelehrsamkeit zu verdauen. Immer wieder wird er der Versuchung erliegen, das aufgehäufte Lesegut an unpassenden Stellen seiner Werke unterzubringen: damit die Mühe nicht vergebens war.

Vorerst zeigt sich nur eine Wirkung: die Entfremdung vom Vater. »Ich quälte meinen armen Vater und wurde ihm nicht mehr gut.« Das kann nicht anders sein. Längst ist der Sechzehnjährige über ihn hinaus.

Zum völligen Bruch kommt es nicht mehr. Im Februar 1779 wird Friedrich Richter Schüler des Gymnasiums in Hof. Zwei Monate später stirbt der Vater. Er hinterläßt Schulden, eine Witwe und fünf minderjährige Söhne.

6

Philosophie und Liebe

*

Die erste Französischstunde beginnt mit einem Wutausbruch des Monsieur Janicaud. Der ehemalige Tapetenwirker, der mit Hilfe eines einzigen vorhandenen Lehrbuchs den Gymnasiasten sein schlechtes Französisch beibringt, beschimpft den Unschuldigsten, den es in der Prima gibt, nämlich den Neuling Friedrich Richter, der in seiner lächerlich wirkenden ländlichen Kleidung vor ihm steht und nicht weiß, welche Bosheit er begangen haben soll. Erst als der Lehrer schreiend die Klasse verläßt und die Jungen in Hohngelächter ausbrechen, begreift er.

Einer seiner Mitschüler (Reinhart heißt er), dem er sich in seiner Fremdheit anvertraute, weil er ihn, über die Eltern, flüchtig kannte, redete ihm ein, daß es sich für einen Neuling gehöre, zu Beginn der Stunde nach vorn zu gehen und dem Lehrer die Hand zu küssen. Da diese Sitte bei ihm zu Hause noch üblich ist, glaubt er es, tut es und zieht sich damit den Zorn des unfähigen Lehrers zu, der darin nur eine Schülerfrechheit sehen kann.

So empfängt ihn die Stadt Hof, und ähnlich wird sie ihn auch später behandeln: mit Hohn und Unverständnis. Er wird sich rächen durch Satire. Als Kuhschnappel, Krehwinkel und Flachsenfingen wird Hof in seine Werke eingehen, aber damit treffen wird er die Philister wohl kaum. 1813 notiert er: »Wie lächerlich ich mir vorkomme, wenn ich in meinen älteren Werken Seitenhiebe auf Hof vorfinde, welche ich in der Hoffnung tat, der Stadt etwas zu versetzen! Denn bis diese Minute hat sie es vielleicht nicht gelesen.«

Erfolge, die den jungen Richter erheben, setzten ihn in den Augen der Kleinstädter nur herab. So hat er bei einer der Diskutierübungen, durch welche die Schüler lernen sollen, die angefochtenen Dogmen der Kirche zu verteidigen, die Rolle des Opponenten zu spielen und spielt sie, eine ganze Bibliothek heterodoxer Schriften im Kopf, so gut, daß er die Unhaltbarkeit der orthodoxen Lehre bewiesen hätte, wäre die Veranstaltung nicht vom erschrockenen Konrektor abgebrochen worden. Den Hofern aber ist von diesem Tage an klar, daß mit dem Schwarzenbacher Pastorensohn ein Atheist in ihre Stadt gekommen ist.

Anderthalb Jahre später schreibt er in seinem ersten (nur orthographisch ziemlich originellen) Roman: »Die Lerer sind Leute so so! . . . sie geben ihrem Verstande nichts bedeutende Nahrung – und lassen das Herz verwelken. . . . Keiner ist nach meinem Geschmak. Und die Schüler! da weis ich dir noch weniger zu sagen. Viel Gutes vermutet' ich von ihnen, aber meine gute Meinung sinkt. Sie sind Ebenbilder ihrer Lerer. Wenn nun's Original schon schlecht ist; mus nicht die Kopie unerträglich sein? . . . Man äft mich; denn ich bin fremd. Ich bin zu offenherzig, darum hält man mich für einen Einfältigen – darum werd' ich so oft betrogen . . . Ich leb' unter den Leuten so hin. Ich befürchte gar, ihnen ähnlich und mir unähnlich zu werden.«

Diese Befürchtung ist grundlos. Zur Anpassung ist er unfähig. Das wird umfunktioniert in Stolz. Von Kindheit an ist die Erfahrung da, daß er anders ist als andere, daß er tiefer fühlt, schärfer denkt, mehr gelesen hat, intensiver an sich arbeitet. Wenige Gymnasialwochen haben genügt, um Lehrern und Schülern seine geistige Überlegenheit zu beweisen. Schon sieht er seine Perspektiven (illusionäre vorläufig). Wollte er sich der engen, geistig zurückgebliebenen Kleinstadtumgebung anpas-

sen, müßte er Wertvollstes in sich abtöten, alle Zusammen-
hänge in sich zerreißen, seine Identität verlieren. »Ins Tollhaus
würden die Tollen den einzig Klugen führen«, schreibt er
wenig später voller Selbstbewußtsein. Nie würde er sich ein
Amt erkriechen, indem er mit den Wölfen heulte; denn dann
müßte er auch mit ihnen rauben. »Überhaupt halte ich die be-
ständige Rücksicht, die wir in allen unsern Handlungen auf
fremde Urteile nehmen, für das Gift unsrer Ruhe, unsrer Vernunft und unsrer Tugend. An dieser Sklavenkette hab' ich
lange gefeilt.« Für einen jungen Außenseiter, der so genau
weiß, daß er es besser weiß, gibt es nur das eine: Er muß sich
bemühen, die zurückgebliebene Umwelt, der er sich nicht anpassen kann, dazu zu bringen, daß sie sich ihm anpaßt. Daß
sein Mittel dafür das Wort sein wird, weiß er schon.

Er beginnt mit öffentlich gehaltenen Schulreden. Obgleich
sie weitgehend dem konservativen Geist der Schule angenähert
sind, findet Rektor Kirsch, sein erster Zensor, doch einiges
Streichenswerte darin, was die Honoratioren der Stadt er-
schrecken könnte (zum Beispiel einen Hinweis auf Lessing).
Trotzdem verleugnet der junge Gelehrte sich nicht ganz. Zur
Geburtstagsfeier für die Mutter des regierenden Markgrafen
klärt der Sechzehneinhalbjährige die Festversammlung »Über
den Nutzen des frühen Studiums der Philosophie« auf. Er widerlegt ordentlich alle Gegenargumente (daß nämlich die Philosophie schädlich sei, weil sie »vom Lernen der Sprachen ab-
halte, den Kopf mit unnötigen Grübeleien anfülle und die
Kräfte des Körpers durch Nachdenken schwäche«), warnt, wie
es sich für einen deutschen Gymnasiasten gehört, vor Besser-
wisserei, Stolz, Dreistigkeit und Reformierungssucht – und
nimmt das im gleichen Satz wieder zurück, indem er auch
Skepsis gegenüber dem Althergebrachten für notwendig erklärt. Zum Schluß aber versucht er, die Hofer Tuchmacher,
Friseure und Gutsbesitzer, in deren Augen er ein Narr ist, zu
seiner Narrheit zu bekehren, indem er ihnen leichtsinnig und
beweislos von der Philosophie verspricht, was einzig sie rühren
könnte, glaubten sie ihm: Vorteile. »Und gesetzt auch, es gäbe

einen, dem das Erkennen der Wahrheit kein Ergötzen verschaffte, in dessen übereistem Herzen kein Funke Wahrheitsliebe mehr glimmte, gesetzt, er wäre gegen dieses alles unempfindlich, so wird ihn doch sein eigner Vorteil bewegen, die Philosophie, die verehrungswürdigste der Wissenschaften, zu treiben.«

Dieser verehrungswürdigsten Wissenschaft (der er, zwar nicht, wie es zuerst scheint, sein Leben widmet, der er aber doch lebenslang treu bleiben wird) gilt auch seine zweite Schulrede. »Über den Nutzen und Schaden der Erfindung neuer Wahrheiten« unterrichtet er jetzt seine Zuhörer, die er nach allen Regeln hierarchischer Ordnung mit »nach Stand und Würden allerseits höchst, hoch und wertgeschätzte Anwesende!« anredet. Wieder ist er vorsichtig mit eigner Meinung, macht Kotaus vor der Schuldisziplin und dem strengen aufsichtsführenden Konsistorium, wird aber doch auch deutlicher in dem, was er wirklich denkt. Zwar haben, wie im Unterricht gelehrt, »all die Voltaire's, die Humé's, die Lamettrie's und ihre ganze Reih'« nur darin ihren Nutzen, daß sie den wahren Denkern Anlaß zu vortrefflichen Verteidigungen der Religion gegeben haben, aber andererseits sind Leute auch zu verwerfen, die glauben, daß das, was sie von ihren Voreltern empfingen, unwiderleglich sei. »Wenn nun alle so gedacht hätten, wären wir jetzt nicht noch auf dem Punkt, wo Noah und seine Söhn' in den Wissenschaften standen? . . . Ist nun Theologie eine Wissenschaft, so ist sie Neuerungen fähig.« Das ist klare Heterodoxie. Aber es ist auch sein letztes Auftreten als Schüler, anläßlich der Abiturfeier im Oktober 1780.

Am gleichen Tag aber noch gibt der kleine Philosoph bezeichnenderweise folgende Seelenergüsse schriftlich von sich: »Ach, die wenigen Zeilen haben mir Tränen verursacht, mir – der wenig Freud' hat; denn wo wäre sie? – und der auch diese einigen bald missen muß. Wenn ich vielleicht weg bin: so seh' zu Nachts zu deinen Gängen in den Garten hin, wenn sie der Vollmond beschimmert – und denke dann d'ran – wie wir jenseits hinüber über das beleuchtete Wasser blickten, wie eine freundschaftliche Träne dem Aug' entdrang – zum Allvater hinauf –– Ach! die Tage der Kindheit sind hin ... fließet Tränen. ––«

Das ist dem ersten der mehr als fünftausend (teilweise allerdings nur als Konzept) erhalten gebliebenen Briefe entnommen, die in der Gesamtausgabe neun Bände füllen. Gerichtet ist diese Klage an den vertrautesten Freund dieser Jahre, an Adam Lorenz von Oerthel. Mit dieser Sentimentalität, die noch keine eigne Form gefunden hat, sondern sich am berühmten Muster orientiert (wie um das deutlich zu machen, schließt der Brief mit dem Literaturhinweis auf Sternes »Sentimentale Reise«), reagiert der Junge auf das Unverständnis, das ihm die Kleinstädter täglich beweisen.

Wenn er als Kind von Joditz aus den Zwei-Stunden-Fußweg nach Hof machte, um von den Großeltern »Fleisch und Kaffee und alles zu holen, was im Dorfe entweder gar nicht zu haben war, oder doch nicht um den äußerst geringen Stadtpreis«, dann erschien ihm das Städtchen als das Wunderbarste und Aufregendste, das er sich vorstellen konnte. Nun, da er selbst darin lebte, spürt er vor allem die Dumpfheit, die Kleinlichkeit und Langweiligkeit seiner Bewohner.

»Der Kleinstädter«, schreibt ein Zeitgenosse, J. A. Minder, in den »Briefen über Hamburg«, »treibt sich ... zufrieden in seiner engbeschränkten Bahn umher, ein Tag ist wie der andere, er hat keine Versuchung zu auffallenden Fehltritten und lebt in seiner Einbildung so fromm, so rechtschaffen und gottesfürchtig, als man es seiner Meinung nach nur verlangen kann ... (Er) weiß nichts von Zweifeln wider die Religion, ihm schadet nicht eine freigeisterische Lektüre, denn dazu hat er keine Gelegenheit, er hört auch eben in der Gesellschaft dergleichen nicht, er glaubt ruhig und ungestört, was ihm sein Prediger oder seine Erbauungsbücher vortragen.« Toleranz ist seine Stärke nicht, könnte man hinzufügen, und jeder freien geistigen Regung bringt er Mißtrauen entgegen. »Allgemeine Kälte um mich her, gegen alles was den Menschen über den Bürger hebt«, nennt Jean Paul das einige Jahre später in einem Brief an Karl Philipp Moritz.

Die Wärme, das Gefühl, das Erhebende findet er in dem zarten, gefühlvollen Freund. Der ist gleichaltrig. Sein Adel aber ist jünger. Erst dem Elfjährigen war das Von vor den bürgerlichen Namen gesetzt worden, 1774, als nämlich Vater Oerthel, ein als hartherzig und knauserig bekannter Kaufmann, die Güter Töpen, Hohendorf und Tiefendorf samt Adel und Kammerratstitel kaufte. Da der immer kränkelnde, für Natur und Kunst schwärmende Sohn sich zum Geldmann wenig eignet, war er auf eigenes Drängen aufs Gymnasium nach Hof geschickt worden. Während Richter bei seinen Großeltern wohnt, steht dem Neuadelssohn ein romantisch an der Saale gelegenes Gartenhaus zur Verfügung. Dort wird, wie ein anderer Mitschüler, Christian Otto, berichtet, bei schwärmerischen Gesprächen, Gesang und Klavierspiel »wertherisiert, siegwartisiert und nach dem schmerzlich süßen Genuß einer für verdienstlich gehaltenen Sentimentalität getrachtet.« Man hat vom Haus einen weiten Blick auf die Flußniederung und die Vorstadtinseln, und wenn man in Mondscheinnächten zur Saale hinunter wandelt, wird verdrängte Sexualität zu Naturschwärmerei und Todessehnsucht sublimiert.

Oerthel ist dazu noch in eine Liebesgeschichte verstrickt, deren Dokumente (vier im Nachlaß Jean Pauls gefundene Briefe) sich wie das Exposé eines Trivialromans lesen. Die verarmte Amtmannstochter von etwas unsicherem Adel, Beate von Spangenberg, auf dem Nachbargut Venska, läßt sich von dem ein Jahr jüngeren Oerthel mit Liebesschwüren überschütten, reagiert (der Unterscheidung von Dativ und Akkusativ nicht ganz mächtig) zurückhaltend aber liebevoll, äußert ernste, sicher berechtigte Bedenken über die mögliche Billigung einer Verbindung durch den alten Oerthel, gibt genaue Anweisungen für Briefe ruhiger Tonart, die sie ihrer Mutter vorzeigen kann, schickt den Hauslehrer vor, um den feurigen Jüngling zur Vernunft zu bringen – und heiratet schließlich, dem Wunsch ihrer Mutter folgend, einen bürgerlichen Herrn in gesicherter Position.

»Ohne Sie welch eine Welt«, schreibt Oerthel der Vielgeliebten, als sie ihm noch vage Hoffnungen macht oder vielmehr offen läßt, »wie freudenlos traurig ist mir ein Leben ohne Sie! Sollte mir Sie je das Schicksal oder Tyrannei oder der Tod entreißen können, dann käme auch ich bald, Unendlicher, vor deinen Thron, dann eilte dann dein Geschöpf, dein Kind in deinen Vaterarm, um dort Ruhe zu finden, wo alles Ruhe findet, wo keine Vorurteile mehr herrschen, wo ich Sie Freundin, im Angesicht der Frommen und aller Engel wieder umarmen werde. Ich bin der Ihrige, bleib es, sollten Sie auch gezwungen werden, einem andern zu Teil zu werden. So lange in diesen Adern eine Blutkugel rollt, so lange noch in diesem Körper ein Nerve zuckt und diese Brust sich hebt, so sind Sie mein Gedanke.«

Richter aber, der Vertraute all dieser Leiden, hat nichts mit Mädchen im Sinn, wegen »Beschäftigung«, wie er ungewohnt lakonisch bemerkt. Er hat sein Herz an die Bücher verloren, und wenn er bald nach dem Abitur seinen ersten Liebesroman schreibt, ausdrücklich »für Oerthel«, so liegen dessen Gefühlsergüssen keine Spuren von Eigenerlebnissen zugrunde, sondern nur Beobachtungen, die er am Freund gemacht hat – und Leseerfahrungen.

7

Siegwarts Leiden

*

1774 war Goethes »Werther« erschienen und hatte seinen Siegeszug durch Deutschland und andere europäische Länder angetreten. Er hatte nicht nur bei vielen Begeisterung und bei einigen Abscheu erregt, sondern auch den bürgerlichen Lebensstil dieser Jahre nachhaltig beeinflußt. Man fühlte und dachte wie Werther, schrieb Briefe in seinem Stil, kreierte eine Werther-Mode, pilgerte zum Grabe seines Urbildes, des jungen Jerusalem, und einige Verzweifelte trieben die Nachahmung so weit, daß sie sich in seiner Manier umbrachten. Pastoren hielten Anti-Werther-Predigten, der Berliner Aufklärer Nicolai verfaßte eine umfangreiche, mißglückte, weil witzlose, Parodie, und, wie bei jedem Erfolg, setzte sich sofort ein Heer von Epigonen in Marsch, um an dem literarischen Siegeszug teilzuhaben.

Der Erfolgreichste dieses Haufens war Johann Martin Miller, schwäbischer Pfarrer und Theologieprofessor, dessen dichterische Laufbahn mal ganz anders, nämlich besser, begonnen hatte. Als Student in Göttingen hatte er viel Begeisterung für die Ideen des Sturm und Drang entwickelt. Mit eichenlaubbekränztem Hut war er gemeinsam mit Voß, Hölthy, den Brüdern Stolberg und anderen jungen Dichtern um den heiligen Baum, die deutsche Eiche, herumgetanzt und hatte so den

»Hainbund« mitbegründet. Mit Bürger und Boie hatte er gläserklingend Klopstock hochleben lassen und dem amoralischen Wieland den Tod gewünscht, daneben aber schöne, volksliedhafte Gedichte verfaßt, wie das noch heute lebendige »Was frag ich viel nach Geld und Gut . . .«

Wenig später, in Amt und Würden, fragte er dringend danach, und fand als Antwort die Erkenntnis, daß durch antifeudales Rebellentum keins ins Haus kam. Er änderte also Gesinnung und Stil und schrieb rasch, in verwässerter Werther-Nachfolge, gängige Romane, die sich durch Abwesenheit jeder Kritik, durch Rührseligkeit, Moralisierungssucht, Flachheit und Dickleibigkeit auszeichneten. Wie jeder Autor, fand auch er für seine Schreibart eine theoretische Begründung: er wollte von jedermann verstanden werden. Ergebnis von Millers »Ohrenhängerei« nannte der redliche Voss diese Romane, die Titel führen wie: »Geschichte Gottfried Walthers, eines Tischlers«, »Geschichte Karls von Burgheim und Emiliens von Rosenau«, »Beitrag zur Geschichte der Zärtlichkeit«, und deren Stil Goethe »frauenzimmerlich, mit vielen Punkten und in kurzen Sätzen« nannte. Den großen Erfolg aber, der ihm garantiert, daß sein Name durch alle Literaturgeschichten geschleppt wird, brachte ihm »Siegwart, eine Klostergeschichte«, in der, nach reichlich verworrener Handlung, der Titelheld schließlich auf dem Grab der Geliebten erfriert.

Dem Titelhelden in Fritz Richters Jugendroman »Abelard und Heloise« gelingt das nicht. »Da fiel ich zur Erde, auf ihr Grab – erwog – beschlos, zu sterben, und mich durch die Kälte des Nachtgeistes töden zu lassen. Ich warf mich hin in den Schne. Hu! wie war's aussen so kül! und in mir so brennend! Ich wolte langsam einschlafen und so erfriren.« Aber es dauert ihm zu lange, und so greift er, wie Werther, der zweite Pate des kleinen Romans, zur Pistole. »Oh! Mordgewer! zerspalte dieses Gehirn – – –.«

Nicht alles ist so ungewollt komisch in dem »Romängen«, aber Bedeutung für die Entwicklung des Erzählers kommt ihm wenig zu. Der Stil hat noch nichts Jeanpaulisches, und auch der autobiographische Gehalt ist gering. Abgesehen von der schon zitierten Stelle über Lehrer und Gymnasiasten gibt es noch ein paar Äußerlichkeiten, die aus Richters oder Oerthels Leben gegriffen zu sein scheinen, sonst aber wird nicht Wirklichkeit, sondern Literatur nachgeahmt, und zwar an einigen Stellen so unbearbeitet, daß von Plagiat gesprochen werden muß. Heißt es bei Goethe: »Meine Uhr ist noch nicht ausgelaufen – ich fühl's«, so bei Richter: »Meine Ur muß noch nicht ausgelaufen sein. Ich wil warten.« Schreibt Werther der Geliebten: »Es ist beschlossen, Lotte, ich will sterben, und das schreib' ich dir ohne romantische Überspannung«, so Abelard dem Freund: »Dank Got! es ist beschlossen. Ich wil sterben, Wilhelm... On Überspannung sol ein Schus...« und so fort. Und wenn im »Siegwart« die tote Geliebte auf Abendwölkchen tröstend niedersteigen soll, so wird es von der toten Heloise »auf weissen Wölkgen« erwartet.

Die Eigenleistung, die man auch vom Anfänger erwarten muß, besteht hier nur in der Vermengung zweier literarischer Vorbilder – und der eigenmächtigen Orthographie (die Jean Paul sich erst auf dem Höhepunkt seines Schaffens wieder abgewöhnen wird).

Gedruckt wurde dieses Werkchen erst in unserem Jahrhundert. Der Achtzehnjährige hat an Veröffentlichung nicht gedacht, es mehr für einen langen Freundesbrief gehalten. Es entsteht im Januar 1781, zwischen Abitur und Studium, in der sogenannten Mulus-Zeit (in der man nämlich, wie das Maultier – lateinisch mulus – weder Pferd noch Esel, weder Schüler noch Student ist). Diese Zeit verbringt er bei der Mutter und den Brüdern in Schwarzenbach, sehr produktiv, lesend, exzerpierend, schreibend. »Übungen im Denken« nennt er die durch Lektüre angeregten Aufsätze, vorwiegend philosophischen und theologischen Inhalts. »Über die Liebe« denkt er dann schriftlich erst wieder ein halbes Jahr später nach. Der Aufsatz, der in seiner ursprünglichen Form als Brief an einen Freund (natürlich Oerthel) abgefaßt ist und die Liebe altklug eine genußbringende Torheit nennt, enthält die bezeichnenden Worte:

»Du fühlst sie; ich denke sie« und die Aufforderung, ihn, den Schreiber, nicht »einen Kalten (zu) schelten, weil er für keine Geliebte brennt.«

Wo soll er auch die Zeit dafür hernehmen? Pfarrer Vogels Bibliothek ist noch lange nicht erschöpft, und seitdem er Eigenes schreibt, ist die Zeit noch kostbarer geworden. Und er steht ganz am Anfang. Das weiß er sehr genau. Das Wort »Übungen« im Titel der ersten Aufsatzsammlung ist ernst gemeint. Im Vorwort, Anzeige genannt, ist das deutlich ausgesprochen: »Diese Versuche sind bloß für mich. Sie sind nicht gemacht, um andre was Neues zu lehren. Sie sollen mich bloß üben, um's einmal zu können. Sie sind nicht Endzweck, sondern Mittel – nicht neue Wahrheiten selbst, sondern der Weg, sie zu erfinden.«

Nichts spricht so sehr für die Ernsthaftigkeit seiner Bemühungen, als dieses Wissen um seine Unfertigkeit. Auch über den mißglückten Roman hat er schon sieben Monate nach Fertigstellung ein festes Urteil – was er selbstverständlich notiert: »Dieses ganze Romängen ist ohne Plan gemacht, die Verwicklung fehlt gänzlich und ist alltäglich und uninteressant. Die Charaktere sind nicht so wohl übel geschildert, als gar nicht geschildert... Überdies ist alles überspannt; bei vielen empfindet man nichts, eben weil es sehr – empfindelnd sein sollte. Es ist auch wider die Wahrscheinlichkeit gefehlt. Es ist sehr fade, die eine Person der Entehrung auszusetzen, und sie aus Furcht sterben zu lassen – und noch fader ist's, die andre Person zum Selbstmörder zu machen. Die Sprache ist nicht goethesianisch; aber sie ist schlechte Nachahmung der goethesianischen.«

Zehn Jahre muß der selbstkritische Autor noch das Leben kennenlernen, um zum Erzählen zurückfinden zu können. Dann allerdings wird auch gleich ein Meisterwerk daraus.

8.

Reiterstück
und
Hungertuch

*

Früh am betauten, blauen Morgen stand der angehende Student schon unter der Haustür, reit- und reisefertig. Er hatte den guten Rock an, einen runden Hut auf dem Kopf, die Reitgerte in der Hand und Kindertränen in den Augen. Schwarzenbach wußte von dem ersten Ritt seines Lebens und paßte auf. Der uralte Schimmel stand vor dem Stall. Fritz sollte hinauf.

Schon am Vortag hatte er sich eingeprägt, daß er von links aufsteigen mußte. Aber jetzt wußte er nicht mehr, wie er es anstellen sollte, so in den Sattel zu kommen, daß die Gesichter von Roß und Reiter vorn waren. Er sprang also von rechts auf, setzte sich gerade, breitete die Rockschöße über den Pferderükken, schob die Füße in die Steigbügel und faßte die Zügel. Jetzt konnten Abschied und Ausritt beginnen.

Aber der Schimmel wollte nicht. Hiebe mit der Gerte waren ihm soviel wie welche mit Pferdehaar. Die Handschläge der Mutter nahm er für Streicheln. Da kehrte einer der Brüder die Heugabel um und gab ihm mit dem Stiel einen Schlag auf die Hinterbacken. Das war dem Tier ein Wink, bis an den Bach vorwärts zu schreiten, wo es wieder stehenblieb. Fritz arbeitete mit Zügel und Füßen, während das Städtchen lachte.

Das ist ein frei nacherzählter und ins Biographische rückübersetzter Kapitelanfang aus den »Flegeljahren«. In Wirklichkeit wird dieses »Reiterstück« (wie das Kapitel überschrieben ist) im Frühjahr 1781 ausgeführt und bringt den Mulus Richter zum erstenmal aus dem engen Umkreis von Hof hinaus, nach Bayreuth (dem Wohnsitz seiner späten Jahre), wo jeder, der nicht an der Landesuniversität Erlangen, sondern im Ausland studieren will, vor dem Konsistorium eine Prüfung ablegen muß. Überkommene Feudalbräuche (die zum Beispiel auch den Gymnasiasten das Degentragen gestatten) schreiben vor, den Weg dorthin zu reiten. Daß der zeitlebens bewußt bürgerliche Jean Paul danach nie wieder ein Pferd besteigen wird, ist bezeichnend für ihn. Er wird ein leidenschaftlicher Fußgänger. Über die Anstrengungen seiner langen Märsche klagt er nie, wohl aber über die Strapazen der Reisen in Postkutschen.

Noch gibt es kaum gepflasterte Straßen, selbstverständlich keine Gummibereifung. Mühsam quälen sich die Pferde durch tiefen Sand, aufgeweichten Lehm, über Geröll. Meist geht es so langsam, daß man aussteigen und nebenher gehen kann. Auf den Poststationen gibt es stundenlange Aufenthalte, weil die Pferde gefüttert und getränkt oder ausgewechselt werden müssen. Postwagen sind nicht gefedert. Sie sind mehr zum Lasten- als zum Personentransport bestimmt. Der Reisende sitzt zwischen Paketen, Briefsäcken, Heringstonnen und Bierfässern eingeklemmt und kann während der oft tagelangen Fahrt die Füße nicht ausstrecken. Das Dach schützt zwar gegen Regen, aber nicht gegen Staub, Hitze, Kälte. Wohlhabende Leute reisen deshalb mit Extrapost oder Lohnkutsche.

Das kommt für den Studenten Richter natürlich nicht in Frage, als er am 19. Mai 1781, mit Oerthel, zum Studium ins Ausland fährt – nach Leipzig. Er ist arm und hat das sogar schriftlich. Vier Tage vorher stellte ihm Rektor Kirsch in Hof in bestem Schullatein das Testimonium Paupertatis, das Armutszeugnis, aus und geizte darin weder mit Anerkennung noch mit Umständlichkeit: »Da Armut niemandem zur Unehre gereicht, der nach Reichtum an Tugend trachtet, braucht der wahrlich nicht zu erröten, der um dies Zeugnis gebeten hat, der vortreffliche Jüngling J. P. Fr. Richter, ein Sohn des ehemaligen Schwarzenbacher Pastors, ein armer, ja ärmster Mensch. Vor einigen Jahren hat ihm der Tod den Vater geraubt, und wenn es nicht sündhaft wäre, Gottes Ratschlüsse zu tadeln, so dürfte man es beklagen, daß gerade dieser und nicht lieber ein anderer den Vater verlieren mußte, dem, wenn er lange gelebt hätte, der Sohn gewiß alle Hoffnungen erfüllt haben würde. Denn dieser Jüngling brennt dermaßen von Lernbegierde, daß wir dafür bürgen können, jeder, der Richters Kenntnisse prüfen will, werde sich mit Vergnügen davon überzeugen, daß derselbe nicht nur in Sprachen, sondern vornehmlich in der Philosophie für sein Alter sehr fortgeschritten ist. Er ist also im höchsten Grade würdig, jedem, der dies liest, und besonders den wohllöblichen Professoren der berühmten Universität Leipzig aufs wärmste empfohlen zu werden. Auch wird er ohne Zweifel alle ihm erwiesenen Wohltaten nicht nur dankbaren Sinnes anerkennen, sondern, wenn sich das Glück ihm einmal freundlicher zeigen sollte, auch gebührend erstatten.«

Das ist ein äußert wichtiges Dokument, das dem »Armen, ja Ärmsten« das Studium überhaupt erst ermöglicht. Wenn er es vorzeigt, bekommt er zwar weder Stipendium noch Freitische (kostenloses Essen), aber er braucht die Einschreibe- und Studiengebühren nicht zu bezahlen, die sonst unnachsichtig eingetrieben werden. Er kann also die paar Reichstaler, die ihm die Mutter schickt, für Miete und Essen verbrauchen. Sein Zimmer im Haus »Zu den drei Rosen«, Peterstr. 2, das er in der Messezeit räumen muß, weil es dann teuer vermietet wird, kostet 16 Taler, Mittagessen bekommt er schon für 18 Pfennige, an Bücher- oder Kleiderkauf denkt er gar nicht. Trotzdem reicht das Geld nie, auch wenn Oerthel, der nebenan beim gleichen Wirt wohnt, aushilft – gegen den Willen des neureichen Vaters, der den Sohn ständig ermahnt, kein Geld zu verborgen, und schon gar nicht an den unausstehlichen Richter.

In den ersten Monaten kommt das bißchen Geld von der Mutter noch ziemlich regelmäßig, dann beginnen die Jahre des Hungerns und der Schulden. In allen Briefen nach Hause ist vom Geldmangel die Rede, manchmal recht lieblos, mit wenig Verständnis für die Lage der Mutter, die sich nicht nur um Geld sorgen muß, sondern auch um die schwierigen jüngeren Söhne.

»Ich hab' Ihnen neulich um Geld geschrieben; und da hab' ich schon viel geborgt gehabt; jetzt hab' ich noch keines, ich borg' also immer fort. Aber auf was soll ich denn endlich warten? Seien Sie so gütig und verschaffen Sie mir Rat. Ich muß doch essen, und kann nicht unaufhörlich beim Trakteur borgen. – Ich muß einheizen; wo soll ich aber Holz bekommen, ohne Geld? Ich kann ja nicht erfrieren. Für meine Gesundheit kann ich überhaupt nicht sorgen; ich habe weder morgens noch abends etwas Warmes. Ich habe Sie um 20 rtl. sächs. gebeten, jetzt schon lange; wenn ich's bekommen werde, so werde ich kaum das bezahlen können, was ich schon schuldig bin. Glauben Sie nicht, daß ich Sie unnötiger Weise um Geld bitten werde, um verschwenderisch leben zu können. – Ich weiß wie nötig Sie es jetzt brauchen. Allein helfen Sie mir nur jetzt . . . ich wüßte wahrlich nicht, was ich anfangen sollte, wenn Sie mir entweder keines schicken, oder mich doch lange warten ließen . . . Ich hoffe eine Antwort mit der ersten Post und mit dem Gelde – denn wahrlich, ich schreib's noch einmal, ich wüßte nicht, was ich anfangen sollte.«

Aber die immer kränkelnde 44jährige Pastorenwitwe Sophie Rosine Richter, hat kaum genug, um sich und die vier jüngeren Söhne durchzubringen. Solange ihr Vater, der Hofer Tuchmachermeister und Tuchändler Johann Kuhn, noch lebte, konnte sie immer mit ein paar Talern Unterstützung rechnen. Der aber war im Vorjahr gestorben. Zwar hatte er ihr ein Haus in der Hofer Klostergasse vermacht, aber ihr Schwager Riedel, Gerichtsadvokat und Goldarbeiter, focht das Testament an, und der bis zu Riedels Tod während Prozeß zehrte das Erbe fast auf. Auch hatte sie noch Schulden ihres Mannes abzuzahlen.

In dieser schwierigen Situation nun wird ihr auch noch die Wohnung in Schwarzenbach gekündigt, und sie muß nach Hof ziehen, in das umstrittene Haus. Also macht auch sie Schulden, um ihren Ältesten in Leipzig von den seinen zu befreien – was nie gelingt. Denn was die zarte Frau, die seit ihrer Heirat nur mehr oder weniger große Armut erlebt hat, bis an ihr Lebensende durch Spinnen dazu verdient, kann der großen Familie nicht helfen. Nach ihrem Tod findet ihr inzwischen berühmter Sohn in ihrem spärlichen Nachlaß ein Heftchen, in dem sie die Spinnpfennige zusammengerechnet hatte. »Was ich ersponnen« steht auf dem Umschlag.

In allem, was Richter in diesen Jahren denkt und schreibt, ist von Armut wenig die Rede. Sie ist aber der Boden, auf dem das alles wächst, auf dem auch er wächst. Während sie in späteren Jahren zum Objekt der Darstellung wird, bestimmt sie jetzt das Subjekt, den aufnehmenden und schöpferisch tätigen Menschen. Wenn er sich für Leibnizens beste aller Welten begeistert, in der jede Qual nur Voraussetzung für vorhandene Freuden ist, oder sich hinter stoischen Tugendbegriffen verschanzt, um die reale Welt, in der ihm nichts gehört, für nichtig halten zu können, so ist das nur der Versuch, das Hungertuch, das ihn von Pracht und Glanz der großen Stadt trennt, durch Vergeistigung unsichtbar zu machen. Der Spott aber, mit dem er bald die Gesellschaft, die ihn, den Besitzlosen, an ihren Rand verwiesen hat, angreifen wird, ist der Panzer, den er sich umlegt, um seine empfindsame Seele zu schützen. »Der Empfindsame ist zu gut für diese Erde, wo kalte Spötter sind...« setzte er als Motto über seinen mißglückten Roman. Jetzt will der Empfindsame die Spötter mit eignen Waffen schlagen.

Ein anderer hätte in seiner hoffnungslosen Lage den schnellsten Weg in ein auskömmliches Amt gesucht. Er denkt gar nicht daran, von seiner Bahn abzuweichen. »Gehungert«, sagt er später zu Heinrich Voß, »hab' ich arg und überarg; aber nie den Mut verloren... Ich wußte, es mußte gut gehen, und es ging.«

Es muß gut gehen, weil er genau weiß, was er will: Bücher schreiben. Nur was für welche, ist noch unklar. Philosophisches scheint vorerst am nächsten zu liegen. Aber je mehr ihm das Leben in der Stadt das soziale Gefüge und seine eigne Lage in ihm anschaulich vor Augen führt, desto stärker wird der Drang, Gesellschaftliches zur Darstellung zu bringen.

9.

Das Mittel

*

15 Jahre vorher reiste der Mulus Goethe nach Leipzig zum Studium, nicht im Postwagen, sondern in einer Mietkutsche – die allerdings auch nicht davor gefeit war, auf den schlechten Wegen in Thüringen steckenzubleiben. Er hatte einen ansehnlichen Wechsel des Vaters in der Tasche, mietete keine Studentenbude, sondern »ein paar artige Zimmer«, kleidete sich, als deutlich wurde, daß seine reiche, aber altmodische Kleidung dem eleganten Leipzig nicht entsprach, gleich neu ein und fand durch Empfehlungsschreiben sofort Zutritt (und Mittagstisch) zu der besseren Gesellschaft, zu der in Leipzig auch die Professoren gehörten. Die Stadt fand er mit ihren »schönen, hohen und untereinander gleichen Gebäuden« modern und imposant und fühlte sich sofort heimisch. Mädchen interessierten ihn mehr als Wissenschaften; er studierte eigentlich nicht Jura, sondern das Leben.

Friedrich Richter aber hat Heimweh. Die große Stadt (sie hatte etwa 30 000 Einwohner, war also beileibe keine Großstadt im heutigen Sinn) bedrückt ihn anfangs. Er findet die hohen Häuser und langen Gassen nicht modern, sondern einförmig, die Umgebung trostlos: keine Hügel und Täler. Er ist nur mit halber Seele dort, »indem ich den andern Teil in meinem geliebten Vaterland zurückgelassen habe«. Selbst die ein-

51

fachen Leute, unter denen er sich immer wohl fühlte, sind nicht die der Heimat; sie sind »so höflich, so poliert«. Die Ansicht, daß Freundlichkeit, Güte, Menschenliebe nur auf dem Lande und in kleinen Städten zu Hause sei, bildet sich hier, verfestigt sich fürs ganze Leben.

Obwohl sein Lebensstil, das Studierzimmerdasein, sich kaum ändert, ist das eine äußerst wichtige Zeit für ihn. Der Hintergrund der reichen Handelsmetropole macht ihm die Armseligkeit eigner Existenz erst sichtbar. Das Begreifen eigner Lage läßt soziale Erkenntnisse reifen.

Mit Verachtung für alles, was ihn umgibt, versucht er die entstehenden Minderwertigkeitsgefühle zu kompensieren. Die Professoren sind Narren oder Scharlatane, die Studenten Kriecher, Schmeichler, Karrieristen. Besonders verhaßt sind ihm, der bei der Mutter um eine zweite Kragenbinde und Schnupftücher bettelt, die eleganten Stutzer. »Die Mode ist hier der Tyrann, unter dem sich alles beugt ... Die Stutzer bedecken die Straße, bei schönen Tagen flattern sie herum wie die Schmetterlinge. Einer gleicht dem andern; sie sind wie Puppen im Marionettenspiele, und keiner hat das Herz, er selbst zu sein. Das Herrgen gaukelt hier von Toilette zu Toilette, von Assemblee zu Assemblee, stiehlt überall ein paar Torheiten mit weg, lacht und weint, wie's dem andern beliebt, nährt die Gesellschaft von den Unverdaulichkeiten, die er in einer andern eingesammelt hat, und beschäftigt seinen Körper mit Essen und seine Seele mit Nichtstun, bis er ermüdet einschläft. Wen nicht seine Armut zwingt, klug zu sein, der wird in Leipzig ein Narr, den ich jetzt geschildert habe. Die meisten reichen Studenten sind dieses.«

Er ist, glaubt man seinen Briefen, einer der wenigen Studierenden, denen es um Wissenserwerb geht. Da er es, wie kaum einer, nötig hat, an Broterwerb zu denken, scheint ihm das das Verächtlichste zu sein. »Aber eben dadurch verdienst du dein Brot, (ist) der elendeste Einwurf, der gemacht werden kann«, schreibt er zu Anfang seiner Studien, aber auch noch 10 Jahre später spricht er von seinem »unbezwinglichen Hasse gegen alle Brotstudien« und »Ich blieb und bleibe bei meinem Verzichttun auf alle Ämter.« Seine Devise ist: »Man muß ganz für eine Wissenschaft leben, ihr jede Kraft, jedes Vergnügen, jeden Augenblick aufopfern.«

Immer häufiger ist in seinen Briefen vom Stolz die Rede. Je nötiger er es hätte, zu betteln und zu schmeicheln, desto unmöglicher wird es ihm. »Noch obendrein hat mir Gott 4 Füße versagt, mit welchen man sich dem gnädigen Blick eines Gönners und etliche Brosamen von seinem Überfluß erkriechen kann. Ich kann weder ein falscher Schmeichler, noch ein modischer Narr sein, und weder durch die Beweglichkeit meiner Zunge noch meines Rückens Freunde gewinnen.«

Da die gelehrte auch die wohlhabende Welt ist, die ihn nur in der Pose demütiger Anpassung dulden würde, schließt er sich aus ihr ganz aus und dokumentiert das auch äußerlich durch auffallende Kleidung. Gegen alle Vorschrift der besseren Schichten trägt er sein Hemd »à la Hamlet«, vorn offen, so daß die Brust zu sehen ist, und verzichtet auf den Zopf, trägt also sein Haar offen, was weniger in der freien Stadtluft Leipzigs als in der Muffigkeit Hofs Aufsehen und Empörung erregt. Es ist die gleiche, durch Nicht-Anerkennung erzeugte Protesthaltung, die sich bis heute bei Jugendlichen immer wiederholt.

Sich anders zu kleiden und zu frisieren als alle, gilt auch heutzutage manchem als unanständig; dem 18. Jahrhundert war das noch in viel größerem Maße mehr eine Frage der Ethik als der Ästhetik. Seit Jahrhunderten waren »Kleiderordnungen« erlassen und immer wieder erneuert worden. Wer sich unordentlich, das heißt: nicht der Ordnung entsprechend, kleidete, hatte mit Strafen zu rechnen. Die streng voneinander getrennten Klassen sollten sich auch äußerlich unterscheiden. Es war eine Art Uniformierung vorgeschrieben, die Rang und Stand deutlich machte, die Beherrschten demütigte und zur Ehrfurcht vor den Höhergestellten erzog. Der Bauer oder der Handwerker hatte vor der Farbenpracht des Edelmanns zu zittern wie der Soldat vor dem Rot und Gold des Generals. Nicht erst der Mensch, schon seine Rangabzeichen, seine Machtsymbole waren zu grüßen: der Hut dort auf der Stange. Das Sprichwort: Kleider machen Leute gilt – bis heute – von dieser Tradition her nicht nur in dem Sinne, daß die Welt durch Schein getäuscht wird, sondern auch in dem, daß Kleidung den Menschen verändert, daß mit Kostümierung des Körpers auch das Bewußtsein sich wandelt, was durch Extreme wie Uniform, Maske oder Amtstracht am deutlichsten wird.

Wenn sich auch nach 1750 überall, besonders aber in Residenz- und Handelsstädten, die strenge Befolgung des Kleiderzwanges nicht mehr durchsetzen ließ, wurden doch noch neue Ordnungen erlassen, die letzte 1789 in Mecklenburg. Der moralische Zwang aber dauerte, besonders auf dem Lande und in Kleinstädten, noch lange an. Sich nicht seinem Stand gemäß zu kleiden, war nicht mehr ein kriminelles, aber doch noch ein sittliches Vergehen. Zur Ehrbarkeit im Sinne der Zünfte zum Beispiel gehörte nach wie vor auch der äußere Habitus.

So ist es begreiflich, daß selbst der verständige Freund Pfarrer Vogel, der gegen Richters genialische Individual-Orthographie nichts einzuwenden hat, gegen dessen Individual-Kleidung doch protestiert. Zu seiner Verteidigung führt Richter erst Vernunftsgründe an (daß offene Hemden gesünder seien, offene Haare Friseurgeld und -zeit ersparten), kommt dann aber auch auf die wahren zu sprechen: Wenn er der Gesellschaft anstößig sei, so sei diese das ihm noch viel mehr; wider den Strom schwimmen müsse er, um sich das zu bewahren, was er immer wieder Tugend nennt; auf die Meinung der Leute pfeife er, weil er kein Amt brauche, sondern nur ein Loch, wo er arbeiten könne; wie Diogenes in seiner Tonne, möchte er sich von Bedürfnissen frei machen, um in Unabhängigkeit die Laster der Mächtigen strafen zu können.

Strafen, sagt er. Aber dazu gehört Macht, und sei es nur dichterische. Die traut er sich schon zu. An Selbstbewußtsein mangelt es ihm nicht. Es wird ihm zum Mittel, um durch Armut erzeugte seelische Bedrückung abzubauen. Ohne übersteigertes Selbstbewußtsein wäre schöpferische Arbeit unter seinen Bedingungen kaum möglich. Als ein Nachbar in Leipzig sich bei Richters Hauswirt über die unerträglich anstößige Kleidung des Studenten beschwert, schreibt dieser ihm: »Sie verachten meinen geringen Namen; aber merken Sie ihn auch.« Und als die Mutter ihre Hoffnung erwähnt, ihn mal in Hof als Prediger zu sehen, antwortet er verächtlich: »Fast mußte ich lachen, da Sie mir den erbaulichen Antrag tun, mich in Hof in der Spitalkirche z. B. vor alten Weibern und armen Schülern mit einer erbaulichen Predigt hören zu lassen. Denken Sie denn, es ist soviel Ehre, zu predigen? Diese Ehre kann jeder miserable Student erhalten, und eine Predigt kann einer im Traume machen ... Ich verachte die Geistlichen nicht – allein ich verachte auch die Leinweber nicht, und mag doch keiner werden.«

Aber er studiert Theologie, selbstverständlich, wenn auch nur so, wie Lessing sie studierte, oder wie Goethe Jura, nur nominell, am Rande. Seine theologischen Interessen haben sich mehr und mehr in philosophische verwandelt; darüber hinaus ist sein Drang zu anderen Wissensgebieten weiterhin enorm. Er hört neben Apostelgeschichte auch Logik, Metaphysik, Ethik, Ästhetik, Englisch und Trigonometrie, vervollständigt sein Französisch. Aber er gehört zu den Theologen, und unter diesen ist er nicht der einzige, der hungert. Theologie ist das Studium des armen Mannes. Nur als Theologe kann er auf Streichung der Einschreibe- und Vorlesungsgebühren, auf Stipendien und Freitische hoffen; und nur nach diesem Studium kann er, wenn er fleißig und anpassungsfreudig ist, später mit einer Stellung rechnen. Der gemeine Mann sieht in der Theologie nicht die Gottesgelehrtheit, sondern die einzige Chance, durch Wissenserwerb zu arrivieren. Die in Auflösung begriffene Feudalgesellschaft braucht ein Heer von ideologisch tätigen Funktionären und rekrutiert es aus allen Schichten.

Richters wahres Studium aber setzt sich nach wie vor durch Lektüre fort. Seine Studentenbude verläßt er kaum. Weiterhin gehen Bücherpakete zwischen ihm und Rehau hin und her, von kommentierenden Briefen begleitet. Aber schon ist er in dem

Verhältnis zu Pfarrer Vogel mehr der Lenkende als der Gelenkte. Und der Pfarrer erkennt das an. »Sie können noch dereinst mehr Verdienst um mich haben, als ich gegenwärtig um Sie gehabt habe«, schreibt er dem Jungen und gibt damit dessen Selbstbewußtsein neue Nahrung. Richter kann sich revanchieren durch bibliographische Nachrichten aus der Buchstadt. Aufmerksam studiert er die Meßkataloge und gibt Hinweise auf wichtige Neuerscheinungen. »Zur Messe kommen verschiedene wichtige Bücher heraus: Kant's Kritik der Vernunft; witzig, frei und tiefgedacht!« In einem Brief an Vogel fällt auch das bekenntnishafte Wort von der »Seelenwollust«, die die Wissenschaft ihm bereitet.

Daß die Bücher auch auf der Universität wichtigstes Studienmittel für ihn bleiben werden, hat er schon vorher gewußt. In »Abelard und Heloise« heißt es: »Da bin ich nun da, auf der Universität! Und zu was Ende? daß ich Geld verzehre, das ich besser hätt' anwenden können, Sachen vergesse, die ich gewußt habe, und Dinge lerne, die mir nichts nützen ... Was mir all die Professoren sagen wollen, kann ich aus den Büchern besser – gründlicher und mit weniger Zeit und Geldverlust lernen. Aber das Ding hat man einmal in finstern Zeiten angefangen, wo man wenig Bücher schrieb, und wo man, um klug zu werden, die Leute selbst hören mußte. Jetzt nun, da's einmal Mod' ist, hält man's für Sünde, diese Sitt' abzuändern – man hat Bücher, hört die Professoren und der Dümmling bleibt doch allemal derselbe.«

Nur einmal, am Anfang der Leipziger Zeit, scheint es, als ob die Persönlichkeit eines Professors den Studenten Richter von den Büchern wegreißen könnte: Ernst Platner, Philosoph, mehr Aphoristiker als Systematiker, ein ausgezeichneter Redner, zieht ihn in seinen Bann. Platner ist Leibnizianer, wie Jean Paul in dieser Zeit, und seine gedruckten Aphorismen treffen diese Philosophie »im kernichsten Auszug«. Seine berühmten Ästhetik-Vorlesungen (die nie gedruckt wurden und nur durch die Mitschrift eines Studenten bekannt sind, die Anfang dieses Jahrhunderts in einem Leipziger Antiquariat aufgefunden wurde) entsprechen den Kunstvorstellungen der Zeit und beeindrucken auch Richter sehr. Nach Platner ist die Empfindsamkeit des Künstlers die Quelle jeder Kunst, und zu seinen Forderungen gehört auch die Darstellung politischer Zustände der Gegenwart, Besinnung auf Nationalgeist und Entwicklung gesellschaftskritischer Satire. Kein Wunder also, daß er, was Richter besonders beeindruckt, oft Ärger mit dem Konsistorium in Dresden, dem geistlichen Staatssekretariat für die sächsischen Hochschulen hat. Natürlich beschuldigt man ihn nicht des selbständigen Denkens, sondern der Religionsfeindlichkeit und des Materialismus, was, nach Richter, unsinnig ist. »Doch es war ein Konsistorium; und dieses hat recht, mit mehr Ehre dumm und mit mehr Heiligkeit boshaft zu sein, als andre Menschen.«

Zu Platners Zuhörern gehört auch Nikolai Michailowitsch Karamsin. In den »Briefen eines reisenden Russen« gibt er ein Bild der allgemeinen Begeisterung: »Heute morgen wohnte ich den ästhetischen Vorlesungen Platners bei ... Ein großer Saal war so vollgepfropft mit Zuhörern, daß kein Apfel zur Erde kommen konnte. Ich fand kaum noch Platz unter der Tür. Platner stand schon auf dem Katheder und sprach. Alles war still und aufmerksam ... Er sprach vom Genie ... so freimütig und unbefangen, als wäre er in seinem Kabinette, und eben deswegen gefällt er so ... Auch sagt man, daß kein Professor in Leipzig von den Studenten so geliebt und geehrt wird als er. Als er das Katheder verließ, machten sie ihm wie einem Könige einen geräumigen Weg bis zur Tür frei.«

Als Jean Paul Jahre später den einstigen Lehrer wieder besucht, findet er dessen Eitelkeit unerträglich und die Töchter viel interessanter. »Vom Lehrer der Jugend erwartet man in der Männlichkeit noch den Strahlenreif, der nicht aus ihrem, sondern aus unserm Kopfe kam.« Ob er Platners späten Aufsatz kannte, in dem dieser die naturbedingte moralische Überlegenheit der Frauen über die Männer behauptete, ist nicht bekannt. Er würde ihn diskutabel gefunden haben.

Die anderen Professoren sind Richter ziemlich gleichgültig,

wie auch, mit Ausnahme der Hofer Freunde, die anderen Studenten, ihre Vergnügungen, Ausschweifungen, Verbindungen. Hungernd sitzt er in seinem Stübchen und schreibt, Briefe, Exzerpte, mehr und mehr Eigenes. Verbissen arbeitet er auf ein Ziel zu, das immer deutlicher Gestalt gewinnt.

In vier Jahren, in Schwarzenbach, Hof und Leipzig, von 1778 bis 1782 füllen sich 20 Bände mit Auszügen aus Büchern und Zeitschriften, wobei er mehr und mehr vom reinen Abschreiben zu produktiven Anmerkungen, Verweisen und Stellungnahmen übergeht. Hinzu kommen ein »Arbeitsbuch« (1780/81), in dem, neben Briefkonzepten, Französischübungen und Mathematikaufgaben auch eigne kleine Aufsätze stehen, ein »Tagebuch meiner Arbeiten« mit allen möglichen Gedankensplittern, zwei Aufsatzsammlungen (»Übungen im Denken« und »Rhapsodien«) und seine erste größere Satire: »Das Lob der Dummheit«. Mit dem kleinen Roman zusammen füllen diese Jugendwerke des Schreibbesessenen (die Auszüge aus Büchern natürlich ausgenommen) in der Gesamtausgabe schon einen stattlichen Band von 350 Seiten.

Sein Elend wird unterdessen immer drückender. »Ich habe keinen ganzen Strumpf«, klagt er der Mutter. »Mein Geldmangel ist so groß wie der Ihrige. Ich borg' halt darauf los. Und kann nicht anders . . . Ich will nicht von Ihnen Geld um meinen Speiswirt zu bezahlen, dem ich 24 rtl. schuldig bin, oder meinen Hauswirt, dem ich 10 rtl., oder andre Schulden, die über 6 rtl. ausmachen – zu allen diesen Posten verlang' ich von Ihnen kein Geld . . . aber zu folgenden müssen Sie mir Ihre Hülfe nicht abschlagen. Ich muß alle Wochen die Wäscherin bezahlen, die nicht borgt, ich muß zu früh Milch trinken; ich muß meine Stiefel vom Schuster besohlen lassen, der ebenfalls nicht borgt.«

Bald will niemand mehr borgen. Auch die Wirtin nicht, die jeden Morgen an die Stubentür klopft und böse fragt, ob das Geldschiff des Herrn Richter noch nicht da sei. Vergeblich bettelt er um Stipendien oder Freitische. Vergeblich bemüht er sich um Hauslehrerstellen. Das Angebot an hungernden Studenten ist groß, und »in großen Häusern nimmt man nur die zu Informatoren an, die Empfehlungen an sie haben.«

Der Gedanke, aus Not den Lebensplan aufzugeben oder aufzuschieben, kommt ihm gar nicht. Im Gegenteil: Er faßt den wagehalsigen Entschluß, ihn zu beschleunigen. Im Brief vom 1. Dezember 1781 an die »Geliebte Mama« steht zum erstenmal der geheimnisvolle Satz: »Vielleicht hilft mir das Mittel, das ich im Kopf habe, zu Gelde.« Und im Juli 1782 heißt es wieder: »Wenn nur mein Mittel anschlägt...« Und im August: »Denn das dürfen Sie nicht glauben, daß mein Mittel, Geld zu erwerben, nichts tauge... O nein!«

Pfarrer Vogel gegenüber aber ist er schon im März deutlicher geworden: Er will sich Geld durch Bücherschreiben verdienen!

14 Tage nach diesem Brief wird er 19 Jahre alt.

10.

Der steile Berg

*

Als ersten freien (was in erster Linie heißt: finanziell unabhängigen) Schriftsteller Deutschlands bezeichnen einschlägige Werke abwechselnd Lessing oder Jean Paul, was beides seine Berechtigung hat. Lessing machte als erster den Versuch, vom Erlös seiner Schreibarbeit zu leben, Jean Paul aber gelang es als erstem. Nie war er, wie Klopstock, wie Goethe, wie Wieland, von einem fürstlichen Mäzen abhängig; nie hat er, wie Schiller, Goethe und zeitweilig auch Lessing, ein staatliches Amt sich bezahlen lassen. Wenn ein Dichter ein Amt hat, sagt er in den »Flegeljahren« den Leuten, die das für erstrebenswert halten, ist das so »schlimm, als wenn eine Schwangere die Pocken zugleich hat.« Denn dem Künstler muß die Kunst »Weg und Ziel zugleich« sein. »Durch den jüdischen Tempel durfte man ... nicht gehen, um bloß nach einem anderen Orte zu gelangen; so ist auch ein bloßer Durchgang durch den Musentempel verboten. Man darf nicht den Parnaß passieren, um in ein fettes Tal zu laufen.« Das war und blieb Lebensprogramm für ihn. Es ging aus von der Erkenntnis, daß Kunst keine Beschäftigung für Mußestunden ist, sondern schwere Arbeit, die den ganzen Menschen fordert, und führte zur notwendigen geistigen Unabhängigkeit.

Selbstverständlich hätte das beste Programm bei größter

Charakterstärke nicht durchgeführt werden können, wären die Umstände nicht danach gewesen. In den 30 Jahren, die zwischen Lessings Amtsantritt als Gouverneurssekretär in Breslau, also dem ersten Scheitern seines Versuchs und Jean Pauls erstem Erfolg lagen, war auf dem Buchmarkt viel geschehen. Trotz politischer Ohnmacht hatte das Bürgertum ökonomische Fortschritte gemacht. Die Bildungsschicht hatte sich verbreitert. Die Schulbildung war besser geworden. In Wechselwirkung mit der Zahl der Buchleser und -käufer war auch die der Schriftsteller und Verleger gestiegen.

Von 1773 bis 1787 hatte sich die Zahl der deutschen Schriftsteller etwa verdoppelt. (Goldfriedrich spricht in seiner Geschichte des deutschen Buchhandels von etwa 6000, einer ungeheuren Zahl, wenn man bedenkt, daß der Schriftstellerverband der DDR etwa 650 Mitglieder hat.) Wenn von dieser Menge überhaupt welche von ihrer Bücherschreiberei haben leben können, dann nur solche, die die Trivialliteratur verfaßten, mit der damals neue, vor allem kleinbürgerliche Leserkreise erschlossen wurden. In Sachsen (das heißt in Kursachsen und den sächsischen Herzogtümern) lebten bezeichnenderweise (prozentual gesehen) die meisten Schriftsteller: Hier war das Bürgertum ökonomisch am wenigsten gehemmt. Die Stadt, in der Jean Paul sein Schriftstellerleben begann, war die mit den meisten Autoren: 138 lebten in der Stadt der Buchmessen, die in dieser Zeit mit ständig neuen Rekordzahlen aufwarten konnten. 1770 wurde zum erstenmal die 1500er-Grenze an neuen Titeln erreicht; 1776 waren es 2000 und 1788 bereits 3500. Das konnte einem angehenden Schriftsteller Mut machen, auch wenn er sah, wie mit dem wirtschaftlichen und geistigen Fortschritt die politischen Hemmnisse wuchsen. Denn der Macht des gedruckten Wortes suchte der Staat mit der Macht der Zensur zu begegnen, ziemlich erfolglos vorläufig, der deutschen Zerrissenheit wegen: positive Folge einer negativen Erscheinung. Was in Berlin verboten wurde, war möglicherweise in Leipzig erlaubt.

Objektiv gesehen hatte also der junge Friedrich Richter

mehr Chancen, sein Lebensprogramm zu verwirklichen, als 33 Jahre zuvor der, ebenfalls 19jährige, Lessing. Subjektiv allerdings war seine Ausgangsposition wesentlich ungünstiger. Während Lessing am Theater schon ein wenig erfolgreich gewesen war, durch einen Freund sofort Verbindung zur »Vossischen Zeitung« hatte und sich durch Übersetzungen am Leben erhalten konnte, war Richter noch immer nichts als der arme Theologiestudent aus der Provinz, der außer Gelehrsamkeit und Selbstvertrauen nichts vorzuweisen hatte, nicht einmal ein fertiges größeres Werk.

Die erste Arbeit, die er einer Veröffentlichung für wert hält, ist ein von Pope-Lektüre angeregter (und gespeister) Aufsatz »Über den Menschen« (Popes didaktisches Gedicht heißt: »Essay on man«), in dem er umständlich darlegt, daß dieser ein Rätsel sei. Leider teilt Christian Heinrich Boie, der Herausgeber der Zeitschrift »Deutsches Museum«, die Wertschätzung des Autors nicht und schickt den Aufsatz zurück – unbeeindruckt von der Ankündigung des schreibenden Studenten, er würde ihm, Boie, nach Annahme des Aufsatzes »eine nicht ganz unbedeutende Nachricht« zukommen lassen.

Dieser erste Versuch, reich und berühmt zu werden, wird im Spätsommer 1781 unternommen. Im Frühjahr des nächsten Jahres übermittelt er die (leider nur für ihn) bedeutende Nachricht dem Leipziger Verleger Weygand: Er hat, nach sorgfältiger Lektüre aller englischen und französischen Satiriker und genauem Studium des »Lobes der Torheit« von Erasmus, eine eigene Satire verfaßt, die »Lob der Dummheit« heißt und (für sieben sächsische Reichstaler pro Bogen) dem Publikum vorgelegt werden kann. Ihre Materie ist derart, so belehrt der junge Mann den Verleger, daß sie die »meisten Leser und Käufer« finden wird. »Denn wer liebt nicht die Satire? wer mag nicht gern lachen?«

Aber der Verleger ist unbelehrbar. Er lehnt ab. Der Verfasser läßt sich nicht beirren. Als er nach ein paar Monaten das Manuskript wieder in die Hand nimmt, findet er es selbst schlecht – eine Schularbeit. Er fühlt sich reif für Besseres und schreibt statt der abgelehnten kleinen Satire eine große. »Kurz, ich unternahm nach einer vergeblichen Arbeit eine mühsame, und schuf in sechs Monaten . . . einen nagelneuen Satir.«

Den schickt er (von Freund Oerthel sauber abgeschrieben) diesmal nach Berlin, an den Verlag von Christoph Friedrich Voß, den Freund Lessings, der auch das von Richter sehr geschätzte Buch »Über die Ehe« von Hippel verlegte. Nur die letzten acht Seiten hält er vorläufig zurück. Nicht weil er sie noch bearbeiten will, sondern weil er darin, wie später immer wieder, dem Drang, von sich selbst zu reden, nicht widerstehen konnte, und er dabei dem Leser seine Jugendlichkeit verrät. Er fürchtet Vorurteile. Daß man dem von Gelehrsamkeit strotzenden Band selbst den unmündigen Verfasser nicht anmerkt, vermutet er mit Recht.

Am 10. Dezember 1782 schreibt Voß: »Dem Herrn Verfasser der satirischen Skizzen offeriere ich für das Mspt. fünfzehn Louisd'or.« Um die Weihnachtszeit zahlt er 16 (was 96 Reichstalern entspricht), und Ende Januar (also sieben Wochen nach Annahme durch den Verlag!) liegt das Buch schon gedruckt vor. Sein Titel: »Grönländische Prozesse«.

Der anonyme Herr Verfasser jubelt brieflich: »Gottlob! nun ist der steile Berg erstiegen; ich ziehe den Hut ab und das Schnupftuch heraus und wische mir den Schweiß von der heißen Stirne.«

Aber er jubelt zu früh. Zwar schafft er unter großer Anstrengung in weiteren sechs Monaten das zweite Bändchen, das im Oktober erscheint, und kassiert dafür sogar 126 Taler, aber weit reicht das Geld nicht bei den aufgelaufenen Schulden. Bald muß er wieder hungern und borgen. Die Satiren aber, die die literarische Welt erobern sollten, bleiben still zu Haus und hüten den Laden. »Die Rezensenten im allgemeinen ließen sie schweigend passieren; nur einer in Leipzig . . . warf, als die Erstgeburt unter seinem Baume wegging, auf dem er saß und literarische Wache hielt, . . . viel von seinem Unrat auf sie.«

Der Unrat stand im »Leipziger allgemeinen Bücherverzeichnis« und lautete: »Es mag vielleicht vieles, wo nicht alles wahr sein, was hier der Autor in einem bitteren Ton über Schriftstellerei, Theologen, Weiber, Stutzer usw. sagt; allein die Sucht, witzig zu sein, reißt ihn durch das ganze Werkchen zu sehr hin, daß wir nicht zweifeln, die Lektüre desselben werde jedem vernünftigen Leser gleich beim Anfang soviel Ekel erregen, daß er sich solches aus der Hand zu legen genötigt sehen wird.«

Unter diesen Umständen verzichtet Voß darauf, einen dritten Band zu drucken, den der unermüdlich tätige Satiriker bald wieder vorzulegen hat. Die Verlegersuche beginnt also von neuem. Der steile Berg war nur ein Vorgebirge; zwischen ihm und dem Gipfel des Erfolgs liegt noch das tiefste Hungertal.

11.

Der Zopf

*

Am Abend des 12. November 1784 verläßt der Student Friedrich Richter heimlich den Gasthof »Zu den drei Rosen« in der Leipziger Peterstraße. Da er unerkannt bleiben will, hat er sich mit Mantel, Hut und falschem Zopf in einen braven Bürger verkleidet. Er eilt durch die dunklen Straßen bis zum Stadttor, wo Oerthel schon wartet. Dort besteigt er die Postkutsche. Die Ausweispapiere, die er an der Grenze vorzeigt, lauten auf den Namen des Studenten der Medizin Johann Bernhard Hermann.

So endet sein Theologiestudium: mit Flucht vor den Gläubigern, die ihm mit Schuldhaft drohen. Denn zu pfänden gibt es bei ihm nichts; selbst der Mantel ist geborgt.

Aus der Leipziger Armut entflieht er in die noch drückendere von Hof. Am 16. kommt er dort an und schreibt sofort an den in Leipzig gebliebenen Freund: »Mein lieber Oerthel! Ich schicke Dir hier Deinen Mantel, und bloß die kalten Winde, von denen ich mir gar keine Vorstellung in Leipzig gemacht hatte, sind schuld, daß ich Dir für ihn, sowie für die Überziehhosen weit mehr danken muß, als ich anfangs nötig zu haben glaubte: ohne beide wär' ich . . . sicher ganz hart gefroren bei den Meinigen angekommen, statt daß ich jetzt nur bloß die rechte Hand erfroren habe. Ich kann kaum mit ihr mehr schreiben. . . Ich werde Dir bald mein Manuskript zuschicken.«

Er denkt nur ans Schreiben. Mit keinem Wort erwähnt er die Verhältnisse, unter denen er jetzt leben muß: den Hunger, die enge Wohnung. In einer Stube hockt die ganze Familie zusammen. Es ist eine Höllenpein für den Schreibbesessenen, die er mit stoischer Ruhe erträgt und zehn Jahre später, im »Siebenkäs«, mit Genauigkeit beschreibt, in gemilderter Form allerdings, die Heiterkeit zuläßt; denn außer Lenette (die im Roman für die Haushaltslärm verursachende und schwatzende Mutter steht) sind in der Hofer Wirklichkeit noch die drei jüngeren Brüder da. (Adam, der zweitälteste, hatte das häusliche Elend mit dem noch elenderen des Militärs vertauscht.)

Wie im Roman der Armenadvokat schreibt der Exstudent an einem Satirenband, der später einmal »Auswahl aus des Teufels Papieren« heißen wird. »Seit meiner Abreise habe ich 12 Bogen umgearbeitet«, schreibt er drei Wochen nach der Flucht an Oerthel. »Ich bin überhaupt durch das immerwährende Brüten über meinem Manuskript ganz entkräftet.«

Von Leipzig aus versuchte er den neuen Satirenband schon bei verschiedenen Verlagen unterzubringen. Daß sowohl Weidmann in Leipzig, Hartknoch in Riga, Nicolai in Berlin, Breitkopf in Dresden, Mylius in Berlin ablehnen, läßt ihn die Arbeit nicht einen Augenblick unterbrechen. Er schreibt weiter, ohne Rücksicht auf sich und seine Lage, ohne Rücksicht auf die verständnislose Mutter – ohne Rücksicht auf die Leser auch, die damals wie heute wenig Lust zeigen, sich durch die Worturwälder und Assoziationswildnisse seiner Satiren hindurchzuarbeiten. Als August Gottlieb Meißner, Herausgeber der Dresdner Vierteljahreszeitschrift »Für ältere Litteratur und neuere Lektüre« 1784 einige Satiren vom anonymen »Verfasser der Grönländischen Prozesse« einrücken läßt, tut er das nur, »weil wahrlich seine Briefe trefflich waren«, und fügt hinzu: »Und niemand wollte sie lesen«, die Satiren.

Unter diesen Umständen bedeutet es viel, wenn einer der Verleger und Herausgeber, die der erfolglose Verfasser mit Briefen und Manuskripten belästigt, um weitere Beiträge bittet. Das geschieht nur einmal in dieser Zeit, und zwar durch den

Herausgeber der Zeitschrift »Litteratur und Völkerkunde«, Johann Wilhelm von Archenholz, einen Publizisten, dessen fünfbändiges Werk »Über England und Italien« (1787) die deutsche Intelligenz beeinflussen und Jean Pauls Begeisterung für das demokratische England wecken wird. Ihm schreibt Richter das Verdienst zu, die Deutschen aus ihren »monarchischen Ketten und Bandagen« aufgerüttelt zu haben, »durch das Beispiel eines Volks, das sich frei bewegt ... Mög' es Ihnen nie an Zeit ... fehlen, unserm Freiheitsgefühl (das wie Gewächse unter Steinen, unter Thronen kränkelt) durch lebende Beispiele ... Luft und Sonne zu geben.«

Sicher sind es die kritisch-revolutionären Tendenzen in Richters Satiren, die Archenholz veranlassen, einige davon zwischen 1784 und -88 in seiner Zeitschrift abzudrucken. Aber auch er ist der Meinung, daß hier die Form mögliche Wirkung beeinträchtigt. Das geht indirekt aus dem Ratschlag hervor, den er dem Satiriker später gibt: »Wäre dieser Aufwand von Witz und Laune in Romanform gebracht, so bin ich gewiß, die Buchhändler würden sich darnach reißen. Warum in aller Welt tun Sie das nicht mit ihren Produkten? Die Kunsthandlung zu fingieren kann doch einem Manne nicht schwer werden, der die ungleich größere Kunst versteht, witzig und launicht zu sein!«

Das schreibt ihm Archenholz im Februar 1790. Genau ein Jahr später ist der »Wutz« fertig. Bis dahin aber werden noch viele erfolglose Satiren geschrieben. Das Manuskript der »Teufels-Papiere« wandert von Verleger zu Verleger, zu Freunden und Berühmtheiten, die es vermitteln sollen aber nichts ausrichten. Immer wieder wird an ihm verbessert, ausgewechselt und gefeilt. Schließlich, im März 1786, landet es in Gera bei einem Herrn Beckmann, der es in einer Auflage von 750 Stück gegen beleidigend geringes Honorar herauszugeben verspricht – und es liegenläßt, jahrelang, bis es endlich 1789 unbeachtet, mit entsetzlich vielen Druck- und Lesefehlern erscheint. Da ist schon ein dritter Satirenband fertig, der »Abrakadabra oder die Baierische Kreuzerkomödie« heißt und nie einen Verleger findet. Einzelne Stücke daraus werden später in die Romane übernommen.

Noch lebt Richter mit Mutter und Brüdern zusammen. Er verdient wenig durch Nachhilfestunden bei Hofer Honoratioren, noch weniger durch einige Aufsätze, die gedruckt werden. Er schreibt viel (auch eine Unmenge höflich-witziger Briefe an Leute, die in der Lage sind, der darbenden Familie Geld zu borgen), liest viel (darunter mehr als zuvor zeitgenössisches Deutsches: Kant, Herder, Hamann), pflegt gelehrte Freundschaften und versucht, Zuversicht größer sein zu lassen als Not und Ärger über den Spott der Hofer, die in ihm nichts sehen als den unheilbar närrischen Studenten, der es zu nichts gebracht hat. Zwei Jahre hält er das aus, dann entflieht er der Stadt, die als das Kuhschnappel des »Siebenkäs« später in die Literatur eingeht, und wird Hofmeister, und zwar ausgerechnet bei dem Mann, der ihn und den er am wenigsten ausstehen kann: beim Kammerrat von Oerthel, dem Vater seines Freundes.

Damit betritt er den Leidensweg, den viele bürgerliche Intellektuelle seiner Zeit zu gehen haben. Die Universitäten deutscher Länder und Ländchen, die ihr Entstehen oft nur der Prestigesucht kleiner Fürsten zu verdanken haben (selbst ein Landstädtchen wie das mecklenburgische Bützow wird für kurze Zeit zur Universitätsstadt), bilden planlos Studenten aus, für die keine Stellen da sind. Für die arbeitslosen Kandidaten ist ein Hofmeisterposten oft die einzige Erwerbsmöglichkeit. Aber das Heer der arbeitslosen Intelligenz wächst; man überbietet sich notgedrungen durch Anspruchslosigkeit. Das wiederum macht es auch Bürgerfamilien möglich, sich einen Kandidaten ins Haus zu nehmen. Informatoren nennt man die erst (zur Unterscheidung vom Hofmeister des Adels), später ehrenvoller: Hauslehrer.

Auf eine Anstellung hoffen kann nur, wer empfohlen wird. Als Stellenvermittler fungieren Pfarrer, Beamte, Hofpoeten, Verleger, vor allem aber Professoren. Das fördert natürlich die Kriecherei vor ihnen, über die der Student Richter in Leipzig so entsetzt ist. Gellert zum Beispiel war bekannt als Stellenvermittler. In Jean Pauls »Levana« gibt es ein »geträumtes Schreiben an den seligen Professor Gellert, worin der Verfasser um einen Hofmeister bittet«. Einen Grossierer und Lieferanten von Lehrern nennt er ihn darin. Schiller vermittelt eine Stelle für Hölderlin bei Frau von Kalb.

Fast alle bedeutenden Männer der Zeit, insofern sie nicht, wie Goethe, genügend finanziellen Rückhalt haben, müssen durch die harte Schule der Hofmeisterei gehen. Herder, Hippel, Hamann, Gleim, Winckelmann, Hebel, Kant, Fichte, Hegel, Schleiermacher, Hölderlin, Basedow, Campe, Heinse, Lenz, Johannes von Müller, Voß, Arndt durchlaufen diese Schule des Dienens: eine erzwungene Bildungszeit, wie die Wanderschaft der Handwerksgesellen, nur mit dem Vorteil, daß sie sich nicht, wie jene, in der gleichen sozialen Schicht abspielt, sondern die Möglichkeit bietet, alle besitzenden Schichten kennenzulernen: den Land-, Residenz-, Beamten- und Offiziersadel, das Patriziat, die Geistlichkeit, Krämer, Kaufleute, bürgerliche Pächter.

Das mehr oder weniger große Ansehen, das der Hauslehrer bei seinem Brotherrn genießt, hängt weitgehend davon ab, welche Bedeutung den Kindern und ihrer Erziehung beigemessen wird. Der Landadel steht dabei auf der untersten Stufe; die Stellen bei ihm sind also am meisten einem Dienerschaftsverhältnis ähnlich. Als in Lenz' Stück »Der Hofmeister« dieser es wagt, sich bei der Tafel ins Gespräch zu mischen, fährt die Hausherrin ihn an: »Merk' er sich, mein Freund: daß Domestiken in Gesellschaft von Standespersonen nicht mitreden. Geh' er auf sein Zimmer. Wer hat ihn gefragt?«

Das ist oft anders in bürgerlichen Familien, wo man, schon um späterer Aufstiegschancen willen, mehr Wert auf Bildung und Erziehung legen muß. Hier wird der Hauslehrer manchmal schon als wertvoller Miterzieher geschätzt, besonders dann, wenn Aufgeschlossenheit für humane, demokratischere Erziehungsmethoden da ist. Hauslehrer sind es oft, die den Eltern ihrer Zöglinge klarmachen: So wie die autoritäre Stellung des

Vaters in der patriarchalischen Großfamilie der des absolutistischen Fürsten im Staate entspricht, so entspricht die autoritäre Pädagogik der Unterdrückung aller demokratischen Regungen der Untertanen. »Durch bloßes Befehlen, Lehren, Warnen, Strafen entsteht keine gute Gewohnheit. Übung ist das eigentliche Mittel«, lehrt der ehemalige Hauslehrer Basedow. Man lernt die Kinder, die man bisher nur als unfertige Erwachsene ansah, als Eigenwesen schätzen. Männer mit Aufklärungsdrang versuchen, die geeigneten Lehrer in machtausübende Familien zu schleusen. An die von Karl Friedrich Bahrdt geschaffene Geheimorganisation »Deutsche Union« wird auch die Direktive ausgegeben, »an allen Orten, Familien, Höfen etc. im stillen zu wirken und auf Besetzung der Hofmeisterstellen, der Sekretariats, der Pfarreien usw. Einfluß zu bekommen.« Von Wieland bis Jean Paul spielt das Problem der »Fürstenerziehung«, (durch Hofmeister selbstverständlich) in der Literatur eine Rolle.

Zu denen, die den Zwangsberuf des Hauslehrers sich zur Berufung machen, gehört auch Jean Paul. Er wird auch als Lehrer schöpferisch, verläßt alte Bahnen, sucht neue, notiert Erkenntnisse und macht später ein Buch daraus, das ihm einen Platz in jeder Pädagogikgeschichte sichert. Trotzdem ist die Annahme der Hofmeisterstelle in Töpen in erster Linie eine Flucht. Er flieht die Familie, den Hunger. Auf sein Drängen hin hat Freund Oerthel, der, wie immer kränkelnd, bald nach ihm Leipzig verließ, ihm die Stelle vermittelt. Es ist der letzte von vielen Freundschaftsdiensten. Am 13. Oktober 1786 stirbt Adam von Oerthel in Richters Armen.

Drei Monate später tritt der Hofmeister Richter sein Amt im Herrschaftshaus des Gutes Töpen an. Sein Schüler ist der jüngere Bruder des Freundes. Er wird nach einer eignen Methode unterrichtet, die Richter später Entwicklung des Bildungstriebes nennt.

Der Schüler hängt bald mit rührender Liebe an ihm, mit dem Vater aber, dem Chef, gibt es ständig Auseinandersetzungen, die nach der Entlassung noch brieflich fortgesetzt werden.

Den Hunger ist Richter jetzt los, aber die Unabhängigkeit auch. Er hat einen eignen Raum und Ruhe, aber weniger Zeit für Eignes. Doch die wenige Zeit nutzt er. Selbst auf Spaziergängen fehlt nie das Buch oder die Schreibtafel. Die Erschütterung über den Tod des Freundes wirkt sich noch kaum aus. Lediglich ein nichtsatirischer Aufsatz (»Was der Tod ist«) entsteht. Die Folgen des Schicksalsschlages werden noch aufgeschoben.

Der wesentliche Gewinn der Töpener Jahre für den Schriftsteller liegt im Erschließen eines neuen Lebensbereichs. Er hat das Dorf jetzt aus einem anderen Blickwinkel sehen gelernt, als aus dem des schwärmerischen Pfarrerskindes. Das Leben im Herrschaftshaus ist seines Glanzes beraubt. Not und Rechtlosigkeit der Bauern ist ihm bewußt geworden. Die Satiren, die jetzt entstehen, werden in dieser Hinsicht schärfer und konkreter. Der habgierige Gutsherr, von dem er sich nach zwei Jahren trennt, wird später im Roman auftauchen.

Im April 1789 ist er wieder in Hof bei der Mutter. Ein Jahr später tritt er eine neue Lehrerstelle an, in Schwarzenbach, wo er als Kind den »Robinson« las und die Lateinschule besuchte. Sieben Schüler verschiedenen Alters hat er dort zu unterrichten, bürgerliche diesmal, Kinder von Bekannten und Freunden, an denen er seine pädagogischen Ideen weiterentwickelt und erprobt.

Wie jede starke Persönlichkeit, die in der Lehre tätig wird, entgeht auch er nicht der Gefahr, seine Schüler zu Ebenbildern seiner selbst erziehen zu wollen. Es geht also ziemlich jeanpaulisch zu, zum Beispiel bei seiner Methode des Vergleichs verschiedenartiger Gegenstände, die dazu dienen soll, die einzelnen Wissensgebiete miteinander zu verbinden. Ihr Resultat aber ist das Suchen nach witzigen Metaphern. Kindern Witz beizubringen, heißt es im ersten Roman, der »Unsichtbaren Loge«, sei deshalb so nützlich, weil es ihr »Ideen-Räderwerk« beschleunigt, sie die Handhabung des Wissens lehrt. »Der Verfasser dieses stand einmal einer Winkelschule ... drei Jahre lang vor«, erzählt er in der »Levana« über diese Zeit. »Es wurde nun, nebst der lateinischen Sprache, angefangen, die deutsche, französische, englische, samt allen sogenannten Realwissenschaften. Doch ... nach einem halben Jahre täglichen fünfstündigen Unterrichts, in dessen Wiederholungen ... witzige Ähnlichkeiten gesucht wurden ... machte der Verfasser, um aufzumuntern und aufzubewahren, ein Schreibbuch, betitelt: Bonmots-Anthologie meiner Eleven, in welches er vor ihren Augen jeden ... Einfall eintrug.« Und er hat, als er die »Levana« schreibt, selbstverständlich die Bonmot-Sammlung noch und zitiert zwei Seiten lang daraus: »Die Luftröhre, die intoleranten Spanier und die Ameisen dulden nichts Fremdes, sondern stoßen es aus. Die lutherische Religion und die Rentiere vertragen die Wärme des Südens nicht. Meine Schule sei eine Quäkerschule, wo jeder reden darf.«

So erweist sich auch sein pädagogischer Eifer nur als Nebenarm des Hauptstroms, der Schriftstellerei: er entspringt ihm und mündet in ihn. Wenn »seine Lehrstunden, die er gewissenhaft abwartete, vorbei waren«, so erinnert sich eine seiner Schülerinnen, die Tochter des Eisenhammerbesitzers Clöter, »eilte er ins Freie, am liebsten in den Wald, legte sich hier unter den ersten besten Baum, starrte unverwandt Wald und Himmel an, zog dann und wann ein weißes Blatt Papier aus der Tasche, schrieb darauf einzelne Worte und eilte nicht selten gleich nach dem Schreiben fort, um zu Hause Gedanken und Bilder, die er sich dort nur angedeutet hatte, weiter auszuführen.«

Da ist er 27 Jahre alt, noch immer ledig, noch immer mittellos, blond, schmalgesichtig. Seine Jugend ist vorbei. Als wollte er das demonstrieren, trägt er seit dem Revolutionsjahr wieder einen falschen Zopf, wie andere Christenmenschen auch, und macht das den Freunden bekannt: »Es wird daher einem gnädigen hochedel geborenen Publikum gemeldet, daß Endes Unterzeichneter gesonnen ist, am nächsten Sonntage in verschiedenen wichtigen Gassen mit einem kurzen falschen Zopfe zu erscheinen und mit diesem Zopfe gleichsam wie mit einem Magnete und Seile der Liebe ... sich in den Besitz der Liebe eines jeden, er heiße wie er wolle, gewaltsam zu setzen.«

Diesem Vorgang äußerer Anpassung entspricht kein innerer. Der zur Schau getragene Nonkonformismus ist ihm unwichtig geworden mit gewachsener Selbstsicherheit. Sein Wissensfundus ist enorm, sein Stil geprägt, sein Wortreichtum immens. (Gerade in dieser Zeit beginnt er, sein »Mitwörterbuch« anzulegen, eine Art Synonymlexikon für den eigenen Gebrauch, in dem er zum Beispiel für das Wort Verschlimmerung 184 Ausdrücke findet.) Geschrieben hat er schon mehr als andere Autoren ein Leben lang, veröffentlicht zwei Bücher und ein paar Aufsätze. Er ist ohne Zweifel, wie er es sich vorgenommen hatte, ein Schriftsteller geworden – aber ein erfolgloser, in jeder Hinsicht. Er kann nicht leben von seiner Arbeit, die Kritik nimmt keine Notiz von ihm, sein Werk hat keine Wirkung auf Leser. In der deutschen Literatur existiert sein Name nicht.

12.

Essigfabrik

*

Ein Fürst zeigt seine Liebe zu den Untertanen unter anderem oft dadurch, daß »er sie gern der ersten besten Macht, die Krieg führt und nicht ohne Geld ist, oder auch beiden kämpfenden Mächten zugleich vorschießet und durch das feindliche Schwert den armen Untertan auf immer vor der Verhungerung sichert.«

Zu den politischen Anspielungen, die mehr oder weniger versteckt, in den Satiren immer wieder auftauchen, gehören auch die auf den Soldatenhandel der Fürsten, der seine letzten Blüten treibt, als Jean Paul in seine Jünglingsjahre hineinwächst. Was er da, scheinbar beiläufig, seinen Lesern vorsetzt, sind Hinweise auf aktuelle politische Vorgänge, die, gäbe es so etwas wie eine öffentliche Meinung in Deutschland, einen Skandal auslösen müßten.

Der Handel mit den Unfreiesten der Unfreien, den Soldaten, hatte bei den deutschen Fürsten schon hundertjährige Tradition. Den ersten Vertrag dieser Art schloß der Landgraf von Hessen 1676 mit dem dänischen König. Als Wilhelm von Oranien 1688 in England landete, hatte er eine brandenburgische Truppe bei sich. Im spanischen Erbfolgekrieg kämpften Mietstruppen auf beiden Seiten. Hessen schlugen für die Engländer den schottischen Aufstand nieder. Zum englischen Heer, das zu

Beginn des Siebenjährigen Krieges in Westfalen stand, gehörte, von Offizieren abgesehen, kein gebürtiger Engländer. Als dann 1775 die Amerikaner sich gegen die englische Kolonialmacht erhoben, suchte die Londoner Regierung wieder nach fremden Truppen, da sie bei Rekrutierungen im eignen Land Unruhen fürchtete und auch die Wirtschaftskraft des Landes nicht schwächen wollte. Da beabsichtigte Großverträge mit Holland und Rußland über Lieferung ganzer Armeen nicht zustande kamen, begnügte man sich mit den kleinen Mengen Kanonenfutter, die die deutschen Fürsten liefern konnten. Von den hannoveranischen Truppen abgesehen, die sowieso im englischen Solde standen, waren das fast 30 000 Soldaten aus sechs deutschen Ländern, von denen mehr als ein Drittel den Krieg in Amerika nicht überlebten.

Zu den Fürsten, die durch wahnsinnige Prachtentfaltung und gleichzeitige Mißwirtschaft in ständiger Geldnot waren, gehörten auch die Markgrafen von Ansbach und Bayreuth. Im Januar 1777 baten sie den Menschenhändler der britischen Krone zu sich und schlossen einen Vertrag über insgesamt 1285 Mann. »Der Markgraf«, schrieb der Unterhändler an seinen Außenminister, »bedankte sich ganz besonders dafür, daß der König so gnädig und herablassend gewesen sei, auf seinen Wunsch einen Teil der Ansbachischen Truppen in seine Dienste zu nehmen. Ich war jeden Morgen auf der Parade und fand die Truppen sehr schön, groß und gut gebaut. Sie handhaben ihre Waffen vortrefflich, exerzieren so regelmäßig, daß kaum eine Uhr besser gehen kann, und marschieren und schwenken sehr gut. Ihre Uniformen, blaue Röcke mit roten Aufschlägen und gelber Weste, sind neu und rein.«

Nachdem die jährlichen Mieten pro Mann und auch die Sonderprämien für Verwundete und Tote ausgehandelt waren, marschierten die Regimenter ab nach Ochsenfurt am Main, wo sie in Schiffe gepfercht wurden. Dort aber passierte etwas Unvorhergesehenes, was Käufer und Verkäufer erschreckte und dem Lande noch Jahre Gesprächsstoff gab: Die Truppen rebellierten.

Johann Conrad Doehla, Soldat in einem Bayreuthischen Regiment, beschreibt das in seinem Tagebuch so: »Wir marschierten durch Ochsenfurt und wurden da eingeschifft und hielten da vor Anker über Nacht auf dem Main. Weil wir nun dieses Quartier noch nicht gewohnt waren, und sehr wenig Platz war auf den Schiffen, in denen wir sehr dicht zusammenlagen, und der häufige Schiffsrauch uns sehr beschwerlich war, auch war es ziemlich kalt: Dieses alles gab daher Gelegenheit zum raisonieren an die Hand, und entstunde auch Tags darauf ein ganzer Aufstand und Rebellion nämlich. Früh mit Tagesanbruch machte das Ansbacher Regiment den Anfang dazu, indem da ein Schiff von ihnen nahe am Lande vor Anker lag, so legten sie ein lang Brett vom Schiff an's Land hinaus und gingen alle an's Land hinaus und zogen hernach mehr Schiffe zu Lande; auch eins vom Bayreuther Regiment. Unsere Leute stimmten auch diesem Unternehmen bei und brachen mit Gewalt und ohne Erlaubnis der Herrn Offiziere aus den Schiffen. Und obgleich die beiden Herrn Obristen und Kommandanten, samt allen Offizieren, sowohl gute als böse Worte und alle Mittel hervorsuchten, um die Leute wieder zufrieden zu stellen, auch Brot, Fleisch und andere Viktualitäten nebst Holz häufig aus der Stadt herbeischaffen ließen, so half doch dieses alles im Geringsten nichts, sondern der viele Wein, den die Einwohner von Ochsenfurt häufig herbeibrachten, machte, daß die Soldaten noch furiöser wurden. Daher gegen Mittag hin die Leute den überliegenden Bergen zu wanderten und in ihrer Tollheit und Betrunkenheit den Reißaus nahmen. Es wurde daher das Jäger-Corps befehligt, sich gegen die Anhöhen anzupostieren und Schreckschüsse auf die rebellierenden Ausreißer zu tun. Allein unsere Leute gaben auch Feuer auf die Jäger. Es wurde fast zwei Stunden gegen einander gefeuert. Es waren bei diesem Aufstande gegen 40 Mann von unserm Regiment echappieret.«

In der Nacht kam der Markgraf und überwachte mit gespannter Büchse die erneute Einschiffung der für ihn so gewinnbringenden Ladung. Um weitere Meutereien zu verhindern, begleitete er die Truppe bis nach Holland, wo die Briten die Fracht übernahmen. Im April meldete der englische Händler nach London, daß die Rebellion nicht passiert wäre, wenn die Offiziere gleich dreingehauen hätten. Disziplin würde die Burschen schon mürbe machen. In Amerika sollte man die Ansbach-Bayreuther zu besonders gefährlichem Dienst verwenden. Die Zahl der Deserteure sei nicht groß, »wenn man die hierzulande überwiegende Parteilichkeit für die Amerikaner bedenkt.«

Diese und andere, nicht weniger schrecklichen Zustände der Zeit muß man vor Augen haben, will man die Aggressivität der Richterschen Satiren recht begreifen. Die schärfsten und besten von ihnen richten sich gegen den Landadel, die Höflinge und gegen die Lasterhaftigkeit, Dummheit und Raubgier der Fürsten – von denen einer übrigens ausgenommen wird: Friedrich II. von Preußen. Daß der sich an dem Handel mit Soldaten nicht beteiligte (er brauchte seine selbst), diesen vielmehr, wenn auch unwesentlich, behinderte, trug sicher zu der Verehrung bei, die Jean Paul ihm, wenn auch nicht kritiklos, zollte. Eine der Satiren feiert Friedrichs Gerechtigkeit. Einen »Koloß und Riesen« nennt er ihn später. »Noch unter keiner Krone war ein solcher Kopf.« Aber die Krone gerade ist es, der Jean Paul mißtraut. Der Thron, auf dem Friedrich sitzt, erniedrigt ihn. Und während Franklin der Menschheit etwas gab, »nämlich Gewitterableiter, Harmonika und Freiheit«, gab Friedrich die Wahrheit nur – seinem eignen Geist.

Der junge Richter will die Wahrheit allen geben, doch findet er noch nicht die rechte Form dafür. Liest man – was schwer fällt – die annähernd 1000 Seiten jeanpaulscher Frühsatiren hintereinander, zeigt sich, daß sie immer geschmeidiger und konzentrierter, zielgerichteter und konkreter werden – was ohne Zweifel mit den Erfahrungen des Schreibers zusammenhängt: den Schreib- und Lebenserfahrungen.

Zuerst ist alles angelesen. Ein Beispiel dafür gibt der alte Jean Paul selbst in der Vorrede zur zweiten Auflage der »Grönländischen Prozesse«, die erst 1822 erschien. »Aus dem täglichen Umgang mit den britischen Satirikern, wie Pope und Swift, blieb dem Jüngling eine Derbheit des Ausdrucks, besonders in Bezug auf das Geschlecht zurück ... Eben die Engländer verführten den guten unschuldigen Friedrich Richter, der erst zwanzig Jahre später eine Öffentliche zu Gesicht bekam – eine schöne einsame Dame, die ihm ein Freund bei ihrem Alleinnachhausegehen aus dem Theater zeigte – diese verleiteten ihn, daß er seine Leser auf der Schwelle seines ersten Werks in ein Haus, worin er selber noch bis diese Stunde nie geblickt, in einem Gleichnisse einführt.«

Dieses erste von Tausenden von Gleichnissen (und komischerweise die erste gedruckte Passage des keuschen Richter) lautet: »Eine Priesterin der Venus, die ihre letzten Reize auf den weichen Altären ihrer Göttin geopfert, und deren Schönheit kein Käufer der Wollust eines verstohlenen Wunsches mehr würdigt, ist darum noch nicht auf dem Wege, gegen die alte Schande den Ruhm der Besserung einzutauschen und auf den sichtbaren Wink der neuen Häßlichkeit den Dienst des Vergnügens zu verlassen. Vielmehr wiederholt ihr Geist die Rolle des Körpers; denn sie wird aus einer Schülerin der Liebe die Lehrerin derselben, sie nährt sich von den Lastern, die sie nur lehren und nicht üben kann, sie beschaut ihr voriges Leben in der Gelehrigkeit ihrer Zöglinge und erleichtert sich dadurch das schmerzliche Andenken ihres jetzigen Unwerts. – Eben so ich.«

In solch weit und noch weiter hergeholten Metaphern springt der junge Autor von einem Gedanken zum nächsten. Ein »buntfarbiges Stufenkabinett von lauter Gleichnissen, freilich von mehr Glimmer als Schimmer« nennt es der Neunundfünfzigjährige. »Nicht nur von einem Periodenpunkt zum andern« stößt der Leser »auf ein Redeblumengebüsch von Gleichnis ..., sondern auch zwischen jedem Komma« hat er »Geblümtes und Blühendes zu überwinden.«

Was dem Alten am Jungen besonders unverständlich erscheint, ist die Frauenfeindlichkeit, die aus jedem »Rosenmädchen« ein »Rosendornenmädchen« macht. »Und so etwas tat und schrieb ein Neunzehnjähriger? Einer, der ... sich nichts Schöneres, Besseres, Holderes hätte denken sollen als ein Weib? – Beim Himmel, das tat ich auch, und es gab wenige Schauspielerinnen auf der Leipziger Bühne oder (dreht' ich mich um) in den Logenhalbzirkeln, welche ich damals nicht geheiratet hätte, wenn ich ihrer Ruhe gefährlich gewesen wäre anstatt gleichgültig.«

»Aber«, so erklärt er sich diesen Widerspruch, »die rechte Satire kommt so wenig aus dem Herzen, als die rechte Empfindung aus dem Kopfe.« Und sein Herz war damals verschlossen; die Empfindungen hatten Zeit zum Wachsen und Reifen, bis schließlich der »Korkenzieher der Dicht-Feder« sie befreite.

Verschlossen ist nicht sein politisches Engagement, und die Form der Satire geeignet, es aufzunehmen – in seinen negativen Aspekten freilich nur. Denn das Wesen der Satire besteht in Kritik; zur Verkündigung von Idealen ist sie wenig geeignet. Diese sind beim jungen Richter, vor der Französischen Revolution, auch vage genug. So etwas wie die antiken Demokratien, aber ohne Sklaverei, und die freiheitlichen Verhältnisse in England schweben ihm als Leitbild vor. In erster Linie aber ist sein politisches Bewußtsein eine Antihaltung: So wie es ist, ist es schlecht und muß geändert werden, wenn es nicht anders geht, mit Gewalt.

Zu den Unmassen, die er las, gehört auch das Werk Rousseaus, und wie alle Rousseau-Anhänger nimmt er sich von ihm nur, was ihm paßt: nicht die Zivilisationsfeindlichkeit, die dem immer Hungrigen und nach Schönheit Dürstenden suspekt sein muß, wohl aber die Rechtfertigung der Revolution, die in einem der in die »Teufelspapiere« eingestreuten Aphorismen mit einem Wiesenhobel verglichen wird. (In einer der Fußnoten, mit denen er nie sparsam umgeht, heißt es dazu erklärend: »Womit man die Maulwurfshaufen auf den Wiesen wegebnet.«) »Wenn der große Rousseau«, so lautet der Aphorismus, in dem auf die eichelessenden Naturkinder Rousseaus und den Ruhmeskranz aus Eichenlaub angespielt wird, »gern einen Wiesenhobel gehabt hätte, um ihn, hoff' ich, über die ganze Erde zu ziehen und damit die Erhebungen, die jetzt selbige so ungleich und höckerig machen und die von Eroberern zu ihren Sitzen und Thronen aufgeworfen worden, so gut als möglich darnieder zu arbeiten: so verdient er dafür nicht die Eicheln, die er den Menschen anpries, sondern die bloßen – Blätter derselben.«

Der Gedanke liegt nahe, die Verdunklung dieser und ähnlicher Gedanken für einen Trick zu halten, durch den die Zensoren hinters Licht geführt werden sollen. Doch warum die gleiche Verdunklung, wenn er den Nachahmungstrieb der Schriftsteller oder die Putzsucht der Damen verspottete? Warum die gleiche Dunkelheit in den Briefen, auch wenn sie nicht der Post anvertraut, sondern von einem jüngeren Bruder befördert werden?

Es ist kein Trick, es ist sein Stil. Der Stil eines jungen Autodidakten, der zeigen will, was er kann; der stolz darauf ist, in jedem Satz Witz und Gelehrsamkeit beweisen zu können. »Antithesen und Gleichnisse sind nun in meinem Gehirn eingewurzelt, daß sie selbst meinen Träumen anhängen«, bekennt er brieflich. Wenn er Selbstkritik übt, seine Satiren mit Gleichnissen überladen findet, tut er das wiederum in einer Fülle von Gleichnissen. »Verkennt dort der Weinsäufer mit der roten Nase die giftigen Kräfte des ... Weins? Er kennt sie wohl; aber er flieht sie darum nicht.« Und noch 1804 notiert der Metaphernsüchtige selbstgefällig: »Ob ich gleich nicht weiß, wer unter allen Autoren der Erde die meisten Gleichnisse gemacht, so freuet es mich doch, daß ihn niemand übertrifft als ich.«

Vielleicht ist er sich klar darüber, daß ihn sein Stil weitgehend vor Zensoren schützt. Aber Ursache für seinen Stil sind sie nicht. Zensoren wirken nicht stilbildend. Sie wirken hemmend. Sie sind zum Beispiel Schuld daran, daß einige der schärfsten Satiren nicht zum Abschluß gebracht werden, wie die »Von der Göttlichkeit der Fürsten«: »weil ich vor nichts einen so eingesessenen Abscheu trage, als vor Staatsgefängnissen.«

Trotz aller Dunkelheit aber mußte auch den dümmsten Zensoren die antifeudale Tendenz vieler Satiren auffallen – vorausgesetzt, sie lasen sie. Vielleicht schützte wirksamer als Unverständlichkeit den Satiriker die Langeweile, die er verbreitete. Unkonzentrierte Fülle wurde ihm hier zur Leere. Das Prunken mit Witz erzeugte kein Lachen. Die Produkte seiner »satirischen Essigfabrik« machten nicht heiter, sondern sauer. »Die Griechen glaubten, der Genuß des Wildes errege Gähnen«, heißt es im Epilog der »Teufelspapiere«, »allein Schriftsteller werden ein für allemal zu den zahmen Tieren geschlagen.« Darin irrte der junge Richter. Er gehörte durchaus zum gähnenerregenden Wild. Er hatte den Zorn junger Leute, aber er zeigte auch deren naive Arroganz, indem er den Lesern zumutete, ihm durch den Wildwuchs seiner Gedanken und Witze zu folgen. Nicht, daß er zu wenig gab, nämlich sein Gefühl nicht, war sein Fehler, sondern daß er in ungezähmter Fülle alles von sich gab, was er im Kopfe hatte. Es war der verzeihliche Fehler eines jungen Autors, der »in seiner ersten Schrift alle seine Jahre vom ersten bis zum Druckjahre überfüllt hineinpressen und ausdrücken« will, »als blieb' ihm keine zweite, zwanzigste mehr übrig, wo er nur wenige nächste Jahre auszusprechen hat.« Diesen Fehler machte er radikal: eine Größe besonderer Art, zu der auch gehörte, daß er sie so lange durchhielt, neun Jahre.

Sinnlos war diese Zeit nicht. Als sie herum war, war er einer der besten Beherrscher der deutschen Sprache, einer der größten Prosaschreiber seiner Epoche. Wenn das Planung war, wie er später behauptete, war sie unmenschlich genau. Und ein Graben trennte den Satirenschreiber vom Erzähler durchaus nicht. Schon in den »Teufelspapieren« klang Ernstes, Nachdenkliches an, dann kam erzählende Satire, dann Erzählung, und der Satiriker verstummte nie. Es bildete sich der eigentliche Jean Paul heraus, der das Heroische, das Sentimentale und Satirische gleichermaßen beherrschte und nutzte.

Alles, was die deutsche Aufklärung an satirischer Literatur bot, wurde von Richters frühen Satiren übertroffen durch

Schärfe des Angriffsgeistes und – Wirkungslosigkeit. Wirksam waren sie nur für ihn selbst. Sie waren keine Verirrung. Sie waren ein Anfang.

Charakterisiert hat sie der Zwanzigjährige, ohne selbstkritische Absicht, im Epigramm »An die blumigen Philosophen: Warum verbergt ihr, wie die Biene, euren Kopf in poetischen Blumen? Warum umhüllt ihr den Gedanken in überflüssige Verschönerung und setzt den Leser der Notwendigkeit aus, vom Bier, bevor er es trinken kann, den blinkenden Schaum erst wegzublasen? – Zwar ist Schaum auch Bier, aber nur weniger Bier.«

13.

Erotische Akademie

*

Nicht nur Goethes, auch vieler anderer Männer Leben könnte gegliedert werden nach den Frauen, die es begleiteten, änderten, verschönten. Bei Jean Paul müßte jeder Versuch dieser Art scheitern. Keine Madame de Warens erzieht ihn zum Manne. Keiner Friederike wird, um den Preis herrlicher Liebesgedichte, das Leben verbittert, keine unerreichbare Diotima stürzt ihn in Verzweiflung. Das Leben des Mannes, der zum Lieblingsschriftsteller der Damen wurde, der sie verherrlichte, ihre Emanzipation förderte, hat keine von ihnen nachhaltig beeinflußt.

Was der alte Jean Paul, wie im vorigen Kapitel zitiert, beim Rückblick auf die Zeit seiner Jugendsatiren sagt, ist aufschlußreich: er hätte sie alle geliebt und geheiratet damals in Leipzig, jede Schauspielerin, jede Zuschauerin – wenn er ihnen nicht gleichgültig gewesen wäre, er, der halbverhungerte Theologiestudent, der nichts hat, auch keine Aussicht auf eine Stellung, vor allem aber keine Zeit, wegen »Beschäftigung«. Immer bewegt er sich in Kreisen, in bürgerlichen, kleinbürgerlichen, in denen er als ernsthafter Bewerber nicht in Frage kommt, da ihm, neben allem sonst, sogar der Wille fehlt, so zu werden, daß er in Frage käme. Die selbstgewählte Rolle des Außenseiters schließt diesen Verzicht mit ein. Freiwillig hat er sich in eine Lage begeben, die ihm zwangsläufig Enthaltsamkeit auferlegt. Die aber macht ihm alle Frauen schön und hold und lieblich. Was in den Satiren Bitteres über Frauen steht, ist angelesen. Aber wenn er den »Korkenzieher der Dicht-Feder« ansetzt, wenn er begreift, daß er eignes Erleben, eignes Fühlen zum Gegenstand des Schreibens machen kann, wenn er die didaktische Form des Satirenschreibens aufgibt, wenn er zu erzählen beginnt, dann wird die Verherrlichung der Frauen ihren Zauber ausbreiten. Dann hat er Grund, seine Zwangssituation zu verlängern, damit der Sublimierungsprozeß nicht abbricht. Dann will er keinen Abschluß, kein Fertigsein, keine Zerstörung der Illusion durch Realität. Wenn man so will, opfert er sein Leben der Arbeit auf. Aber das stimmt nicht: denn Arbeit ist ihm Leben, Leben Arbeit. »Lebewohl und suche dein Paradies, dein Peru, dein Tempel und deinen Prater wie ich, auf dem weißen und blauen Papier«, heißt es in einem Brief aus den Jünglingsjahren. Und erst 20 Jahre später notiert er, seine Frauendarstellung bedenkend: »Alles ist wahr, was ich vom weiblichen Geschlecht gesagt, aber ich habe darum nicht alles gesagt, was wahr ist; – und dazu gehört das Böse.«

»Ferne schadet der rechten Liebe weniger als Nähe«, heißt es noch im späten Autobiographiefragment. »Wäre mir auf der Venus eine Venus zu Gesicht gekommen: ich hätte das himmlische Wesen mit seinen in solcher Ferne so sehr bezaubernden Reizen warm geliebt und es ohne Umstände zu meinem Morgen- und Abendstern erwählt zum Verehren.« Das war immer, nicht die einzige, aber seine liebste Art zu lieben, »telegraphisch«, wie er es an anderer Stelle nennt. Sein Briefwechsel mit Frauen füllt Bände, aber sicher war er oft froh, daß das langwierige und beschwerliche Reisen ihnen häufige Besuche verwehrte.

Diese Fernliebe beginnt schon früh, in Joditz; da betet Fritz eine Augustina an, wenn sie in der Kirche sitzt, weit weg, auf der Weiberseite, wenn sie abends die Kühe am Pfarrhaus vorbeitreibt, und er, der den Hof nicht verlassen darf, sie von der Mauer aus bewundert. »Und in dieser Brennweite der Liebe blieb Augustina dann gegen Paul; und er erlebte in Jahren nie eine Zeit, ihr nur die Hand zu drücken.« Eine erwachsene Frau, die er mal ein Mittagessen lang liebt, weiß nichts von ihrem Glück und soll es wohl auch nicht wissen. In Schwarzenbach ist es eine Katharina, deren Schulgang er vom Fenster aus beobachten kann. Ihr gibt der von der Pubertät Verwirrte im Finstern sogar mal einen Kuß; aber sie beachtet ihn deshalb nicht mehr als vorher, und ihm genügt es, verehren zu können – wobei Katharina oder Augustina austauschbar scheinen: Er legt auf sie und viele, die danach kommen, nur stellvertretend seine Liebe zum ganzen weiblichen Geschlecht. Als er die Seligkeiten des gläubig genommenen Abendmahls beschreibt, heißt es über die Mädchen, die mit ihm zum erstenmal die heilige Handlung vollziehen: »Und ich schloß sie alle in ein so weites reines Lieben ein, daß auch die von mir geliebte Katharina nach meiner Erinnerung nicht anders von mir geliebt wurde als alle übrigen.« Der Joditzer Magd aber, die weder schön ist, noch von ihm geliebt wird, »flog« er manchmal »verschämt und heftig an den Mund, und schon in dem Kusse brausten Seele und Körper unbewußt und schuldlos mit einander auf.«

Mit Schwarzenbach bricht die Autobiographie ab und mit ihr – von einer Ausnahme abgesehen – jegliche Nachricht über die Gefühle des Gymnasiasten und Studenten zum weiblichen Geschlecht. Es beginnt die Zeit der monomanischen Arbeitswut und der Freundschaften, die wie Liebeserlebnisse einander ablösen: der kränklich-schwärmerische Oerthel, der genialisch-zerrissene Bernhard Hermann, der intellektuell-nüchterne Christian Otto. Sicher werden viele seiner aufgestauten Gefühle auf sie übertragen, wichtig aber sind sie vor allem, weil sie nahe am Zentrum seines Lebens stehen, an seiner Arbeit teilhaben, jeder auf seine Weise: Oerthel verehrend und hilfsbereit, Hermann durch eigne Schöpferkraft, Otto kritisch. Eine abnorme Situation für den Jüngling und jungen Mann, die die Absolutheit deutlich macht, mit der er alles in sich auf sein Ziel ausgerichtet hat. Da ist keine Spur von schöner Harmonie von

Leben und Dichtung, da ist nur Strenge, Angespanntheit, eine Art weltlicher Askese, sozial bedingt in ihren Wurzeln und natürlich im Psychischen Spuren hinterlassend. Ein Wunder scheint es, daß der gezwungene Witz dann später zum Humor werden kann, daß das Gefühl sich löst und weitet, kein Wunder, daß es oft zur Sentimentalität wird, uferlos überquillt, und daß in der Welt, die sich dann öffnet, auch das Fratzenhafte, Dämonische, Skurrile immer wieder auftaucht und (weit ab von »Klassik«) das Psychopathische immer im Blickfeld bleibt.

Die erwähnte dürftige Ausnahme heißt Sophie Ellrodt und ist die Tochter des Stadtvogts von Helmbrechts bei Hof. Als das Verhältnis beginnt und schnell wieder endet, ist sie 24, er 20. Durch Geldleihversuche seiner Mutter lernt er sie kennen, als er Semesterferien in Hof verbringt. Sie verabreden ein Rendezvous im »Leopoldsgrüner Wäldchen«, sehen sich wohl noch in Helmbrechts, dann reist er ab. Die Liebesbeteuerungen in den paar Briefen, die sie sich schreiben, klingen kalt und gestelzt. Sie fordert mit durchsichtigen Ausreden einen Ring zurück, den sie ihm gegeben hat. Er schreibt den Abschiedsbrief: »Möchte der, der an meine Stelle getreten ist oder treten wird, Sie für die Vergnügungen belohnen, die Sie mir verschafften!« Eine Episode am Rande seiner Existenz liegend, nichts Wesentliches tangierend, höchstens dazu angetan, seine Vorliebe für Fernliebe zu fördern. Dem Freund gegenüber erwähnt er nicht einmal den Namen. »Heute kam ich von einem Dir unbekannten Orte, wo ich drei Tage und drei Nächte gewesen war... zurück.« Das ist alles; wichtig lediglich der hier ausgelassene Nebensatz, der deutlich macht, was ihn wirklich bewegt: »... und also 3 Tage wenigstens nichts gedacht hatte...«

Das war 1783. Doch auch als Jahre später, in der Töpener, Schwarzenbacher, Hofer Zeit, sein Umgang mit Mädchen häufiger wird, er flirtet, anbetet, verehrt, bleibt die Arbeit immer das Wichtigste, um das Leben und Denken kreisen. Es ist auch nicht eine einzelne, die seine Gefühle beschäftigt. Es ist ein Kreis von Mädchen (»Erotische Akademie« nennt er ihn), den er mit Charme, Witz und Gefühlsstärke bezaubert. Vieles von dem, was später in seinem Werk vor allem Frauen entzücken wird, nimmt er hier persönlich vorweg. Verstehen können ihn die Mädchen kaum, oder nur halb oder falsch, aber sie spüren, daß hier ein Mann auf sie zukommt, vor dem sie nicht auf der Hut zu sein brauchen, weil männliche Besitzgier ihm völlig fehlt, weil er sie mehr achtet als begehrt, eine verwandte Seele, wie sie in Gefühlen schwelgend. Ein leichtes, schwebendes Verhältnis entsteht so zwischen ihm und ihnen, unter anderem auch dadurch – daß er als Mann für die Honoratiorentöchter nicht in Frage kommt.

Zur Akademie, zur Hochschule werden ihm diese Mädchen tatsächlich. Er lernt es, seine Gefühle aus der Verspannung zu lösen, sie zu äußern. Er gewinnt Sicherheit im gesellschaftlichen Umgang und Einsichten in die zweitrangige Rolle, die Frauen zu spielen verdammt sind. Die Kritik an der »babylonisch-politischen Gefangenschaft« der Frauen, die später immer wieder in seine Romane einfließen wird, beginnt, erst brieflich, in dieser Zeit. »Nicht bloß den weiblichen Körper, sondern auch die weibliche Seele presset eine ewige Schnürbrust.« »Ihre Hände werden so viel, ihre Köpfe so wenig beschäftigt, sie dürfen statt der Füße bloß ihre Fächer bewegen, und ihnen wird nichts verziehen, am wenigsten ein Herz.« Sie »gehen von einer Kette zur andern«.

Doch als er das schreibt, hat er sich von seiner Kette, der der Satiren, schon befreit, unter schweren Erschütterungen. Denn die Todeserfahrung ist es, die ihm den Weg bahnt zum Leben, zur Dichtung.

14

Licht, Feuer
und
keine Wärme

*

»Der eiskalte Höllenfluß des Todes schlug über meine Sinne
zusammen – ich stürzte zurück und herum, und mein Herz
stockte vor der Erscheinung, die jetzt meinen Namen nannte.
Und ich nannte ihren – und mehr konnten wir nicht sagen; sondern wir drückten uns selig einander ans selige Herz. – O, ich
sehe noch jetzt, du teures Bild, dein verlegenes und staunendes
Lächeln und das Erröten und Zucken deines Angesichts und
dein feuchtes Auge. – Ich sehe noch die große Sonne hinter unserer Umarmung untersinken – ich fühle noch meine Augen
übergehen und meine Zunge überströmen! Ach, wo warst du so
lange? – O, ich habe jeden Tag an dich gedacht – sieh, ich bin
jetzt tausendmal weicher als sonst, ach, ich will dich jetzt un-
aussprechlich lieben. – Ich bin nun älter und habe seitdem zu
viel verloren. – Rede auch, bist du denn nicht so?«

Was sich hier wie ein Liebespaar umarmt, sind nicht Mann
und Frau, sondern Jean Paul und Johann Bernhard Hermann,
in einem (glücklicherweise so nicht weitergeführten) Entwurf
der »Biographischen Belustigungen«. Jean Paul sieht, aus dem
»Hesperus« herkommend, in einer Parklaube ein Skelett. Während er dem die Hirnschale abnimmt und darin Briefe von sich
findet, ruft hinter ihm eine Stimme: »Es ist mein Gerippe.«
Da dreht er sich um und kann den toten Geliebten, der im

Werk wieder auferstehen soll, umarmen. »Es war mein Hermann.«

Der Verlust des Freundes, der mit 29 Jahren stirbt, hat Jean Paul mehr getroffen als der Oerthels und der des Bruders. Die große Erschütterung, die schöpferische Kraft freisetzt, hier ist sie: das Erlebnis einer der Liebe sehr ähnlichen Freundschaft, die der Tod endigt. Wieder und wieder wird das Erleben von Freundschaft und Tod nach Gestaltung drängen. Die Erinnerung an Hermann wird die Quelle, aus der das Material für viele Romangestalten geschöpft wird: für Leibgeber, Schoppe, Vult, Gianozzo – die Unbeugsamen, Unangepaßten.

Ausführlich, schwelgerisch werden in den Romanen die Seligkeiten der Freundschaft ausgemalt. Geistige und gefühlsmäßige Übereinstimmung gehören genau so dazu wie körperliche Zärtlichkeit: Kuß und Umarmung. »Stumm gingen die Wirbel der Liebe um beide und zogen sie näher – sie öffneten die Arme füreinander und sanken ohne Laut zusammen, und zwischen den verbrüderten Seelen lagen bloß zwei sterbende Körper – hoch vom Strome der Liebe und Wonne überdeckt . . .« heißt es zum Beispiel im »Hesperus«, und die Naivität, mit der hier das Vokabular der Liebe für Darstellung von Freundschaftsgefühlen benutzt wird, schließt homoerotische (wenn auch nicht Ursprünge, so doch) Bedeutung aus. Es ist die Sprache des Zeitalters der Empfindsamkeit, das Gefühle als bürgerliche Tugend schätzt und kultiviert und ihre Darstellung bis an die Grenze des Sagbaren (und Erträglichen) steigert.

Und doch weiß Jean Paul, dieses Doppelwesen aus Gefühlsüberschwang und Nüchternheit, auch von der erotischen Seite des Freundschaftskultes, die besonders in seiner Beziehung zu dem innerlich unsteten und zerrissenen, äußerlich aber sehr schönen Hermann eine Rolle gespielt haben muß. Er möchte sich einmal, erklärt er dem Freund Oerthel, mit Hermann »verloben«, und spielt dabei auf »die Gewohnheit der Morlakken an, bei denen ein Paar Freunde sich ordentlich kopulieren und feierlich einsegnen lässet.« Auch an die Griechen erinnert er, bei denen »die Freundschaft der Männer oft im eigentlichen

Sinne einer Ehe« war, und fährt dann fort: »An etwas Körperliches müssen alle unsere Empfindungen sich halten, und das griechische Feuer der Freundschaft würde gewiß bei uns noch häufiger sein, wenn es sich noch von der körperlichen Schönheit mit nährte... Daß sich dieses Feuer zuletzt mit einem Sinnenkützel und -triller endigt, kann nur dem anstößig sein, der das Geschlechtsvergnügen an sich für etwas Niedriges hält.«

An den Briefen der beiden fällt auf, daß die Richterschen immer einige Grade wärmer im Ton sind. Sätze wie: »Ich habe Dir noch 100 Sachen zu schreiben. Die 101te ist, daß ich niemand so sehr liebe als Dich und mich«, kommen bei Hermann nicht vor. Während Richter, wie ein Werbender, seinen Gefühlen Ausdruck gibt, versteckt Hermann seine hinter Schnoddrigkeit und Zynismus. Seine »Zotenmanier«, wie Richter erschreckt und belustigt das nennt, entspringt nicht der Freude an Derbheiten, sondern dem Schutzbedürfnis eines leicht verwundbaren Gemüts. Erschütterungen sollen so überspielt werden.

»Du weißt, daß ich noch so rein und unschuldig als ein Kind von 2 Monaten bin... in Ansehung des weiblichen Geschlechts...« schreibt der 27jährige Medizinstudent aus Erlangen, nachdem er zum erstenmal (für einen kostbaren Gulden) an einem Kursus für praktische Geburtshilfe hat teilnehmen können. »Ich bin noch immer der unwissende Mensch, für den du dich selbst auszugeben pflegst und der du es auch vielleicht wirklich bist... Kurz, merke dir den Tag, da ich... zum erstenmal meinen rechten Zeigefinger in eine lebendige Votze steckte. – Ja, du hättest mich sehen sollen, wie mir hierbei zu Mute war, wie ich es gerne für Scham und aus einer gewissen Art von Ekel noch länger aufgeschoben hätte, aber ich durfte mich es vor den Kommilitonen nicht einmal merken lassen, daß ich ganz unwissend hierinnen wäre, und was halfs; mit feuerrotem Gesicht wagte ichs, und es gelang mir besser, als ich gewünscht haben würde, wenn mir so viel Zeit dazu übrig gelassen worden wäre. Wie wird mirs gehen, wenn ich einmal bei meiner Frau mit dem elften Finger touchieren soll.«

Dazu kommt es nie. An Heirat auch nur zu denken, ist dem stets verschuldeten Studenten ernsthaft nie möglich. Sein Elend und die Scham darüber verbieten es ihm, sich einem Mädchen auch nur gefühlsmäßig zu nähern. Seine Sexualnot ist Folge der materiellen, und da diese sich nie mildert, vergeht jene nie. Und, wie Richter, aus dieser Not eine Tugend zu machen, versteht er nicht. Während der ganz auf sein hohes Ziel orientierte Freund sich über das Elend erheben kann, kommt Hermann in ihm um. Wenn man die klagenden und anklagenden, schamerfüllten, stolzen und verzweifelten Briefe dieses um Unabhängigkeit ringenden Menschen gelesen hat, kommt einem sein Tod wie ein freiwillig gewählter vor – und zwar nicht nur wegen der diesbezüglichen Gedanken, die er selbst äußert. Wenn er bedenke, was aus ihm geworden sei, schreibt er ein Jahr vor dem Ende, »ein durch Hypochondrie und widrige Schicksale, wie viele andere Jünglinge durch Onanie, zerstörter Menschenkörper, den die Seele bald ... zu verlassen droht«, so »wäre es kein Wunder, ich beging die Raserei und käme den letzten Folgen des blindscheinenden Schicksals durch einen vorsätzlich freiwilligen Streich zuvor.«

Begonnen hat dieses exemplarische Leben eines kleinbürgerlichen Intellektuellen zwei Jahre vor dem Richters in Hof. Als einziges von den acht Kindern eines armen Tuchmacherehepaares übersteht er die lebensgefährlichen Kindheitsjahre. Obwohl er ständig zu Hause mitarbeiten muß, gehört der begabte Schüler immer zu den besten. Besonders liebt er die Naturwissenschaften, weshalb er nach dem Abitur ein Theologiestudium rigoros ablehnt: er will Arzt werden. Als der Umweg über eine Apothekerlehre fehlschlägt, folgt er den Freunden Oerthel und Richter nach Leipzig – als Theologe, aber nur zum Schein: nach zwei Semestern wechselt er zur Medizin über, hungert sich mit Hilfe kleiner privater Stipendien und zeitweiliger Freitische durch, gibt Unterricht, versetzt Kleider, borgt, läßt sich von Oerthel und Otto helfen, verdingt sich als Famulus, Hofmeister, Diener und kann doch die Kosten für ein reguläres Medizinstudium nie aufbringen.

Denn als Mediziner genießt er keine Vergünstigungen wie die Theologen. Chirurgie kann er nicht hören, weil die Vorlesungen 10 Reichstaler jährlich kosten. Für das Zuschauen bei einer Geburt muß er zwei Gulden bezahlen, für praktische Geburtshilfe sieben und »die Bezahlung der Arzneien, welche die Wöchnerin etwa braucht«. Geldmangel hindert ihn am Kauf notwendiger Bücher. (»Wenn ich mir doch nur das Erxlebensche Kompendium über die Physik kaufen könnte.« »Nun fehlt es mir an einigen notwendigen Büchern, wie Theologen das Testament, aber woher Geld nehmen.« »Um 9 Uhr ging ich deswegen ins Kollegium, weil ich das Geld ... für ein Buch erhalten sollte, das ich mir in Leipzig 3mal, in Hof 1mal und in Erlang 1mal vor 2.45 gekauft und jetzt auch wieder verkaufen mußte.«) Hoffnungslos aber macht ihn, daß er nie genug Geld haben wird, um die Promotion zu bezahlen. Und wenn dieses Wunder tatsächlich einmal geschehen sollte, so hat er außer dem Doktor-Titel noch immer nichts. Die brieflichen Mitteilungen ehemaliger Kommilitonen, die irgendwo in Deutschland zu praktizieren versuchen, sind niederschmetternd.

Immer bildet er sich ein, daß die Universität, die er gerade besucht, die teuerste ist, und flieht in eine andere. Um Geld zu verdienen, schreibt er, hungernd, blutspuckend, in Tag- und Nachtarbeit zwei Bücher (»Über die Mehrzahl der Elemente«, »Über Licht, Feuer und Wärme«), die bei einem Berliner Verleger tatsächlich erscheinen, deren schmale Honorare ihm aber auch nicht weiterhelfen. Er macht phantastische Pläne, um der Not zu entgehen: Er will Mönch werden, nach Ostindien gehen, sich als Soldat anwerben lassen. Wenn Krankheit und Verzweiflung ihn in Wahnsinn zu treiben drohen, bricht er zu plötzlichen Reisen auf und preist jedesmal ihre heilende Wirkung. Von Leipzig aus geht er, immer zu Fuß, nach Potsdam und Berlin, nach Zeitz und Jena, über den Harz nach Wolfenbüttel, Braunschweig, Helmstedt, Magdeburg, Dessau, Gera, Dresden, Prag, von Erlangen aus über Bamberg und Gotha nach Göttingen, von dort aus nach Kassel, Frankfurt, Mainz, Corvey, Pyrmont, Hameln, Detmold, Paderborn, zu jeder Jahreszeit, und schreibt danach den Freunden kulturhistorisch außerordentlich interessante Berichte, in denen er über jeden für Kost und Logis ausgegebenen Groschen Rechenschaft ablegt.

Um die schönen Töchter der französischen Einwohner Potsdams zu sehen, geht er sonntags in ihre Kirche, »wo französisch gepredigt wurde, und ich zuhörte, aber nichts verstand, weil ich böse Ohren, aber gute Augen hatte.«

In einem Dorfgasthaus bei Berlin sieht er zu, wie die Wurst gemacht wird, die er essen soll, wobei ihm der Appetit nur deshalb nicht vergeht, weil der Hunger so groß ist. »Doch konnte ich die vorhergehende Suppe kaum sehen, geschweige fressen. Zwei große Katzen waren in der Stuben, davon eine, indem ich aß, ein Trumm von den impertinent stinkenden Gedärmen erwischte, die in einer Schüssel lagen, etwas davon fraß und, als die Magd dazu kam, damit fortlaufen wollte; nun zog die Katze den ganzen Bund Därme über die Stube hinter sich her, die Magd jagte ihr die Beute ab, warf es in die Schüssel, und wer nach mir kam, mußte sicher davon fressen.«

Aus Jena berichtet er über eine studentische Sitte, die sich später auf alle deutschen Hochschulen ausbreiten sollte: »Wenn die Studenten etwas bejahen wollen, so klopfen sie mit den Füßen, im andern Falle, wo sie verneinen wollen, scharren sie.«

Im Wirtshaus in Barby interessieren ihn die Gespräche sächsischer Invaliden mehr als »20 Collegia von den besten Professoren«, und als ein Italiener dazukommt, der sich für einen Chemiker ausgibt und »mancherlei Gaukeleien mit Phoshor« vorführt, behauptet Hermann, ein Goldmacher zu sein. »Auf die letzt redeten wir miteinander lateinisch, und wie es am Ende dazu kam, so war er ein entlaufener Studente aus katholischen Landen.«

Als er wieder einmal die Universität wechselt, beschreibt er seinen Auszug so: »Sonnabend ... früh um fünf ging ich aus Erlang, wie ein Don Quixot. Braune Weste und Hosen, die mir die Mode bisher zu tragen verbot, meinen weißen Rock, den ich schon in Hof zu tragen mich schämte, in dessen rechter Tasche Schreibtafel, Papier, wovon dieser Brief ein Teil ist, Inskriptionen, den Grundriß nebst excerpierten notwendigen Nachrichten aus Göttingen, ein Schnupftuch, ein paar rote Handschuhe, in der linken ein paar Bänderschuhe, eine Schachtel mit Siegellack, Petschaft, Kamm, Barbiermesser etc., unter dem linken Arm meinen Regenschirm, mehr um meinen Bündel von 1 Schnupftuch, 2 Hemden, Halstuch, ein paar Strümpfe und eine Schlafmütze darinnen verbergen zu können, als für den Regen ...« Betrunkene Handwerksburschen singen, ihrer Tour entsprechend abgeändert: Es, es, es und es, es ist ein harter Schluß ... (womit sie den Volksliedforschern den ältesten Beleg für dieses bekannte Lied liefern) und die »katholischen Bilder« am Wege, die die schrecklichen Leiden des »vortrefflichsten Menschen und wahrheitsliebenden Mannes« zeigen, trösten den armen Studenten über sein eignes Schicksal.

Als er in Berlin die Hinrichtung eines Diebes durch Verbrennen miterlebt, kann er nur schlecht seine Erschütterung verbergen. Zwar behauptet er, an den aufs Rad geflochtenen Leichen der Richtstätte ärztliches Interesse zu haben, doch streitet er heftig mit Offizieren über das Inhumane dieser Todesart, und die schadenfrohen Reden der Zuschauer gehen ihm lange nicht aus dem Sinn.

Diese zweite Reise nach Berlin ist insofern noch interessant, als sie bezeichnende Einblicke in das Verhältnis zwischen Verleger und Autor bieten, das von völliger Rechtsunsicherheit bestimmt ist. Hermann reist nämlich nach Berlin, um vom Verleger Decker das Honorar für sein zweites Buch einzutreiben, diesmal von Leipzig-Eutritzsch aus mit der Postkutsche, allerdings als blinder Passagier, das heißt als einer, der für des Postillions eigne Tasche nur den halben Preis bezahlt. (Der offizielle Fahrpreis betrug von Leipzig nach Berlin im Sommer 3 Taler 23 Groschen, im Winter 4 Taler 10 Groschen.) Obwohl beide dabei viel riskieren (der Postillion Festungshaft, der Reisende 10 Reichstaler), ist dieser Postbetrug allgemein üblich. In dem Wagen, der Hermann nach Berlin bringt, reisen drei ordentliche und sieben blinde Passagiere. Wenn es bergauf geht, müssen die »Blinden« zuerst aussteigen. Sonnabendabend fährt er ab, Montagmittag kommt er an – des schönen Wetters wegen einen halben Tag verfrüht.

Dienstag eilt er in Deckers Wohnung und Büro in der Brüderstraße, findet aber nur den Buchhalter vor, der von nichts weiß. Herr Decker sei im Garten am Holzmarkt. Dort findet er ihn tatsächlich, bekommt viel über eine Reise in die Schweiz zu hören, aber nichts über sein Honorar. Um 11 solle er in seine Wohnung kommen. Er kommt, findet aber Decker wieder nicht vor: Er sei in Gesellschaft, am nächsten Tage reise er aufs Land. Als Hermann darauf besteht, ihn am Abend noch zu sprechen, wird er für 18 Uhr bestellt und findet zwar nicht Decker selbst, aber einen Brief von ihm vor, in dem ihm ein äußerst geringes Honorarangebot gemacht wird: andernfalls könne er sein Manuskript wieder mitnehmen. Mit einem Vorschuß, der ihm kaum die Reisekosten ersetzt, zieht der arme Autor schließlich ab, »höchst verdrießlich«, wie er schreibt, in Wahrheit: verzweifelt.

»Mein Wille ists, der Welt und meinen Nebenmenschen einmal nützlich zu werden, und jetzt, da ich mir die Hauptkenntnisse sammeln und den Grund von allem legen sollte, hilft man mir so, daß ich kaum das Leben damit unterhalten kann«, klagt er, kann aber auch anklagen und dabei tiefere Einsichten durchscheinen lassen: »Taugte ich zum Soldaten, so verkaufte ich mich irgend einem Fürsten, dessen Landeskind ich nicht wäre, sonst müßte ichs umsonst sein, und würde das Land mit dem Rücken ansehen, worinnen meine armen Eltern die Renten vermehren helfen, von denen die reichsten steuerlosen Beamtensöhne die beträchtlichsten Wohltaten erhalten.« »Wer gibt mir Dank, geschweige Brot für die bisherige, gewiß für andere wohlgemeinte Aufopferung meiner Leibes- und Seelenkräfte? – Nicht einmal das kann ich studieren, wo ich mich dabei in pestdrohende Gefahren begeben muß, um andere davor zu retten ... Und sollte ich Naturmensch werden müssen, der doch unverwehrt Eicheln und Wurzeln fressen kann, wenn ich nur dabei frei bin und den noch in der natürlichen Ordnung befindlichen Himmel ansehen kann.«

Das schreibt er 1788. Wie ihn ein Jahr später die Revolution in Frankreich berührt haben muß, kann man sich vorstellen. In seinen Briefen steht davon kein Wort. Der Umsturz, von dem er schreibt, soll – in der Philosophie stattfinden. Unter dem Eindruck der Physik-Vorlesungen des großen Lichtenberg, hofft er auf eine völlige Neuorientierung der Philosophie. Alle Vorurteile der alten Lehren sollen beseitigt, alle seit Jahrhunderten vergötterten Männer sollen gestürzt werden, damit eine wahrhaft »heterodoxe und unumstößliche Philosophie« entstehen kann, die sich auf die »Grundkenntnisse von der Natur und ihre Gesetze« stützt.

Genauer ausarbeiten kann er seine Gedanken von der »Verweisung aller übrigen Philosophie in den höllischen Abgrund« und die Ausarbeitung einer »wahren, reinen, nützlichen Philosophie« nicht mehr. Die Eintragung im Sterberegister der Göttinger Johanniskirche lautet: »Johann Bernhard Hermann, Studiosus Medicinae aus Hof im Bayreuthischen, starb am 3. Februar 1790 an Gicht und Ausfluß, begraben am 5. Februar 1790, Alter 29 Jahre.«

Anderthalb Jahre zuvor hatte er an Richter geschrieben: »Ich und du sind ein Paar Genies, dies beweist unser gleiches elendes Schicksal«, und mit dem »gleichen Schicksal« nicht recht behalten. Während er namenlos verging, erreichte der Freund alles, was er sich vorgenommen hatte. Wir sollten, wenn wir der Großen gedenken, auch manchmal um die trauern, denen widrige Umstände die Ausbildung großer Anlagen verwehrten, die ihren unausgereiften Protest, ihre ungeformten Ideen mit ins Grab nahmen, die aber allein durch ihre Haltung dazu beitrugen, daß die Großen groß wurden.

15

Der Tod tritt ins Leben

*

Aus der Winkelschulmeisterzeit in Schwarzenbach ist folgender
Vorgang überliefert: Die Wirtin betritt Richters Zimmer und
findet ihn bleich, verstört am Fenster stehen. Sie spricht ihn an,
doch er hört nicht. Erst beim dritten Mal reagiert er, erwacht
wie aus Hypnose und dankt der Frau, weil sie ihn durch ihr
Kommen vor dem Ausbruch des Wahnsinns gerettet habe.

Das geschieht etwa zu der Zeit, als er, 27 Jahre alt, an einem
Novemberabend in sein Tagebuch schreibt: »Wichtigster
Abend meines Lebens: denn ich empfand den Gedanken des
Todes; daß es schlechterdings kein Unterschied ist, ob ich morgen oder in 30 Jahren sterbe, daß alle Plane und alles mir da-
vonschwindet, und daß ich die armen Menschen lieben soll, die
sobald mit ihrem bißgen Leben niedersinken . . .« Und später:
»Ich vergesse den 15. November nie. Ich wünsche jedem Menschen einen 15. November. Ich empfand, daß es einen Tod
gebe . . . An jenem Abend drängte ich vor mein künftiges Ster-
bebette . . . sah mich mit der hängenden Totenhand, mit dem
eingestürzten Krankengesicht, mit dem Marmorauge – ich
hörte meine kämpfenden Phantasien in der letzten Nacht . . .«

Diese Todesvision kommt nicht unvermutet. Sie hat sich angekündigt. Sie ist der Tiefpunkt einer schon andauernden
Krise. Wendepunkt ist sie nur dadurch, daß Richter bewußt

wird, was mit ihm vorgeht. Die Tagebuchnotiz enthält so etwas wie ein künftiges Programm: ».. und daß ich die armen Menschen lieben soll«.

Man hat zu dieser Zeit den Tod häufiger und sinnlicher vor Augen als heute. Die Medizin steckt noch in den Kinderschuhen; Epedemien steht sie machtlos gegenüber. Etwa die Hälfte aller Kinder sterben vor ihrem 13. Jahr. Das mittlere Sterbealter liegt bei 30. Man stirbt nicht in Kliniken, sondern zu Hause, im Kreis der Familie. Der Tod gehört zum Leben, zum Alltag. Aber der junge Satiriker lebte bisher außerhalb des Alltags, in der Welt philosophischer Systeme, im Reich der Literatur. Er bekämpfte Fürstenwillkür und Untertanendummheit, stritt also für Menschlichkeit, beachtete aber die Menschen um sich kaum, da er ganz auf die Zukunft orientiert war.

Jetzt reißt ihn Todesbewußtsein in die Gegenwart zurück. 1786 starb Oerthel, 1789 trieb Verzweiflung über die nicht endende Not der Familie seinen Bruder Heinrich in den Selbstmord. 1790 endete Hermanns Leben. Das Bewußtwerden der Unausweichlichkeit des Todes überwältigt Richter. »Der Gedanke ging bis zur Gleichgültigkeit an allen Geschäften«, endet die Tagebuchnotiz.

Seine »Geschäfte«, noch immer erfolglos, schienen schon vorher fragwürdig zu werden. Aber nicht ein Ende kündigte sich an, sondern ein neuer Anfang. Hätte er den nicht gefunden, vielleicht hätte sich der überforderte Geist in diesem unterernährten, von Sexualnot geplagten Körper wirklich umnachtet. Lenz war, wie Richter zu dieser Zeit, 27, als es geschah, Hölderlin 32.

Schon in den Jahren davor hatte der Gedanke an den Tod ihn beschäftigt, gequält und nach Ausdruck verlangt. Verschiedenartige, meist noch satirische Aufsätze dieser Zeit zeugen davon: »Für und wider den Selbstmord«, »Hinlängliche Winke, wie mein Epitaphium sein soll«, »Was für Sätze nach meinem Tode jährlich sollen erwiesen werden«, »Meine Überzeugung, daß ich tot bin«, »Das Leben nach dem Tode«, »Meine lebendige Begrabung« und andere mehr. In die Richtung, die er

Seite aus dem Tagebuch von 1790

nach der Wende einschlagen wird, aber weist am deutlichsten der kleine Aufsatz »Was der Tod ist« (der später, verändert, unter dem Titel »Tod eines Engels« in den »Quintus Fixlein« aufgenommen wird). Zum bleibenden Zorn auf die Großen, die »gekrönten Wappentiere«, die mit Krallen ihre Beute zerfleischen, kommt jetzt das Mitleid mit den Kleinen, den Unterdrückten, und die Bewunderung derjenigen, die »dennoch vom hohen Sonnenstern der Pflicht nicht wegblicken«, auch wenn Gewalt, Ungerechtigkeit und Laster herrschen, und der Tod sie einsam macht. »O, ihr gedrückten Menschen . . . wie könnt ihr denn alt werden, wenn der Kreis der Jugendgestalten zerbricht . . ., wenn die Gräber eurer Freunde wie Stufen zu euren eignen hinuntergehen, und wenn das Alter die stumme leere Abendstunde eines erkalteten Schlachtfeldes ist . . .«

Aber nicht nur die Erfolglosigkeit seiner literarischen Bemühungen und der Tod der Freunde sind es, die ihn in diese Depression treiben. Der Sohn des strenggläubigen Pfarrers, der schon mit 13 Jahren seine philosophischen Studien begann, ist auch weltanschaulich in eine Krise geraten. Er kämpfte als heterodoxer Theologe gegen die Dogmengläubigkeit der Kirche, glaubte mit Leibniz an die beste aller Welten, ließ sich von Mendelssohn, Nicolai und Lessing für Toleranz und Gedankenfreiheit begeistern und wurde schließlich durch Voltaire zum Verächter der Kirche und durch Rousseau zum Anhänger revolutionärer Theorien. Nur eins konnte er, trotz aller Verführungskünste der Vernunft, nicht: den Kinderglauben an Gott ablegen.

Jahrelang begehrte er gegen dieses Unvermögen auf, verfluchte seine religiöse Erziehung als »frommen Mißbrauch«, bezeichnete den Glauben als »alten Unsinn«, der die »Vernunft blendet«. Jetzt, am Ende der achtziger Jahre, beginnt in dem Kampf zwischen Verstand und Gefühl letzteres zu siegen.

Er las auch (wie alles, was erreichbar war) die französischen Materialisten, Helvetius besonders, zeitweilig mit Gewinn. Vor ihrem Atheismus aber schreckt er zurück. Ihre Moralauffassungen scheinen ihm den niedrigsten Egoismus zu rechtfertigen. Daß der Materialismus vor allem an den Fürstenhöfen Eingang fand, macht ihn dem sozialen Ankläger, der immer wieder die Lasterhaftigkeit der Höflinge anprangert, natürlich besonders verdächtig. Und er steht damit nicht allein unter den deutschen Oppositionellen. Den Stürmern und Drängern bedeutet Rousseaus Antimaterialismus und seine kirchenferne Gefühlsreligion genau so viel wie seine revolutionären Gesellschaftsideen. Und die deutschen Philosophen am Ende der Aufklärung, deren Hauptwerke in dieser Zeit erscheinen (und natürlich von ihm gelesen werden), kommen in keinem Fall zu einer materialistischen oder atheistischen Lösung. Sie klammern, wie Kant, alle religiösen Fragen aus der Wissenschaft aus und weisen sie dem Glauben zu, oder sie holen, wie der späte Lessing, wie Goethe, mit ihrem Pantheismus Gott aus dem Jenseits in die Welt hinein. Und Jacobi, »mit dem Kopf Atheist und Christ mit dem Herzen«, schafft mit der Vernunft ein realistisches Weltbild, dem er Gefühlsreligiosität überordnet.

Zu diesem Kompromiß zwischen Vernunft und Glauben ringt auch Richter sich durch, für immer. Alle mit Fleiß und Eifer aufgenommenen philosophischen Systeme, aller Scharfsinn, alle Verstandeskraft erweisen sich dem in der Kindheit aufgenommenen Glauben als unterlegen. Ohne Gott ist ihm die Welt leer und tot. Ohne Unsterblichkeit der Seele wird das Leben sinnlos, der Mensch ein Nichts. Die Vorstellung einer gottlosen Welt erregt ihm Grauen. Um sich von ihm zu befreien, artikuliert er es. Die großartige Schreckensvision (autobiographisch genährt von der Gespensterfurcht seiner Kinderzeit) wird später seinen Ruhm zum erstenmal über den deutschen Sprachraum hinaustragen.

»Der erste Entwurf fuhr mir mit Grausen vor der Seele vorbei und bebend schrieb ichs nieder«, heißt es in einem Brief von 1790 – was freilich, um der Dramatik willen, ein bißchen an der Wahrheit vorbeigeht. Denn schon früh, 1785, finden sich im Nachlaß erste Notizen, die aber wohl noch ganz auf Gespenstererinnerungen fußen: »Wie die Toten Kirche halten, predigen«. Dann folgt, 1789, der erste Entwurf mit der Überschrift: »Schilderung des Atheismus. Er predigt, es ist kein Gott«. Aber bald wird der personifizierte Atheismus von Shakespeare abgelöst: »Totenpredigt Shakespeares«. Als »Des toten Shakespeares Klage unter toten Zuhörern in der Kirche, daß kein Gott sei« wird der Aufsatz in die »Baierische Kreuzerkomödie« aufgenommen; bleibt also ungedruckt. Als Mitte der neunziger Jahre der »Siebenkäs« entsteht, beginnt die Arbeit von neuem. Erst ist ein Engel geplant, der die Gottlosigkeit der Welt verkünden soll, dann aber entschließt Richter sich zur kühnsten, grauenhaftesten Version: Christus selbst wird zum Verkünder der Gottlosigkeit. Und die spukhafte Friedhofszene weitet sich dabei zur kosmischen Vision eines auseinanderbrechenden Weltalls.

Mißtöne lassen die Erde schwanken, am Himmel ohne Sonne ziehen Nebel, das ziffernlose Zifferblatt der Uhr ist sein eigner Zeiger, Augenlider heben sich von leeren Augenhöhlen, und die Ewigkeit liegt auf dem Chaos, zernagt es und wiederkäut sich. Und die Toten rufen angstvoll nach Gott, und Christus antwortet: »Es ist keiner ... Ich ging durch die Welten, ich stieg in die Sonnen und flog mit den Milchstraßen durch die Wüsten des Himmels, aber es ist kein Gott ... Starres, stummes Nichts! Kalte, ewige Notwendigkeit! Wahnsinniger Zufall! ... Wie ist jeder so allein in der weiten Leichengruft des All!« Und die Riesenschlange der Ewigkeit preßt das Weltall zusammen, zermalmt es, ein Glockenhammer schlägt die letzte Stunde der Zeit – da erwacht der Erzähler. »Meine Seele weinte vor Freude, daß sie wieder Gott anbeten konnte ... Und als ich aufstand, glimmte die Sonne tief hinter den vollen purpurnen Kornähren ... und zwischen dem Himmel und der Erde streckte eine frohe vergängliche Welt ihre kurzen Flügel aus und lebte, wie ich, vor dem unendlichen Vater; und von der ganzen Natur um mich flossen friedliche Töne aus, wie von fernen Abendglocken.«

Das bewahrt er sich ein Leben lang. So wie er immer der Mann der Aufklärung bleibt, der keine der romantischen Wendungen nach rückwärts mitmacht, der noch in der Restaurationszeit die neuen Dunkelmänner mit den Waffen der Vernunft bekämpft, so hat er sich den Glauben an Gott und die Seelenunsterblichkeit nie mehr nehmen lassen. Als ideologischen Rückschritt bedauern können das nur Kurzsichtige, die nicht sehen, daß mit dieser Wendung das Wachsen der dichterischen Kraft verknüpft ist. Die Krise ist überwunden. Der Halt, den er gefunden hat, macht ihm den Blick frei auf die Wirklichkeit. Die Wendung zum Glauben wird so eine zur Poesie.

»Ein ganzes horazisches Jahrneun hindurch«, schreibt Jean Paul rückblickend 1821, »wurde des Jünglings Herz von der Satire zugesperrt und mußte alles verschlossen sehen, was in ihm selig war und schlug, was wogte und liebte und weinte. Als es sich nun endlich im achtundzwanzigsten Jahre öffnen und lüften durfte: da ergoß es sich leicht und mild und wie eine warme überschwellende Wolke unter der Sonne – ich brauchte nur zuzulassen und dem Fließen zuzusehen – und kein Gedanke kam nackt, sondern jeder brachte sein Wort mit, und stand in seinem richtigen Wuchse da ohne die Schere der Kunst.«

Schon ein paar Wochen nach der Todesvision beginnt dieses Fließen. Und die Anfangssätze, die da im Dezember 1790 geschrieben werden, sind gleich so schön, daß man sie auswendig lernen sollte, wie ein Gedicht: »Wie war Dein Leben und Sterben so sanft und meerstille, du vergnügtes Schulmeisterlein Wutz! Der stille laue Himmel eines Nachsommers ging nicht mit Gewölk, sondern mit Duft um dein Leben herum: Deine Epochen waren die Schwankungen und dein Sterben war das Umlegen einer Lilie, deren Blätter auf stehenden Blumen flattern – und schon außer dem Grabe schliefest du sanft!«

16.

Die Sonne der Freiheit

*

Einem Herrn Schwingdenhammer aus dem elsässischen Städtchen Pfirt verdankte es Schiller wohl in erster Linie, daß er
neben Washington, Bentham, Kosciusko und Klopstock zum
Ehrenbürger der Französischen Revolution ernannt wurde.
Dieser Elsässer nämlich, der sich als Schriftsteller La Marti-
liere nannte, hatte im revolutionären Paris eine Bearbeitung
der »Räuber« auf die Bühne gebracht, in der »Robert, Chef
des brigands«, mit Jakobinermütze auftrat. Schiller las erst im
»Moniteur« von der Ehre, die dem revolutionär gesinnten
Jüngling galt, der er zu dieser Zeit nicht mehr war. Einige Wochen vor der Revolution war er Professor in Jena geworden
und hatte in seiner Antrittsvorlesung ein Bild der Gegenwart
entworfen, in der »der Mensch die Gleichheit, die er durch seinen Eintritt in die Gesellschaft verlor, durch weise Gesetze
wieder gewonnen« habe, in der also kein Grund für Umstürze
vorhanden war. Als die Pariser Umstürzler ihn zu ihrem
Ehrenbürger machten, plante er gerade eine Denkschrift
zur Verteidigung Ludwigs XVI., begann damit auch, doch
machte die Hinrichtung des Königs durch »diese elen-
den Schinderknechte« in Paris sie überflüssig. Daß Revolutionen sich dadurch auszeichnen, daß in ihr »Weiber
zu Hyänen« werden, haben noch anderthalb Jahrhunderte

hindurch Schulkinder durch Schillersche Verse erfahren müssen.

Auch Goethe sympathisierte nicht mit dem großen Ereignis. »Es ist wahr, ich konnte kein Freund der französischen Revolution sein«, bekannte er Eckermann 1824, als er versuchte, aus dem Abstand von Jahrzehnten, ein gerechtes Urteil zu fällen. »Alle Freiheitsapostel, sie waren mir immer zuwider...« hieß es im Frühjahr 1790, und wenn er dichtete: »Franztum drängt in diesen verworrenen Tagen, wie ehemals Luthertum es getan, ruhige Bildung zurück«, so zeigt das, daß Ordnung ihm wichtiger war als Veränderung. Der Umsturz alles Vorhandenen erschrecke ihn, notierte er 1793 in den »Tag- und Jahresheften«, und er habe keine Ahnung davon, was denn Besseres daraus erwachsen solle.

Vieles, was er damals schrieb, widerspricht dem berühmten Satz, den er am Abend nach der Kanonade von Valmy seinen Kriegsgefährten der konterrevolutionären Armee gesagt haben will: »Von hier und heute geht eine neue Epoche der Weltgeschichte aus, und Ihr könnt sagen, Ihr seid dabei gewesen.« Dieser Widerspruch hat die Vermutung veranlaßt, daß das schöne Wort nicht 1792 gesagt, sondern um 1820 (als Goethe die »Campagne in Frankreich« schrieb) erfunden wurde, wofür vieles spricht: Daß er die Originaltagebücher des Feldzuges verbrannt hatte, daß er damals annahm, es gehe direkt nach Paris (weshalb er sich Spezialkarten für diesen Siegesmarsch schon auf Leinwand ziehen ließ), wie auch ein Datierungsfehler, der ihm unterlief. In der »Belagerung von Mainz« läßt er am 28. Mai 1793 Offiziere seinen berühmten Ausspruch wiederholen und hinzufügen: »Wunderbar genug sah man diese Prophezeiung nicht etwa nur dem allgemeinen Sinn, sondern dem besonderen Buchstaben nach genau erfüllt, indem die Franzosen ihren Kalender von diesen Tagen an datierten.« Das stimmte zwar, doch konnten das die Offiziere am 28. Mai nicht wissen, weil das Dekret, das den republikanischen Kalender, beginnend mit dem 22. September 1792, einführte, erst am 5. Oktober 1793 erschien. Also vielleicht mehr Dichtung als Wahrheit, zweifellos aber Wahrheit in der Dichtung, und ein Hinweis darauf, wieviel leichter die Größe eines Ereignisses später zu erkennen ist – nach 30 Jahren für Goethe oder nach 180 für uns, die wir sicher auch, nur andersartig, mit Zeitblindheit geschlagen sind.

Daß trotz der nicht gerade progressiven aktuellen Reaktionen Goethes und Schillers ihr Werk doch insgesamt progressive Wirkung ausübte, ist von ihren linken Kritikern nicht immer begriffen worden. Ganz rechts stand damals nur ein kleines Häuflein von Intellektuellen: der naiv gläubige Claudius war unter ihnen, Jacobi und der alte Gleim, der Friedrichs Grenadiere besungen hatte und der Meinung war, daß der drei Jahre vorher gestorbene Preußenkönig genug für Wohlstand und Recht getan hatte, so daß alles, was die preußischen Errungenschaften zerstören könnte, von Übel sei. Die von ihm 1790 mitbegründete »Deutsche Monatsschrift« münzte Revolutions- in Franzosenhaß um und säte schon die Art Chauvinismus, die dann unter napoleonischer Herrschaft ihre Blüten trieb. Seines Deutschtums noch nicht ganz sicher, beginnt das Programm der neuen Zeitschrift mit den Worten: »Wir sind Deutsche, sind Brandenburger...«, und das das erste Heft eröffnende lange Gedicht verkündet in seiner ersten Zeile: »Deutschland, Erstes der Völker von allen Völkern der Erde«, um dann die revolutionären Franzosen zu schmähen und den Deutschen zu sagen, wie gut sie es haben »Unter Gesetzen, von Liebe gewollt und von Weisheit vollendet«.

Das Gros der Dichter und Philosophen aber stand schon damals links und begrüßte die Revolution (– in ihren Anfängen): Klopstock begeistert in mehreren Oden (»Frankreich schuf sich frei. Des Jahrhunderts edelste Tat hob / Da sich zu dem Olympos empor!«) Wieland, der überzeugt war, daß »die gute Sache der Menschheit« in Frankreich verfochten wurde, kühl, abwägend, kritisch in Aufsätzen, Herder in Briefen, Gesprächen, philosophischen Arbeiten. »Ich finde es sehr recht von Ihrem Pfarrer«, schrieb die Herzogin Luise, Frau Karl Augusts, 1792 an Charlotte von Stein, »daß er für die königliche

Familie von Frankreich betet. Herder würde es nicht tun.« Der hielte statt dessen Predigten »sonderbarer Art«, in denen er »den Personen eines höheren Ranges« Vorwürfe mache. Herders Frau Karoline aber schrieb (ausgerechnet an Jacobi) in dieser Zeit: »Die Sonne der Freiheit geht auf, das ist gewiß.« Bürger bedichtete den »Sturz des Despotismus in Gallien«, Schubart ging in seinem Lied »An die Freiheit« auf die Suche nach ihr, um sie schließlich bei den »leichten Galliern« zu finden, die Zöglinge des Tübinger Stifts Hölderlin, Hegel und Schelling feierten den Jahrestag der Revolution unter dem Freiheitsbaum, und Voß, einer der wenigen, deren Begeisterung für die Revolution nie schwand, schrieb den nicht gerade poetischen, aber doch pathetischen »Gesang der Neufranken, nach der Melodie des Marseillermarsches: Sei uns gegrüßt du holde Freiheit! ... Mit Waffen in den Kampf/. Für Freiheit und Gesetz!/Naht, Bürger, naht, bebt Mietlingsschwarm!«

Allgemein war die Begeisterung groß. Augenzeugen wie Campe, Wilhelm von Humboldt, Oelsner, Archenholz, Forster berichteten in Zeitschriften von den Vorgängen in Paris. In den Frankreich benachbarten Grenzgebieten und selbst in Sachsen flackerten Bauernaufstände auf. Als zur Leipziger Herbstmesse 1791 Theaterstücke von Iffland und Kotzebue aufgeführt wurden, die die Revolution verspotteten, war der Mißfallenssturm so heftig, daß der Regisseur auf die Bühne treten und sich beim Publikum für die Wahl der Stücke entschuldigen mußte.

Kant soll, nach Varnhagen, bei der Nachricht von der Gründung der Französischen Republik mit Tränen in den Augen ausgerufen haben: »Jetzt kann ich sagen, wie Simeon: Herr! laß Deinen Diener in Frieden fahren, nachdem ich diesen Tag des Heils gesehen!« Sich öffentlich zu äußern lehnte er zwar ab (»wenn die Starken in der Welt im Zustande eines Rausches sind ... so ist einem Pigmeen, dem seine Haut lieb ist, zu raten, daß er sich ja nicht in ihren Streit mische ...«), aber in seinen Arbeiten, die nach der Revolution erschienen sind, wird mehrfach an versteckter Stelle positiv zu ihr Stellung genommen. Dabei widerlegte er, im voraus schon, die Theorie Schillers: daß die Individuen erst zur Freiheit erzogen werden müßten, ehe man sie aus der Vormundschaft in diese entläßt. Dem könne er nie zustimmen, schrieb er 1793 im Traktat »Die Religion innerhalb der Grenzen der bloßen Vernunft«, da bei solcher Voraussetzung die Freiheit nie käme, »denn man kann zu dieser nicht reifen, wenn man nicht zuvor in Freiheit gesetzt worden ist«.

Der entschiedenste Verteidiger der Revolution unter den Philosophen aber war ohne Zweifel Fichte. Der Sohn eines armen sächsischen Leinewebers, in Jean Pauls Alter, wie dieser vom Dorf kommend, hatte den gleichen schweren Bildungsweg hinter sich und trug seine Gedanken von der gleichen politischen Position her vor: der kleinbürgerlich-demokratischen. »Daß nicht essen solle, wer nicht arbeitet, fand Herr R. naiv:«, schreibt er, ganz im Geiste Jean Pauls, in einer Polemik gegen den Publizisten Rehberg, »er erlaube uns, nicht weniger naiv zu finden, daß allein der, welcher arbeitet nicht, oder das Uneßbarste, essen solle«. 1793 veröffentlichte er anonym zwei rechtsphilosophische Schriften, deren Titel schon ihre Tendenz aussprachen: »Zurückforderung der Denkfreiheit von den Fürsten Europens, die sie bisher unterdrückten« und »Beiträge zur Berichtigung der Urteile des Publikums über die Französische Revolution«. Er stellte die Frage: »Hat überhaupt ein Volk das Recht, seine Staatsverfassung abzuändern?« und bejahte sie. »Die Menschheit rächt sich auf das grausamste an ihren Unterdrückern, Revolutionen werden notwendig«, sagte er den »zertretenden Despoten«, den Monarchen, (von denen auch er übrigens den »unsterblichen Friedrich« ausnimmt). Und wenn er auch pathetisch wie die Dichter von Freiheit und Vernunft redet, so sah er doch auch die ökonomischen Gründe der Gesellschaftsveränderung. »Sobald der Unbegünstigte anfängt zu merken, daß er durch den Vertrag mit dem Begünstigten bevorteilt sei, so hat er das völlige Recht, den nachteiligen Vertrag aufzuheben ... Er findet es etwa nicht mehr so ehrenvoll für sich, daß eine Handvoll Adliger oder Prinzen auf seine Kosten einen glänzenden Hofstaat bilde oder nicht mehr so zuträglich für das Heil seiner Seele, daß eine Schar von Bonzen sich von dem Marke seiner Ländereien mäste.« Auch als Professor in Jena und Berlin blieb er im Grunde immer Demokrat, nur wurden seine Ideale nach 1806 von einem Chauvinismus überschattet, der es auch Reaktionären gestattete, sich auf ihn zu berufen.

Der einzige deutsche Schriftsteller von Rang, den Revolutionsbegeisterung zum Politiker machte, war Georg Forster, der Weltreisende, Naturforscher, Kunstbetrachter. Zusammen mit Alexander von Humboldt hatte er 1790 Paris besucht und war als Bewunderer der Revolution zurückgekommen. Als nach der Niederlage der österreichisch-preußischen Armee die französischen Revolutionstruppen zum Rhein vordrangen und Mainz besetzten, war der Bibliothekar Forster einer der führenden Männer des revolutionären Klubs der »Freunde der Gleichheit und Freiheit«, nach Gründung der kurzlebigen Mainzer Republik ihr Vizepräsident. Am 17. März 1793 wurde die linksrheinische deutsche Republik ausgerufen, am 30. März war Forster, zusammen mit Adam Lux, in Paris und bot deren Anschluß an die französische an. Zurück konnte er nicht mehr: der Staat, den er vertrat, bestand nicht mehr. Die Armee der deutschen Fürsten hatte die alten Zustände mit Gewalt wieder hergestellt.

Forster blieb in Paris. Erschüttert erlebte er den jakobinischen Terror, die Ermordung Marats, die Hinrichtung der Charlotte Corday, die Hinrichtung auch seines Freundes Lux – aber zum Verräter an den demokratischen Ideen wurde er nicht. »Unversiegbar« schien ihm der »Lichtstrom der Vernunft« in der Revolution, deren Ende er nicht mehr erlebte. Ein halbes Jahr vor dem Sturz Robespierres starb er nach langer Krankheit.

In Deutschland, wo unter dem Eindruck des Pariser Terrors die öffentliche Meinung inzwischen umgeschlagen war, wurde Forster geschmäht, verleumdet, im besten Falle bemitleidet. Der ehemals revolutionsbegeisterte Friedrich von Stolberg wünschte, daß sein »Andenken ... in irgend einer Rumpelkammer vergessen sein« sollte, und Schiller war so geschmacklos, ihn noch drei Jahre nach seinem Tode in den »Xenien« als rasenden Toren zu verspotten, »der, auf Weibes Rat horchend, den Freiheitsbaum pflanzt« und »sich die Kokarde zerzaust.« Er stimmte damit ein in die allgemeine Gegenpropaganda der Reaktion, deren Einfluß, von ganz wenigen (wie Voß und Knigge) abgesehen, fast alle erlagen. Die Gründung der Mainzer Republik wurde nun zum »Landesverrat«, die Jakobiner zu »blutgierigen Ungeheuern«, der Republikanismus zur »Parteiwut« und zur »Aufwiegelei«.

»Der Dichter Klopstock hat sein Französisches Bürger-Diplom mit Äußerung des lebhaftesten Unwillens über die in Frankreich vorgefallenen Greuel zurückgeschickt«, meldete die »Vossische Zeitung« am 19. Februar 1793 und druckte eine Ode des Dichters ab, in der dieser den Franzosen (nicht im lügnerischen Gallisch, »Nein, in der biederen Sprache Deutschlands, Deutschlands, welches nie einen Herrscher mordet«) seinen Haß auf sie gestand, weil sie Blut vergießen und Gott leugnen. Er verwünschte das »Scheusal Marat« und zog sich mit seinem Kreis wieder auf christlich-germanische Tugendpreisung zurück. Stolberg aber erfand sogar den Begriff »Westhunnen« für die Franzosen.

In »Hermann und Dorothea« hat Goethe in schöner Klarheit die Wandlung der Begeisterung in Enttäuschung dargestellt:

»Denn wer leugnet es wohl, daß hoch sich das Herz
ihm erhoben, ihm die freiere Brust mit reineren
Pulsen geschlagen, als sich der erste Glanz der
neuen Sonne heranschob, als man hörte vom Rechte der
Menschen, das allen gemein sei, von der begeisternden
Freiheit und von der löblichen Gleichheit! . . . Aber
der Himmel trübte sich bald. Um den Vorteil der
Herrschaft stritt ein verderbtes Geschlecht, unwürdig,
das Gute zu schaffen. Sie ermordeten sich und unterdrückten die neuen Nachbarn und Brüder . . .«

Die Enttäuschung war verständlich; denn niemand war sich der blutigen Konsequenzen von Klassenkämpfen bewußt. Der idealistische Freiheitsrausch der ersten Revolutionsphase hatte ein Zeitalter der Humanität vor Augen gehabt, nicht den Terror der Kleinbürger, nicht bourgeoises Gewinnstreben. Weder die Jakobiner, die töteten, um die Revolution zu retten, noch die siegreichen Finanzhyänen entsprachen den erträumten Idealmenschen. Die immer blutiger werdende Revolution, die ihre eignen Kinder fraß und schließlich in einer Orgie der Profitmacher endete, bot edeldenkenden Zeitgenossen keinen erhebenden Anblick. Die Freiheit, die man gemeint hatte, war nicht gekommen. Die Revolution war in Deutschland diskreditiert. Wer seine Ideale nicht verriet, hoffte nun auf langsame Änderung durch Bildung oder auf Reformen von oben. Der (beim Entwicklungsstand des Bürgertums utopische) Traum von deutscher Republik war ausgeträumt.

Mögen die deutschen Intellektuellen nun Gegner oder Befürworter der Revolution gewesen sein: den Staatsmännern waren sie dadurch überlegen, daß sie die historische Bedeutung der französischen Ereignisse sofort erkannten. Die Politiker waren kurzsichtig genug, in ihnen zuerst nur die machtpolitischen Veränderungen zu sehen. So war dem preußischen Minister Graf Hertzberg die Revolution vor allem »eine Gelegenheit, von der die guten Regierungen Vorteil ziehen müssen«, und er handelte danach, indem er sofort einen Gesandten zur Nationalversammlung nach Paris schickte, der bald darauf einen Brief seines Königs mit der Versicherung beantwortete: »Ew. Majestät Stellung wird durch den Bastillesturm und die Ohnmacht der Königin bedeutend verstärkt.« Das war die gleiche Kurzsichtigkeit, aus der heraus in unserem Jahrhundert die deutsche Heeresführung des ersten Weltkrieges Lenin im plombierten Eisenbahnwagen nach Rußland beförderte.

Zum Teil erklärt sich aus dieser historischen Begriffsstutzigkeit der Herrschenden das verspätete Einsetzen verschärfter Zensur und feudaler Gegenpropaganda. Man brauchte Jahre, um zu begreifen, was da auf europäischem Boden passiert war. Dann allerdings reagierte man mit Härte: Die bürgerlichen Ideen waren auch in Deutschland zu einer Gefahr geworden.

17.

Revolution
und
Schlafmütze

*

Als 1789 die Revolution in Frankreich beginnt, befindet sich Richter in seiner tiefsten Krise; als sie fünf Jahre später mit dem Sturz der Jakobiner endet, sitzt er zwar noch immer in seinem Ländchen (das inzwischen preußisch geworden ist), wieder in der ärmlichen Stube der Mutter, verdient seine Groschen mit Unterrichten von Kindern, ist (von den Leipziger Studentenjahren abgesehen) noch nicht weiter als in die Residenzstadt Bayreuth gereist – aber der Grundstein zu schriftstellerischem Ruhm, zu Anerkennung und Wohlstand ist schon gelegt. Eine Erzählung und ein Roman sind erschienen, ein zweiter, der Aufsehen erregen wird, ist fertig; schon hat er Beweise dafür, daß er sich in der Hochschätzung eignen Talents nicht geirrt hat.

Noch sitzt er, mit 31, im Elend, in der Tiefe, aus der er gekommen ist; aber schon sitzt er auf dem Sprung. Er wird nicht mühsam von Stufe zu Stufe höher steigen, er wird springen: in die Höhen der literarischen Welt und in die Höhen der Gesellschaft. Der Adel, dessen Existenzberechtigung er anzweifelt, wird ihn mit offenen Armen aufnehmen, die Höfe, die er lächerlich macht, werden ihn mit Einladungen ehren, und selbst Fürsten werden dem Mann, der ihre Throne einzuebnen vorhat, ihre Gunst zeigen. Überall wird er Triumphe feiern und sie genießen. Aber der Glanz der Mächtigen wird ihn nicht blenden, und er wird bleiben, was er war: der arme Mann aus dem Fichtelgebirge, der an Unsterblichkeit und bürgerliche Tugend glaubt, der Autodidakt, der das Licht der Aufklärung auch in Zeiten des Chauvinismus und der Restauration vor dem Verlöschen bewahrt, der freie Schriftsteller, der seine Unabhängigkeit hütet, der Anwalt der Armen, der die Gesellschaft zu deren Gunsten verändern möchte.

Wie jedes bewegte Leben, wird auch das seine voll von Widersprüchen sein; voll von Widersprüchen auch sein Werk: darin liegt dessen Größe, dessen Grenze, dessen Schönheit und Faszination. Jede Interpretation bewegt sich hier auf doppeltem Boden; schnell ist sie eingebrochen. Nur wer wenig weiß oder absichtlich viel übersieht, kann mit der Geste der Gewißheit auftreten. Je gründlicher man liest, je genauer man hinsieht, je mehr man begreift, desto größer wird die Ratlosigkeit vor dieser Fülle. Auf den von Biographen gesponnenen roten Faden läßt sich ein Genie wie dieses nicht ziehen, in das Glanzpapier der Verehrung nicht wickeln. Wenn Biographie mehr sein will als Denkmalsbau, darf sie die Widersprüche nicht zudecken.

Da ist Jean Pauls Verhältnis zur Französischen Revolution. Bis zum Sturz der Girondisten steht er ihr positiv gegenüber, dann schweigt er sich aus, um sich vier Jahre später vom jakobinischen Terror zu distanzieren. Von der Revolution insgesamt distanziert er sich öffentlich nie.

Schon in den frühen Satiren wird Hoffnung auf künftigen Machtwechsel deutlich. Als dieser in Frankreich beginnt, begrüßt ihn Richter als das große Jahrhundertereignis. Die Befreiung der Franzosen aus der »Babylonischen Gefangenschaft« nennt er ihn im September 1789 in einem Aufsatz, und im regen Briefwechsel mit dem Freund Christian Otto gehört die Bejahung der Revolution zu den Selbstverständlichkeiten. Diskussionsgegenstand ist nur die Möglichkeit ihres Übergreifens auf andere europäische Länder. Da ist Jean Paul skeptischer, also realistischer, als Otto. Um in Deutschland so weit zu kommen wie in Frankreich, meint er 1793, »muß noch weit mehr Licht unter unsre Hirnschalen und weit mehr Tortur-schwefeltropfen an unser Herz geworfen werden«. Die Begei-sterung lasse dem Freund das Ziel zu nahe erscheinen, aber »gleichwohl erwärmt es einen in diesen Frost-Tagen der Klei-nigkeiten, wo unsere ganze Freiheitsfahne in einem Federkiel besteht, auf einen Mai des Menschengeschlechts vorauszublik-ken«.

Also nicht Resignation wird empfohlen, sondern Tatsachen-betrachtung, verbunden mit Hoffnung auf Änderungen, an denen zu arbeiten ist: mit der Feder. Und so entstehen dann in diesen Jahren der Revolution die beiden Romane, die die Jahre eigner Entstehung darstellen. Revolutionsjahre, aber in Deutschland, das keine Revolution hervorbringt, nur Hoffnung darauf, die sich im Roman verkörpert in Idealgestalten, die Revolution vorzubereiten bereit sind.

Da werden im ersten, dem Fragment »Die unsichtbare Loge«, jakobinisch anmutende Überlegungen über künftige Zeiten vorgebracht, in denen »man nicht bloß, wie jetzt, keine Bettler, sondern auch keine Reichen dulden wird«. Und wenn der Flamin des »Hesperus« sich vornimmt, vor seiner Hinrich-tung eine Rede ans Volk zu halten, so klingt die wie eine Vor-wegnahme Büchners: »Da will ich Flammen über das Volk werfen, die den Thron einäschern sollen. Ich will sagen: ... Ihr könntet Blutegel, Wölfe und Schlangen und einen Lämmer-geier zugleich fangen und einsperren – ihr könntet ein Leben voll Freiheit erbeuten oder einen Tod voll Ruhm. Sind denn die tausend aufgerissenen Augen um mich alle starrblind, die Arme alle gelähmt, daß keiner den langen Blutegel sehen und wegschleudern will, der über euch alle hinkriecht und dem der Schwanz abgeschnitten ist, damit wieder der Hofstaat und die Kollegien daran saugen? Seht, ich war sonst mit dabei und sah, wie man euch schindet – und die Herren vom Hofe haben eure Häute an. Seht einmal in die Stadt: Gehören die Paläste euch oder die Hundshütten? Die langen Gärten, in denen sie zur

Lust herumgehen, oder die steinigen Äcker, in denen ihr euch totbücken müsset? Ihr arbeitet wohl, aber ihr habt nichts, ihr seid nichts, ihr werdet nichts – hingegen der faulenzende tote Kammerherr da neben mir.«

Das ist 1793/94 geschrieben; und als Jahre später Jean Pauls Hauptwerk »Titan« erscheint, wird sein Bekenntnis zum Enthusiasmus dieser Jahre daran deutlich, daß er Albano, die positive Hauptgestalt, auf dem Höhepunkt seiner Erziehung, als er erkennt, daß es nicht nur auf edles Empfinden und Denken, sondern auch aufs Handeln ankommt, den Entschluß fassen läßt, in der französischen Revolutionsarmee für die Freiheit zu kämpfen »und früher zu fallen als sie«. Denn »der gallische Rausch ... ist doch wahrlich kein zufälliger, sondern ein Enthusiasmus in der Menschheit und Zeit zugleich begründet ... Durch ein rotes Meer des Bluts und Kriegs watet die Menschheit dem gelobten Lande entgegen«.

Aber Flamin hält die revolutionäre Rede nicht, und Albano geht nicht zu den revolutionären Truppen. Man ist in Deutschland. Den revolutionären Helden steht deutsche Wirklichkeit gegenüber. In ihr scheint es realistischer, Änderungen zu fordern, die durch Reformen erreichbar sind (worauf der »Hesperus« und der »Titan« letztlich auch hinauslaufen.) Als dann gar Napoleon Kaiser wird, schreibt Jean Paul am 19. Juni 1804 den Satz: »Goethe war weitsichtiger als die ganze Welt, da er schon den Anfang der Revolution so verachtete als wir das Ende.«

Zwar relativiert der Anlaß zu diesem Urteil dieses selbst, da hier nicht das schlechte Gewissen eines zum Reaktionär gewordenen Freiheitsschwärmers sich äußert, sondern der Zorn des Republikaners über die Wiederherstellung der Monarchie in Frankreich; aber ein Rückzug (wenn auch kein so radikaler, wie es die Äußerung momentaner Enttäuschung vermuten läßt) bleibt es doch. Und er war nicht unvorbereitet.

Schon 1799, bei der Arbeit an der Gedenkschrift für Charlotte Corday, die Mörderin Marats, die ihm die Freiheit (der Girondisten) gegen die Blutherrschaft (der Jakobiner) zu verkörpern scheint, spricht er, Jacobi gegenüber, vom »ekelhaften Nachschlagen in den durch Blutflecke unleserlichen Tag- und Nachtbüchern der Revolution«, von der er seit Jahren immer weniger wissen wolle. Und noch weiter zurück, schon im jugendlich-ungestümen »Hesperus«, wird der Gedanke der Revolution mehr diskutiert als propagiert, und Victor, der überlegenere, weil verstandesklarere der Freunde, gibt in den Gesprächen des revolutionären Klubs immer wieder zu bedenken, daß es moralisch fragwürdig sei, Unterdrückung und Krieg durch Unterdrückung und Krieg beseitigen zu wollen. »Ihre Behauptung zeigt den Völkern zwei Wege«, entgegnet er einem der radikalen Revolutionäre, »einen langsamern aber gerechtern, und einen, der beides nicht ist. – Die wilden Eingriffe ins Zifferblattrad der Zeit, das tausend kleine Räder drehen, verrücken es mehr, als sie es beschleunigen, oft brechen sie ihm Zähne ab: hänge dich ans Gewicht des Uhrwerks, das alle Räder treibt: d. h. sei weise und tugendhaft, dann bist du groß und unschuldig zugleich und bauest an der Stadt Gottes, ohne den Mörtel des Bluts und ohne die Quader der Totenköpfe.«

Revolutionärem Aktivismus leisten also die Skrupel des Moralisten Jean Paul Widerstand. Das bleibt so bis in die Zeiten der Restauration hinein, in denen er, bei aller Sympathie für die rebellischen Studenten, die Tat des Kotzebue-Mörders Sand verurteilt. Klar ist nur, daß es anders werden muß in Deutschland, ob aber durch Umsturz oder Reform, bleibt für ihn problematisch. Für einen Schluß der »Unsichtbaren Loge« wäre beides in Frage gekommen. Der »Hesperus«, in dem Revolutionshoffnungen immer gegenwärtig sind, endet mit Aussichten auf Reformen, und im Erziehungsprozeß des »Titan« wird revolutionäre Gesinnung zur notwendigen Stufe für den künftigen Reformfürsten.

So wie in seinem politischen Denken zwischen den Polen Revolution und Reform eine Spannung besteht, ist auch sonst ein Dualismus in ihm wirksam, der sein Leben und Werk so uneinheitlich und so interessant macht. Engagement und Innerlichkeit, Weite und Enge, Scherz und Ernst, Gefühlsüberschwang und Nüchternheit liegen dicht beieinander. Eine Vorliebe hat er für Zwillingsgestalten. Sein frühes Erzählwerk läßt sich zweiteilen in die Idyllen (die keine sind) und die »heroischen« Romane (die diese Bezeichnung auch nicht verdienen).

Ungewollt programmatisch zeigt sich das schon in den Anfängen des Erzählens: Das »Leben des vergnügten Schulmeisterlein Wutz in Auenthal. Eine Art Idylle« erscheint gemeinsam mit dem Roman »Die unsichtbare Loge. Eine Lebensbeschreibung«, und gemeinsam heißt hier nicht nur zeitlich, sondern auch räumlich: die Erzählung wird dem Roman einfach angebunden, inhaltlich nur gerechtfertigt durch den kläglichen Kunstgriff, daß eine zehntrangige Nebengestalt des Romans als Sohn des vergnügten Wutz ausgegeben wird. Eine Verlegenheitslösung, der nachträglich ein tieferer Sinn untergelegt werden kann: Seht, dieses beides gehört zu einem! Hier legt einer seinen Bereich fest, in dem er zu bleiben gedenkt, schlägt die Themen an, die er variieren, erfindet die Charaktere, die er immer wieder benutzen und vertiefen wird: den empfindsamen Jüngling, der moralisch und politisch nach dem Besseren strebt, das reine Mädchen, den freisinnigen Humoristen und Satiriker, den kalten, falschen Höfling, die lüsterne Hofdame, den armen Schulmeister – und auch sich selbst, den Erzähler, den immer Gegenwärtigen, der sich in den Vordergrund drängt, in Lesernähe, oft lästig nah, und der seinen inneren Dualismus manchmal soweit treibt, daß er sich auch als Person spaltet, im Roman auftritt und sich selbst erzählt.

Auch das Fragmentarische des Romans scheint programmatisch. Sechs Romane wird er in seinem Leben schreiben, drei davon werden unvollendet bleiben. Als vom ersten, kurz vor Jean Pauls Tod, eine zweite Auflage gemacht wird, entschuldigt er sich beim Leser für diese »geborene Ruine« mit Argumenten, die nur jemandem einfallen können, der ganz auf Realismus und Gegenwart eingeschworen ist und dem die Fabeln seiner Romane wenig bedeuten: »Wenn man nun fragt, warum ein Werk nicht vollendet worden, so ist es noch gut, wenn man nur nicht fragt, warum es angefangen. Welches Leben in der

Welt sehen wir denn nicht unterbrochen? Und wenn wir uns beklagen, daß ein unvollendet gebliebener Roman uns gar nicht berichtet, was aus Kunzens zweiter Liebschaft und Elsens Verzweiflung darüber geworden, und wie sich Hans aus den Klauen des Landrichters und Faust aus den Klauen des Mephistopheles gerettet hat – so tröste man sich damit, daß der Mensch rundherum in seiner Gegenwart nichts sieht als Knoten, – und erst hinter seinem Grabe liegen die Auflösungen; – und die Weltgeschichte ist ihm ein unvollendeter Roman.«

Nun sind bekanntlich Literaturtheorien von Literaten meist nichts als Versuche, das, was man kann, als das auszugeben, was man will, und insofern vom Biographen zwar ernst, aber nicht als Wahrheit zu nehmen, was für die »Unsichtbare Loge« bedeutet: Sie bleibt nicht unvollendet, weil Leben und Weltgeschichte es bleiben, sondern weil der Autor aus seinem ersten Roman in den zweiten, ähnlichen, flieht. Vielleicht kann er die Unzahl der Fäden, an die er die Lebensgeschichte seines Helden knüpfte, selbst nicht mehr entwirren, vielleicht erkennt er, daß die geplante Weiterführung seine Kräfte übersteigt. Gustav, der Hauptheld, sitzt im Gefängnis; er ist der Mitgliedschaft in der geheimnisvollen Loge angeklagt, von der der Leser nicht viel weiß. Durch die Welt, die Jean Paul kennt (die des kleinformatigen Fürstentums) und ein wenig darüber hinaus (die des Hofes), hat er den Leser geführt; die Erlebnisse, die er hatte (Freundschaft, die mit Tod endet, Liebe, Eifersucht, Unterdrückung, Unrecht, Naturschwärmerei), hat er ihn nacherleben lassen – jetzt merkt der Autor, wie er es besser machen kann. Statt eines schlechten Schlusses gibt er keinen, aber er gibt nicht auf: Er beginnt von vorn, versucht es noch einmal.

Im Februar 1792 schickt er, aus Schwarzenbach, dem Freund Christian Otto in Hof das Manuskript: »Endlich ist nach einem Jahr die konvulsivische Geburtszeit meines Romans vorbei . . . Wie ein Vieh hab ich diese Woche geschrieben – der Appetit ist längst fort, – je näher man dem Ende kömmt, desto krampfhafter schreibt man.« Kein Wort darüber, daß das Ende keins ist, das Gustav ewig im Gefängnis schmachten muß. Statt dessen, im gleichen Brief, die Bemerkung, daß er an diesem Buch »das Romanmachen lernte: ich habe jetzt etwas bessers im Kopfe«. Den »Hesperus« nämlich, der einen Schluß haben wird, wenn auch einen wie in Hast hingeschriebenen.

Aber da hat er schon zum drittenmal ausgeholt, noch weiter, noch größer und großartiger, zum »Titan«, und diesmal gelingt es. Der Traum von deutscher Revolution ist ausgeträumt. Der »gallische Rausch« Albanos bleibt (wenn auch äußerst wichtige) Episode, getränkt von Erinnerung: So müssen Jünglinge, die Gutes wirken wollen, gefühlt haben damals, als man auf Revolution auch in Deutschland noch hoffte. So muß auch ein Fürst gefühlt haben, der, wie von Albano zu erwarten, in seinem Land ernsthaft etwas verändern will. Denn Reformen (wie sie wenige Jahre danach, weit entfernt von Jean Pauls Idealen, aber immerhin doch, beginnen) sind das einzige, das noch erreichbar scheint.

Erfolgreich war von den drei Gegenwartsromanen in der Mitwelt Jean Pauls nur der »Hesperus«, in der Nachwelt keiner. Sein Frühwerk lebendig erhalten hat vielmehr das Anhängsel des ersten Romans, die 40 »angeleimten« Seiten Kleinmalerei eines Schulmeisterhauses und -herzens; wodurch der bis heute verbreitete Irrtum entstand, einer der wenigen großen Schreiber politischer Prosa in Deutschland sei ein Mann gewesen, der das Glück im Winkel verherrlicht, die deutsche Misere vergoldet, kleinbürgerliche Beschränktheit nicht überwunden habe – ein Philister also.

Jeder Blick aufs Gesamtwerk zeigt die Unsinnigkeit dieser Behauptung. Dem »Wutz« vorangegangen war, als Übergang von der Satire zur Erzählung, auch eine Schulmeistergeschichte: »Des Rektors Florian Fälbel und seiner Primaner Reise nach dem Fichtelgebirge«, in dem ein Typ von Lehrer vorgeführt wird, wie ihn die deutsch-preußische Schulgeschichte noch bis in unser Jahrhundert hinein hervorgebracht hat. Pedanterie und Gelehrtenhochmut mischen sich in ihm mit Knauserei und Intoleranz, reaktionäre Gesinnung mit Lebensfremdheit, Feigheit und Brutalität. Die französischen Revolutionäre möchte Fälbel behandelt sehen wie die aufständischen Sklaven von den Römern, mit »Kreuztod, Deportation, Vorschmeißen vor Tiere«. Die Hinrichtung eines Deserteurs, der sich nicht zu Kriegsdiensten ins Ausland schleppen lassen will, begleitet er mit Scherzreden, um bei seinen Schülern kein Mitleid aufkommen zu lassen, das höchstens Frauen erlaubt ist, die er sowieso verachtet, weshalb es ihm auch nicht schwerfällt, als das Reisegeld alle ist, dem Gastwirt die Tochter als Pfand zu hinterlassen. Sein größter Stolz aber ist seine Untertanengesinnung, die ihn auch zu historischen Forschungen animiert: »Ich forschte einen halben Tag in meiner Bibliothek und unter den Nachrichten von den öffentlichen Lehrern des hiesigen Gymnasiums nach, wer von ihnen gegen seinen Landesfürsten rebelliert habe. Ich kann aber zu meiner unbeschreiblichen Freude melden, daß sowohl die größten Philologen und Humanisten ... als auch besonders die verstorbene Session hiesiger Schuldienerschaft von den Rektoren bis zu den Quintussen (inclus.) niemals tumultieret haben. Männer spielen oder defendieren nie Insurgenten gegen Landesväter und -mütter, Männer, die sämtlich fleißig und kränklich in ihren verschiedenen Klassen von acht Uhr bis elf Uhr dozieren und die zwar Republiken erheben, aber offenbar nur die zwei bekannten auf klassischem Grund und Boden, und das nur wegen der lateinischen und griechischen Sprache.«

Auch diesen Schulmeister (dessen lebendes Vorbild, Rektor Helfrecht in Hof, der sich übrigens fast 20 Jahre später mit einer Schmähschrift auf Jean Paul rächte) muß man vor Augen haben, wenn man sich dem vergnügten, dem Wutz, zuwendet, in dessen Leben nicht mehr passiert, als daß er geboren wird, heiratet und stirbt. Da wird die kaum merkbare Satire von Humor überlagert, da fehlt der anklagende Ton, und die Kritik kommt nur verschleiert daher, indirekt: durch die Darstellung des Elends, dem Wutz sein Vergnügen abtrotzt, und durch die Distanz des Erzählers, der am Grab des Lehrers schwört, »ein so unbedeutendes Leben zu verachten, zu verdienen und zu genießen«, was etwa heißen könnte: zu verachten wegen seiner Beschränktheit, zu verdienen durch Redlichkeit, zu genießen durch den Mut des Trotzdem. Kein spießiges Winkelglück wird da vergoldet, sondern ein Leben heiter erzählt, das trotz Verbannung in den düstersten Winkel der Gesellschaft zum Glück fähig bleibt, weil »der sinnliche Freudendünger« ihm »die höhere Sonne vergütet«.

Alle Leiden erträgt Wutz mit der Hoffnung auf deren Ende. »Im fieberfrostigen Novemberwetter letzte er sich auf der Gasse mit der Vormalung des warmen Ofens und mit der närrischen Freude, daß er eine Hand um die andre unter seinem Mantel wie zu Haus stecken hatte. War der Tag gar zu toll und windig ... so war das Meisterlein so pfiffig, daß er sich unter das Wetter hinsetzte und sich nichts darum schor; es war nicht Ergebung, die das unvermeidliche Übel aufnimmt, nicht Abhärtung, die das ungefühlte trägt, nicht Philosophie, die das verdünnte verdauet, oder Religion, die das belohnte verwindet: sondern der Gedanke ans warme Bett war's. Abends, dacht' er, lieg' ich auf alle Fälle, sie mögen mich den ganzen Tag zwicken und hetzen wie sie wollen, unter meiner warmen Zudecke und drücke die Nase ruhig ans Kopfkissen, acht Stunden lang! – Und kroch er endlich in der letzten Stunde eines solchen Leidentages unter sein Oberbett: so schüttelte er sich darin, krampfte sich mit den Knien bis an den Nabel zusammen, und sagte zu sich: Siehst du, Wutz, es ist doch vorbei.«

Eine Anleitung zum Überleben könnte man dieses herrliche Stück Prosa nennen, gegeben von einem Erzähler, der das Milieu genau kennt, liebt und verachtet und, leidgeprüft, immer die »höhere Sonne« suchend, weit über seinem kindlich-pfiffigen Helden steht – der aber wiederum auch viel von seinem Autor selbst hat.

»Man sieht aber aus allem, mit welcher unschätzbaren Genügsamkeit und Geschicklichkeit Gott den Mann auf seinem Lebensweg, auf welchem nicht viel rechts und links zu finden war, zugerüstet und ausgestattet, so daß er, es mochte noch so schwarz um ihn sein, immer Weiß aus Schwarz machen konnte und mit einem beidlebigen Instinkte für Land und Meer weder ersaufen noch verdursten konnte.«

Das hört sich an, wie eine Charakterisierung der Buchfigur Wutz und ist doch eine seines Verfassers, die dieser von sich selbst gibt, in der Autobiographie, die viele der Kindheitserlebnisse und -schrullen preisgibt, die auch Wutz angedichtet werden. Durch diesen Vorgang des verfremdeten Erinnerns, durch die Mischung von Identifizierung und Distanzierung entsteht die unnachahmliche, mit Wehmut getränkte Heiterkeit, die liebevolle Ironie. Ein gespaltener Wissender betrachtet die ungespaltene Existenz eines Beschränkten, der den Wunschtraum des Kindes verwirklicht: eines zu bleiben.

Als »Vollglück in der Beschränkung« hat Jean Paul später, in der »Vorschule der Ästhetik«, die Idylle definiert, den »Wutz« aber »eine Art Idylle« genannt und dadurch ausgedrückt, daß er etwas Neues bedeutete gegen das, was man im 18. Jahrhundert darunter verstand, nämlich in erster Linie die ländlich-sittlichen Beschreibungen von »stiller Ruhe und sanftem ungestörtem Glück«, wie der Züricher Salomon Geßner es sagte und wissen mußte, weil er dergleichen herstellte. »Von Nichts wissen, als von Essen und Trinken«, so urteilt Hegel sarkastisch, »und zwar von sehr einfachen Speisen und Getränken, zum Exempel von Ziegenmilch, Schafmilch und zur Not höchstens von Kuhmilch, von Kräutern, Wurzeln, Eicheln, Obst; Käse aus Milch und Brot, glaube ich, das ist schon nicht mehr recht idyllisch.« Man paßt aufs Vieh auf, bläst auf der Schalmei, singt, hat sich in aller Unschuld lieb und pflegt »mit sovieler Sentimentalität als möglich solche Empfindungen ... welche diesen Zustand der Ruhe und Zufriedenheit nicht stören«. Jean Paul findet den Ausdruck »Ganzhirtenleben« dafür passend, spricht von »duftigen Allgemeinheiten Geßners, in welchen höchstens einmal Schaf und Bock aus den Wasserfarben auftauchen, aber die Menschen verschwimmen«, und Marx weiß zum Lobe dieser Idylliker zu sagen, »daß sie gewissenhaft schwanken, wem die Palme der Moralität zuzuerkennen, dem Schäfer oder dem Schaf«.

Das stimmt für die »Luise« von Voß (1795) nicht mehr und auch nicht für Goethes »Hermann und Dorothea« (1796); denn hier wird für idyllisches Glück die Gegenwart gewählt, die genau geschilderte Realität einer intakten Bürgerwelt – die es aber bei Jean Paul nicht gibt. Da ist idyllisch nur die Methode des Helden, sich in katastrophalen Lagen zu behaupten. Da wäre das Glück dahin mit des Schulmeisters Kurzsichtigkeit. Sein Vergnügtsein ist nur möglich, weil er die Schreckenswelt nicht durchschaut, die des Lesers aber, weil er es vermag.

Ähnliches gilt auch für die beiden folgenden Schulmeistergeschichten, »Leben des Quintus Fixlein« (1796) und »Der Jubelsenior« (1797), in deren erster Jean Paul (im »Billet an meine Freunde anstatt der Vorrede«) Anleitung zum Verständnis dieses Teils seiner Werke gibt – und damit Mißverständnisse verursacht, indem er hier Interpreten jeder Richtung Material zur Verteidigung ihrer Thesen liefert. Man zitiert den Satz: »Die nötigste Predigt, die man unserem Jahrhundert halten kann, ist die, zu Hause zu bleiben«, übersieht die Ironie und hat ihm vollendete Philisterhaftigkeit bewiesen. Oder man weist auf die Ironie hin, erwähnt die positiv verwendeten Wörter: Brutus, Republikaner, Revolution und erklärt das Ganze als Satire eines Jakobiners auf deutsche Zustände. Die Wahrheit aber liegt dazwischen: in dem Gespaltensein des Autors, das er hier als Harmonie auszugeben versucht.

»Drei Wege, glücklicher (nicht glücklich) zu werden« behauptet er zu kennen: Den ersten den des revolutionären Helden und des Künstlers, der sich in Höhen bewegt, von denen aus man die (als unerträglich vorausgesetzte) Welt nur »wie ein eingeschrumpftes Kindergärtchen liegen sieht«; den zweiten, den der Masse der kleinen Leute, der darin besteht, kleine sinnliche Freuden höher zu achten als große; und den dritten »endlich – den ich für den schwersten und klügsten halte«, der sich aus wechselnder Nutzung der beiden ersten ergibt. Und für diesen dritten nun stellt er (in dessen Leben und Werk die beiden ersten sich nie vereinen, sondern mit der Spannung von Gegensätzen nebeneinander laufen) sich selbst als Beispiel hin, indem er nämlich »mitten unter der Schöpfung dieses Billets doch im Stande war, daran zu denken, daß wenn es fertig ist, die gebacknen Rosen und Hollundertrauben auch fertig werden, die man für den Verfasser dieses in Butter siedet«.

Die vielen armen Leute aber, die keine Helden oder Künstler werden können, die Untertanen, die »gebundenen Menschen«, die zwar gute Schwimmflossen haben, aber nicht schwimmen dürfen, weil schon ihr Gefängnis, der »Fischkasten des Staates . . . im Namen der Fische schwimmt«, das stehende Heer der Staatsknechte und -schreiber, der Krebse im Krebskober, »die zur Labung mit einigen Brennesseln überlegt sind«, sind natürlich nur zum zweiten Weg fähig, und eine Anleitung dazu geben die Idyllen ja auch. Nur ist gerade in der Beschreibung dieses Weges die Ironie unüberhörbar, so in dem sprachlichen Heldengestus des Satzes: »Gelingt mir das: so erzieh' ich durch mein Buch der Nachwelt Männer, die sich an allem erquicken, an der Wärme ihrer Stuben und ihrer Schlafmützen . . .« wodurch die Vorrede zur Geschichte des vergnügten Schulmeisters Fixlein wie eine Warnung vor der Lebenskunst wirkt, die sie empfiehlt.

In der schwermütigen Heiterkeit dieser Geschichten schwingt neben Liebe, Mitleid und Besserwissen auch immer Resignation mit: Wenn ich mich schon aus dieser Kleinwelt nicht lösen kann, wie solltet Ihr das können!

18.

Die grüne Nachtleiche

*

»Die ersten Töne, die sein Ohr vernahm und sein aufdämmernder Verstand begriff, waren wechselseitige Flüche und Verwünschungen des unauflöslich geknüpften Ehebandes. Ob er gleich Vater und Mutter hatte, so war er doch in seiner frühesten Jugend schon von Vater und Mutter verlassen ... Schon im achten Jahre bekam er eine Art von auszehrender Krankheit. Man gab ihn völlig auf, und er hörte beständig von sich, wie von einem, der schon wie ein Toter beobachtet wird, reden ... Antons Mutter saß und weinte, und sein Vater gab ihm zwei Pfennige. Dies waren die ersten Äußerungen des Mitleids gegen ihn, deren er sich von seinen Eltern erinnert ... Als in der Stadt ... ein Haus abbrannte, so empfand er bei allem Schreck eine Art von geheimem Wunsche, daß das Feuer nicht so bald gelöscht werden möge. Dieser Wunsch hatte nichts weniger als Schadenfreude zum Grunde, sondern entstand aus einer dunklen Ahnung von großen Veränderungen, Auswanderungen und Revolutionen, wo alle Dinge eine andere Gestalt bekommen und die bisherige Einförmigkeit aufhören würde.«

Das sind Sätze aus dem autobiographischen Roman »Anton Reiser«, der sich durch psychologische und soziologische Realistik in der deutschen Literatur des 18. Jahrhunderts einen Ehrenplatz gesichert hat. Lieblosigkeit, Armut, Gespensterfurcht, harte Arbeit, Hungerstudium (natürlich Theologie) kennzeichnen die Jugend seines Autors, der es über die Stationen: Hutmacherlehrling, Schauspieler, Hofmeister, Lehrer, Redakteur, Schriftsteller bis zu einer Professur an der Berliner Kunstakademie bringt, wo unter anderen Tieck und Alexander von Humboldt seine Schüler werden. Der Einfluß einiger seiner Werke ist groß, aber viel Zeit hat er nicht zum Schreiben. Zehn Jahre insgesamt, in denen mehr als 50 große und kleine Veröffentlichungen kommen: zwei Romane, ein Schauspiel, Gedichte, Freimaurerreden, Sprachlehrbücher, Verslehren, Reisebeschreibungen, Briefsteller, Mythologiegeschichtliches, Ästhetisches, Psychologisches, Pädagogisches – und ein neues Abc-Buch; fast alles hastig hingeschrieben, des stets fehlenden Geldes wegen natürlich, aber auch, weil die mißhandelte, geknechtete Seele des ganz von unten Kommenden nach Anerkennung schreit. Aber der Körper macht nicht lange mit; von den Entbehrungen der Jugend erholt er sich nie; er kränkelt stets; plötzlich ein Blutsturz aus der Lunge; zwei Tage liegt er noch, am dritten ist es zu Ende mit ihm, mit 36 Jahren, sein viel zu wenig bekannter Name: Karl Philipp Moritz.

Zu den Verdiensten dieses Mannes kommt im Juni 1792 (genau ein Jahr vor seinem Tode) noch eins hinzu: Er entdeckt die Größe eines Großen der Literatur. In diesem Monat nämlich erreicht ihn ein in schwarzes Wachstuch gewickeltes Paket eines Unbekannten aus unbekannter Gegend, das ein dickes, handgeschriebenes Manuskript enthält. Der beiliegende Brief mutet dem kranken, überlasteten Mann nicht nur zu, das Manuskript zu lesen und zu beurteilen, sondern auch, es einem Verleger zu vermitteln. Denn »den geistigen Sklavenhändlern« auf der Buchhändlerbörse möchte der Unbekannte es nicht anvertrauen. »Es ist mir süßer, wenn ich weiß, ich schicke es zu einem Herzen, das ... dem ähnlich ist, unter dem es getragen und genährt worden.«

Und Professor Moritz liest tatsächlich, ist begeistert und kann nicht glauben, daß das ein Anfänger geschrieben haben soll. Als Absender des Romanfragments ist ein Herr Richter aus Schwarzenbach bei Hof im Vogtland genannt. Moritz hält das für Irreführung, vermutet eine Berühmtheit, die sein Urteilsvermögen durch fremde Handschrift auf die Probe stellen will. »Das begreife ich nicht, das ist noch über Goethe, das ist ganz was Neues«, sagt er (wie einer seiner jüngeren Brüder berichtet), liest in zwei Tagen das Manuskript durch und am dritten den Brüdern vor: die Szene, in der Gustav (der, um mit der Unsittlichkeit der Gesellschaft nicht zu früh in Berührung zu kommen, die ersten Kinderjahre unter der Erde erzogen wurde) zum erstenmal, am frühen Morgen, die Schönheit der Welt erlebt: »Nun schlagen die hohen Wogen des lebendigen Meers über Gustav zusammen – mit stockendem Atem, mit erdrücktem Auge, mit überschütteter Seele steht er vor dem unübersehlichen Angesicht der Natur... Als er aber nach dem ersten Erstarren seinen Geist aufgeschlossen, aufgerissen hatte für diese Ströme – als er die tausend Arme fühlte, womit ihn die hohe Seele des Weltalls an sich drückte – als er zu sehen vermochte das grüne taumelnde Blumenleben um sich und die nickenden Lilien... – und als er sich scheuete vor dem Herunterbrechen der herumziehenden schwarzroten Wolkengebirge... als er die Berge wie neue Erden auf unserer liegen sah – und als ihn umrang das unendliche Leben, das gefiederte neben der Wolke fliegende Leben, das summende Leben zu seinen Füßen, das goldene kriechende Leben auf allen Blättern, die lebendigen auf ihn winkenden Arme und Häupter der Riesenbäume...: so fing der Himmel an zu brennen, der entflohenen Nacht loderte der nachschleifende Saum ihres Mantels weg und auf dem Rand der Erde lag, wie eine vom göttlichen Throne niedergesunkene Krone Gottes, die Sonne.«

Keine zwei Monate nach Empfang des Pakets schreibt Professor Moritz dem Unbekannten: »Und wenn Sie am Ende der Welt wären, und müßt ich hundert Stürme aushalten, um zu Ihnen zu kommen, so flieg' ich in Ihre Arme! – Wo wohnen Sie? Wie heißen Sie? Wer sind Sie? – Ihr Werk ist ein Juwel; es haftet mir, bis sein Urheber sich mir näher offenbart!«

Und später, im Juli, als er auch die angehängte Erzählung

Karl Philipp Moritz
Gemälde von F. Rehberg

kennt: »Der Wutz' Geschichte verfaßt hat, ist nicht sterblich! – Wir werden und müssen uns bald sehen! – Ihnen sind hier mehr Herzen eröffnet, als Sie wissen und glauben!«

Er ist nicht nur begeistert, er handelt auch, sehr schnell, nachdem er weiß, in welchem Elend der Verfasser lebt. Wie sein Freund Klischnig glaubwürdig berichtet, ist er noch (auch hierin Richter verwandt) »ein reiner Junggeselle« – mit 35! Seit kurzem aber ist er verlobt. Christiane Friederike Matzdorff heißt die Braut und ist die Schwester eines Berliner Verlagsbuchhändlers, der sofort zusagt, als sein berühmter Schwager ihm das Buch als das eines neuen Genies anpreist. »Das ist noch über Goethe« heißt so viel wie: das Beste überhaupt; denn Moritz ist nicht nur Goethe-Bewunderer, sondern auch Goethe-Freund, von Italien her, und weiß also, was er behauptet.

Moritz' nächster Brief nach Schwarzenbach wird schon von einer Rolle mit 30 Dukaten begleitet. 70 sollen nach Drucklegung folgen. Für Richter ist damit an diesem Sommertag die Zeit der härtesten Not beendet. Als schönsten Abend seines Lebens bezeichnet sein Neffe Spazier den, an dem er nach Hof läuft, um der darbenden Mutter den Goldsegen in den Schoß zu schütten.

Ein Jahr hat er – neben der täglichen Unterrichtsarbeit – an der Romanruine von fast 400 Seiten geschuftet. Alles was sein Leben, seine Gefühle, seine Umgebung, Landschaften, Freunde, Feinde an Stoff zu bieten haben, hat er, durch dichterische Phantasie überhöht, verfremdet und mit Bedeutung geladen, in den Roman eingebracht, diesen dabei überladen mit Rätselhaftigkeiten, deren Auflösung nie erfolgt. Notdürftig zusammengehalten wird das alles durch den Faden einer Entwicklung, der sich oft verknotet, manchmal unsichtbar bleibt. Jetzt, da der Autor abzubrechen entschlossen ist, fehlt, neben der Vorrede (keins seiner Bücher wird ohne eine oder mehrere auskommen) nur noch der Titel.

Dem Freund Christian Otto, seinem ersten Leser und Kritiker, schlägt er folgende vor: Markgrafenpulver, Hohe Oper,

Äolsharfe, die Urnen, die Mumien, Mikrokosmos, Orion, Sirius, Abendstern, Sternbilder, Galgenpater. »Der beste bleibt folgender: ‚Die unsichtbare Loge oder die grüne Nachtleiche ohne den 9ten Nußknacker'«.

Das ist nun so original jeanpaulisch nicht, wie es scheint. Es ist Mode. Zum Beispiel hatte der moralisch-sentimentale Erfolgsautor Johann Timotheus Hermes in seinem Roman »Manch Hermäon«, den Richter ein Jahr zuvor gelesen hatte, seinen Titel so verteidigt: »Endlich fiel ich drauf, einen sehr unverständlichen Titel zu wählen; denn wehe dem Mann in unserm Zeitalter, dessen Buch nicht durch den Titel auffällt! Und ich hatte in den Buchläden gesehen, daß Menschen den Hephästion, Horus, Parabomios und Memnonium ebendeswegen unbesehen kauften, weil sie nicht wußten, was das eigentlich sagen will.« Nach dem gleichen Rezept war auch Friedrich Wilhelm von Meyern verfahren, dessen utopischer Staatsroman viel für die Fabel des »Hesperus« hergeben mußte; auch bei ihm erfährt der Leser nie, was der Titel »Dya – Na – Sore« bedeutet.

Bei seinem Titel-Vorschlag denke er sich im Grunde gar nichts, schreibt Richter dem Freund weiter, »wiewohl mir, bis ich die Vorrede setze, noch gut einfallen kann, was ich dabei denke – aber ich ruhe nicht eher darin, als bis andre mehr dabei denken.« Und dann entwirft er dem Freund eine Vorrede, in der er sich beim Leser für den unverständlichen Titel entschuldigt. Als er dann aber die Vorrede schreibt, ist vom Titel keine Rede mehr. Den Nußknacker-Zusatz (auf den sich sein Nichtwissen wohl bezieht) hat er weggelassen. Aus der Vorrede weggelassen hat er aber auch den geplanten Hinweis auf die Absicht des Romans. Er vertraut nun ganz auf die »wenigen geheimen Naturforscher« die auch ohne besonderen Hinweis merken werden, »auf welchen unerwarteten Schlag in diesem Säkul ... durch dieses Buch vorbereitet werden soll«. Es werden wirklich wenige gewesen sein, die das merkten. Aber inzwischen hat er schon den nächsten Roman begonnen, in dem er »einige Winke über das Tertianfieber der Weltrevolution

geben« will, und der wird nicht Sirius oder Orion oder Abendstern heißen, sondern Hesperus: das ist Abendstern, also die
Venus, die bekanntlich auch der Morgenstern ist.

Gleichzeitig mit dem ersten Roman wird auch der Name geboren, unter dem der Verfasser in die Literaturgeschichte eingehen wird. Die »Grönländischen Prozesse« waren anonym erschienen. Das für die »Auswahl aus des Teufels Papieren« und
für satirische Aufsätze in Zeitschriften gewählte Pseudonym
J. P. F. Hasus hatte ihm keinen Ruf erworben, nicht einmal
einen schlechten. Im dritten Buch benutzt er als Verfasserna-
men (zur Zeit der Französischen Revolution) die französische
Form seiner beiden Nebenvornamen Johann Paul, und es ist
anzunehmen, daß bei dieser Namensgebung sein Lieblingsphi-
losoph, Lieblingspädagoge und -dichter Rousseau Pate gestanden hat, der sich als Erzieher im »Emile« immer als J. J. einführt und deshalb von seinen Verehrern meist mit dem Vornamen genannt wird: Jean Jaques.

Als Erzieher tritt der Erzähler Jean Paul auch in der »Unsichtbaren Loge« auf, und seine Erziehungsziele und -metho-
den sind denen Jean Jaques' sehr ähnlich. Beide setzen voraus,
daß die Gesellschaft, in die die Emiles und Gustavs hinein-
wachsen, eine verdorbene ist, an der die Zöglinge sich nicht
orientieren dürfen. Sie werden auf den Leitstern in der eignen
Brust verwiesen, der aber erst einmal zum Aufgehen gebracht
werden muß – durch innige Vertrautheit mit dem Erzieher bei
gleichzeitiger Isolierung von der Gesellschaft: die unterirdi-
schen Gemächer, in denen nur der geliebte Lehrer auf Gefühl
und Verstand einwirkt und eine sittliche Gegenwelt im Kinde
schafft, mit der es der unsittlichen irdischen widerstehen kann.
Mit diesem Vorlauf wird der Zögling in die Gesellschaft entlassen, der er sich nicht anpassen, sondern die er an seinen inneren Werten prüfen und wägen soll. Nicht gesellschaftliche
Einordnung ist Erziehungsziel, sondern menschliche Selbstverwirklichung, nicht Gelehrsamkeit, sondern Tugend. »Alles,
was deiner Seele nichts sagt, ist deiner nicht würdig«, heißt es
in Jean Jaques' »Neuer Heloise«, und im »Glaubensbekennt-

nis«: »Suchen wir also aufrichtig die Wahrheit! Geben wir nichts auf das Vorrecht der Geburt, auf die Autorität der Väter und der Geistlichen, aber unterziehen wir alles der Prüfung durch das Gewissen und die Vernunft.« Von Natur aus achten Kinder, und das ist Jean Paul, »weder silberne Sterne noch silberne Köpfe – gewöhnen Sie ihnen dergleichen nicht ab.«

Beide Jeans also wollen eine neue Jugend erziehen, die befugt ist, über das bestehende Alte zu Gericht zu sitzen, und fähig, es zu verändern, und zwar gründlich, weil nach dem deutschen Jean, das Kurieren an Einzelheiten eines vergifteten Staatskörpers »dem Arzneieinnehmen des Nervenschwächlings gleicht, der gegen die Symptome und nicht gegen die Krankheitsmaterie arbeitet, und der sein Übel bald wegschwitzen, bald wegbrechen oder weglaxieren oder wegbaden will.«

19.

Hundsposttage

*

Kein großes Kunstwerk entsteht ohne Vorläufer. Zu dem Ruhmestempel, den das Genie mit seinen Werken sich baut, schleppen andere die Steine heran. Originalität erweist sich bei genauem Hinsehen als geniale Kompilation. In einsamer Größe steht Shakespeare nur dem Unwissenden da, auch Joyce hatte seine Lehrer, und dem klassischen Faust gingen viele weniger klassische voraus.

Das ist auch bei Jean Paul nicht anders, als er sein großes Erfolgsbuch schreibt: »Hesperus oder fünfundvierzig Hundsposttage. Eine Lebensbeschreibung.« Neben Laurence Sterne und Hippel, die die Formvorlagen liefern, stehen Fielding und Smollet, Rousseau, Wieland, Schiller und auch Georg Forster (den Jean Paul sich übrigens, neben Otto und Moritz, als seinen ersten Kritiker wünschte) mit seiner Übersetzung von Kalidasas »Sakontala« Pate, liefern Figuren, Charaktere, Tendenzen, Motive. Die Fabel aber greift er sich aus dem Buch eines heute Unbekannten, der sie seinerseits aus der Märchenliteratur entlieh. Das stellt sich schon während der Arbeit als Mißgriff heraus. »Das größte Elend eines Autors ist, daß er keiner Materie den Grad der Verschönerung ansehen kann, den sie anzunehmen fähig ist, und daß er zu spät die Wahl der Materie bereuet«, klagt er Otto, der jedes Kapitel, jetzt Hundsposttag genannt, sofort zur kritischen Durchsicht erhält.

Der Unbekannte, der damals so unbekannt nicht war (immerhin hat Schiller den ersten Band seines Romans rezensiert, vernichtend übrigens), ist einer der Autoren, deren Schreibkraft nach einem Buche erlahmt. Er heißt Friedrich Wilhelm Meyer und ist ein Landsmann Jean Pauls, aus Ansbach. Als junger Mann dient er in der österreichischen Armee, später, in der napoleonischen Zeit, als Herr von Meyern, in österreichischen Regierungsämtern. In seinen noch bürgerlichen Jahren veröffentlicht er (1787–1791) den zweibändigen, 1500 (in der zweiten Auflage sogar 2500) Seiten starken Roman mit dem geheimnisvoll-nichtssagenden Titel »Dya – Na – Sore oder die Wanderer. Eine Geschichte aus dem Sams-kritt übersetzt«, einen philosophisch-politischen Tendenzroman mit geringem künstlerischen Wert, der aber seiner Tendenz wegen ziemliche Beachtung findet. Denn es geht in ihm, in revolutionärer Zeit, um Revolution.

In geographisch und historisch unbestimmter Gegend (Indien kann man vermuten), in einem Staat mit tyrannischer Herrschaft, erzieht ein Vater seine vier Söhne zu Republikanern und schickt sie mit dem Auftrag des Tyrannensturzes in die Welt. Drei von ihnen erfüllen mit Hilfe eines Geheimbundes ihre Pflicht, befreien das Land und gründen einen Staat, der Meyerns etwas abstrusen Vorstellungen von Demokratie entspricht. Da werden die niederen Arbeiten von Leuten verrichtet, die kein Wahlrecht haben; denn wählen darf nur der Besitzende. Da werden die edelsten Jünglinge in Männerbünden auf abgesonderten Burgen zu Führern erzogen, und die Tugenden, die da gepredigt werden, sind vorwiegend kriegerischer Art. (Demzufolge ist von Frauen im ganzen Roman auch kaum die Rede.) Aber der Staat hat eine Verfassung, eine Volksversammlung ist oberste Regierungsinstanz und (neben der allgemeinen Wehrpflicht) herrscht die Gleichheit vor dem Gesetz.

Jean Pauls »Hesperus«-Visionen vom »Goldenen Zeitalter«, wo nicht mehr »höhere Bildung der Einzelnen mit der Verwilderung der Menge erkauft wird, der Millionär Bettler voraussetzt... wo das Volk am Denken und der Denker am Arbeiten teilnimmt, damit er sich die Heloten erspare«, entspricht das also durchaus nicht. Aber sicher interessiert Jean Paul auch mehr der Vorgang als das Ziel, mehr der revolutionäre Prozeß als dessen Ergebnis (das übrigens bei Meyern auch keinen Bestand hat: der Roman endet tragisch, mit Tod und Untergang). Jedenfalls übernimmt Jean Paul wichtige Elemente der Fabel für seinen Roman, mit vielen unwesentlichen und zwei wesentlichen Änderungen: Er verlegt die Geschichte aus grauer Vorzeit in die Gegenwart und aus dem exotischen Irgendwo nach Deutschland. Daß er sie durch allerlei Komplikationen verworrener, undurchsichtiger und unwahrscheinlicher macht (so werden aus Meyerns Söhnen des edlen Republikaners Dya illegitime Söhne des regierenden Fürsten), zeigt sowohl seine Ungeschicklichkeit in derlei Erfindungen, als auch sein Bestreben, die auf die Empfindungswelt der Helden konzentrierte Darstellungsart durch spannende Handlung attraktiver zu machen. Seine Schwäche soll das Übergewicht seiner Stärke ausgleichen. Natürlich geht das nicht gut. Anstatt das handlungsarme Innenwelt-Geschehen zu tragen und zu bewegen, läuft die Fabel teils nebenher, teils verliert sie sich ganz; zum Schluß muß sie hastig, wie unwillig, zu Ende erzählt werden, im »Referierton«, wie Otto kritisch bemerkt.

So mühevoll es auch ist, sie im Roman zu verfolgen, und so schwer es auch fällt, sie ernst zu nehmen, so wichtig ist diese Hintertreppenfabel doch, weil sie, zwar nicht das Können ihres Autors, aber doch sein politisches Wollen dokumentiert. Mit ihr im Zusammenhang stehen die wenigen revolutionären Geschehnisse, an ihr auch läßt sich die Unmöglichkeit ablesen, Revolutionäres in einem Land realistisch zu schildern, in dem es kaum Revolutionäre gibt. Durch den ganzen »Hesperus« wetterleuchtet die Revolution, aber das Gewitter entfernt sich.

Der republikanische Klub, dessen radikale Mitglieder sich später als Fürstensöhne entpuppen, wirkt ungewollt wie die Parodie eines solchen. Über Revolution, Republik und Freiheit wird geredet und nachgedacht, aber die spärlichen Taten, nur am Rande behandelt, münden in ein kleineres, allerdings für Deutschland realistischeres Ziel: die Reform der Monarchie. Victor, der Hauptheld (und letzten Endes der einzige Bürgerliche unter den Idealgestalten) kann von Anfang bis Ende zum politischen Geschehen nur wenig beitragen; er heiratet zum Schluß seine Klothilde und wird als Arzt sein Leben verbringen. Die Krieg-den-Palästen-Rede wird nie gehalten, das Volk, das sie zum Kampf rufen soll, kommt nicht ins Bild und alle Fäden der politischen Handlung (die nichts ist als ein langfristig angelegtes Intrigenspiel mit Kindesentführung und -vertauschung) hält der gar nicht ideale Lord in der Hand, über den viel Widersprüchliches gesagt wird, der aber vorwiegend als der eiskalte Rechner erscheint, dem Menschen nichts als Material für seine Absichten sind.

Als Jean Paul 1792 mit den Vorarbeiten zum »Hesperus« beginnt (6500 ziemlich chaotisch notierte Bemerkungen, sorgfältig aufbewahrt, deshalb heute noch erhalten), da denkt der von der Revolution Begeisterte noch an einen Schluß mit revolutionärem Krieg und Sieg. Als er zwei Jahre später die letzten Kapitel schreibt, ist seine Hoffnung auf deutsche Revolution vorbei. Statt »Winke über das Tertianfieber der Weltrevolution« zu geben, deutet das Happy-End Möglichkeiten einer »Revolution von oben« an.

Das ist die Haupt- und Staatsaktion, aber von ihr allein her kann man den Roman nicht sehen. Das hieße, über dem ziemlich wackligen Gefährt, auf dem das Ganze mühsam rollt, die Ladung zu vergessen.

Von »Liebe-Freundschaft-Republik« sollte nach den ersten Entwürfen der Roman handeln, und da die Kraft des Verfassers sich vor allem bei der unnachahmlichen Gestaltung menschlichen Fühlens zu voller Größe und Schönheit entfaltet, sind es die ersten beiden Stichworte vor allem, die den Roman charakterisieren. Nie vorher und nie nachher wird mit solcher Sprachkraft und Ausgiebigkeit in Gefühlen geschwelgt, so sehr, daß man als eigentliche Handlung des Romans die Seelenhandlung, Gemütshandlung, oder wie immer man die Bewegung der

Innenwelt des Helden nennen will, bezeichnen könnte. Victor, ein inneres Abbild seines Urhebers, durchlebt alle Gefühle, die ein Mensch nur haben kann, vom Spaß am Komischen über Liebe, Freundschaft, Glück, Entzücken an der Natur, Anbetung des Erhabenen bis zur Sinnlichkeit, Verzweiflung, Melancholie, Hoffnungslosigkeit und Todesangst. Bestimmt wird diese Handlung mehr von Victors Charakter als von den äußeren Geschehnissen, die der Autor bei allen Höhepunkten aus den Augen zu verlieren scheint. Fülle ist überreich da, aber keine Kraft, sie zu bändigen.

Als Jean Paul dem Freund Emanuel den letzten Band übersendet, weist er ihn auf bestimmte »feurige Kapitel« hin, die ihm besonders am Herzen liegen: alles Höhepunkte der Gefühlsschwelgerei. Auch aus anderen Bemerkungen geht hervor, daß er den Roman – in späteren Jahren selbstkritisch – mehr für eine Perlenschnur aneinandergereihter Kostbarkeiten hielt, als für die Darstellung einer Entwicklung, die auch wirklich (beispielsweise mit dem »Wilhelm Meister« oder auch mit dem »Titan« verglichen) schwach sichtbar wird. Denn für Victor besteht kein Lebensplan, dessen Ziel erreicht werden könnte, es sei denn der: erwachsen zu werden. Was in der »Lebensbeschreibung« dargestellt wird, ist nur das: Ein junger Mann, begabt mit jugendlichem Ungestüm und Witz, mit großem Geist und großer Seele, wird konfrontiert mit deutscher Wirklichkeit, der kleinlichen Wirklichkeit des Kleinstaats Flachsenfingen. Die Situationen, in die er gestellt wird, sind die, in denen sein Autor steht – oder stehen wird. Denn neben Natur, Pfarrhaus, Dorf und Kleinstadt ist Schauplatz der Hof, den Jean Paul erst nach dem »Hesperus«, und durch ihn, kennenlernen wird. Der Kunstgriff der Erzählform (daß nämlich dem fiktiven Erzähler, der Jean Paul heißt, die einzelnen Kapitel immer erst durch einen Hund geliefert werden) ist ein Einfall, den nur die Lebenssituation des realen Erzählers hervorbringen kann: Er weiß wirklich wenig über den nächsten Hundsposttag, wenn er den einen schreibt. Die Gegenwart des Autors ist fast die des Buches. Erleben und Beschreiben gehen ineinander über. So wie der erfundene Autor auf den Hund, wartet der wirkliche auf das Leben – oder nimmt es schreibend vorweg, als Lebensersatz. »Dadurch, daß ich fast alle schönsten Szenen im Hesperus nie erlebt hatte, kam ich zu sehr ins Lyrische und Weitläufige und wollte ordentlich in der Dichtung die Wirklichkeit genießen«, notiert er 1813 in sein »Gedanken«- Heft. Aber auch schon 20 Jahre vorher, während der Arbeit, spricht er von den Höhepunkten als von seinen »Lieblingsgerichten«, die zu häufig wiederkehrten. »Dieser erste Teil . . . wird, da ich darin nur für meine Schwelgereien besorgt gewesen, bloß für die Minorität, ja nur für die Minimität sein.«

Worin er freilich irrt. Obwohl im gleichen Jahre Goethes »Wilhelm Meister« und Tiecks »William Lovell« erscheinen, wird der »Hesperus« das Modebuch des Jahres, sein Autor mit einem Schlage berühmt. Diese Mischung von bürgerlicher Tugendhaftigkeit, Gefühlsseligkeit, scharfer Gesellschaftskritik und revolutionärem Geist trifft so genau den Nerv der Zeit, daß die gebildeten Kreise Deutschlands sich, oder vielmehr ihre Träume von sich, wiedererkennen können. Die Resonanz, die der »Hesperus« findet, ist der des »Werther« vergleichbar. Und so wie Goethe, der diesen Erfolg nie wiederholen konnte, wird es auch Jean Paul gehen: Er wird Besseres schreiben und doch nie soviel Beifall finden.

Moritz' Meinung, anläßlich der »Unsichtbaren Loge« geäußert, das sei »noch über Goethe«, wird jetzt oft geteilt. Die alten und neuen Freunde sind begeistert. Der Hesperus-Dichter wird von Verehrerbriefen und -besuchen überschwemmt. Damen himmeln ihn an und laden ihn ein. Gleim schickt anonym 60 Taler und räumt ihm einen Ehrenplatz in seinem Halberstädter Ruhmestempel ein. Lavater läßt ihn porträtieren und bittet ihn, nach Zürich zu kommen, wo auch Pestalozzi ihn erwarte. Herder ist so beeindruckt, daß er tagelang nicht arbeiten kann. Wieland liest den Roman dreimal und findet, daß dieser »Mensch mehr ist als Herder und Schiller«, daß er »eine Allübersicht wie Shakespeare« habe. Goethe schreibt an Schiller: »Übrigens sind gegenwärtig die Hundsposttage das Werk,

Der fünfunddreißigjährige Jean Paul
Gemälde von H. Pfenninger

worauf unser feineres Publikum seinen Überfluß an Beifall ergießt«, und die Fürstin von Anhalt-Zerbst sendet eine seidene Börse nach Hof mit der gestickten Aufschrift: »Dem großen Genius des Hesperus«. Franz Koch, der »Mundharmonist«, der im Roman auftritt, dankt für die wirkungsvolle Reklame und druckt neben seinen Namen auch den Jean Pauls auf seine Anschlagzettel. Die Modeindustrie kreiert »Jean-Paul-Überröcke«, Tabakpackungen wird sein Bild beigelegt, und ein Blähungspulver, dessen Rezept der Roman angibt, wird als »Hesperus-Pulver« verkauft. Der schwer erarbeitete Ruhm ist da.

Natürlich fiel die Hesperus-Lektüre auch damals nicht leicht, und in den begeistertsten Worten klingt doch oft die Kritik mit an, daß der Autor den Genuß des Werkes allzusehr und unnötig erschwere. Karoline Herder beklagt, daß die wundervollen Einzelheiten sich nicht zum Ganzen fügen wollen, so daß sie beim Lesen »unter den tausend Empfindungen nicht weiter« komme. Auf die »schwächeren Sinne« der Leser sei wenig Rücksicht genommen, bemerkt ein Bekannter aus Bayreuth und empfiehlt dem Autor, seine »Miniaturgemälde nur so hoch aufzuhängen, daß sie von einem gewöhnlichen Auge erreicht« werden könnten. Und noch wenn Fouqué in seiner Selbstbiographie vom »Hesperus« schwärmt, vergißt er nicht, sich daran zu erinnern, daß ihn die ersten Seiten doch sehr »mühselige« Anstrengungen gekostet hätten, bis er dann endlich »des Schlüssels zu diesen magischen Pforten einigermaßen mächtig war«.

Drei Auflagen hat der Roman zu Lebzeiten Jean Pauls erlebt, und auch danach hielt seine Wirkung noch an. Nicht nur Fouqué, Hauff und Eichendorff waren von ihm entzückt, sondern auch Stifter, Keller und Raabe. Und wenn Alexander Herzen 1837 an seine Braut schreibt: »Unsere Liebe, die reine, heilige, ist in seinem Hesperus beschrieben. O Wunder, Wunder!«, so ist das eins der vielen Beispiele, die zeigen, daß die Bewunderung auch später mehr die sentimentale als die politische Seite betraf. Als Stefan George um 1900 den fast vergessenen Jean Paul als »Lyriker« wiederentdeckte, hat er für seine Blütenlese besonders den »Hesperus« ausbeuten können.

Wie das auch heute noch vorkommen soll, hatte die Fachkritik am Zustandekommen des Erfolgs keinen Anteil. Nur drei der vielen damals existierenden Zeitschriften brachten Besprechungen der ersten Auflage, und keine von ihnen ließ ahnen, daß sich mit diesem Roman ein unbekannter Autor an die Spitze der deutschen Prosaliteratur geschrieben hatte. Knigge bescheinigt in der »Neuen Allgemeinen Deutschen Bibliothek« dem Verfasser Witz, Welt- und Menschenkenntnis, Phantasie und Innigkeit des Gefühls, findet aber neben »reiner Prosa« auch »schwülstigen Bombast« und »wässerige Geschwätzigkeit« – nicht zu Unrecht, wie der heutige Leser findet; doch fehlt Knigge das Gespür für die Größe des Ganzen. Das hat auch Friedrich Jacobs in der Jenaer »Allgemeinen Literatur Zeitung« nicht, doch wird er, in gestelztem Gelehrtendeutsch, dem Buch schon gerechter, im Lob sowohl als auch im Tadel: »Dabei können wir indes nicht verbergen, daß uns diese Beschreibungen allzu gesucht, und überhaupt die Veranlassungen zu hohen Gefühlen und Rührungen allzu geflissentlich aufgesucht scheinen. Es wird doch fast gar zu viel in diesem Buch geweint... Überhaupt aber hat sich uns bei diesem Buche oft das Bild eines Waldstückes aufgedrängt, in welchem nur das üppige Buschwerk, das die schönsten Baumgruppen und Aussichten versteckt, vorsichtig ausgehauen zu werden braucht, um sich in einen romantischen Garten zu verwandeln... Diese Üppigkeit in dem Nebenwerke mag wohl auch vorzüglich Schuld sein, daß so viele der handelnden Personen wie die Schatten einer Zauberlaterne vorüberziehen, und nur eine Seite ihres Körpers zeigen; daß die Umrisse oft schwanken, und daß sich über das Ganze ein gewisses Helldunkel ergießt, das zwar der lyrischen Wirkung des Ganzen sehr günstig, aber der Anschaulichkeit, die man in einem pragmatischen Werke erwarten und fordern darf, nachteilig ist. Dabei scheint es nun auch noch überdies, daß so mancher Auswuchs nicht durch das üppige Treiben des Humors hervorgestoßen, sondern absichtlich, als

Beweis desselben, angeküttet worden, oder daß der Vf. zum wenigsten einem gewissen Hange zur Sonderbarkeit, deren es zur Empfehlung seiner Arbeiten gar nicht bedarf, nicht genug widerstanden habe. So ... daß man ein Mißtrauen in den Geschmack des Vf. setzen und fürchten könnte, er werde sich auf diesem Wege in einen Stil hineinarbeiten, der seine ästhetische Wirkung eben dadurch vernichtet, daß er sie allzu vollständig erzwingen will.«

Die dritte, anonym in der »Neuen Nürnbergischen Gelehrten Zeitung« erschienene Besprechung ist eine Frechheit und rechtfertigt die vielen Angriffe, die Jean Paul zeit seines Lebens gegen Rezensenten führte. Der Anonymus gibt nämlich zu, nur 60 Seiten gelesen zu haben, und maßt sich trotzdem an, Urteile abzugeben, die er dann so zusammenfaßt: »Einige gute Bemerkungen beweisen, daß der Verf. Talent hat, etwas besseres zu liefern, vorher muß er aber die Natur studieren, Charaktere zeichnen und durchführen lernen, das Abenteuerliche und Wilde, das dem guten Geschmack so ganz entgegen ist und das Sonderbare und Pretiöse seiner Schreibart verbessern.«

Zum Glück hat der Verf. Jean Paul dieser Art von Literaturkritik genügend Selbstbewußtsein entgegenzusetzen und außerdem genügend Verehrer und Verehrerinnen, die ihm seinen Rang bestätigen. Eine der Frauen, die ihm brieflich Bewunderung zollen, kommt in jeder deutschen Literaturgeschichte vor, obwohl ihr Beitrag zur Literatur gering ist. Sie hat im Leben Schillers und Hölderlins eine Rolle gespielt, jetzt schickt sie sich an, für Jean Paul bedeutsam zu werden. Sie entstammt dem thüringischen Adel, ist zwei Jahre älter als Richter, unglücklich verheiratet, Mutter dreier Kinder, wohnt in Weimar und heißt Charlotte von Kalb. Im Februar 1796 schreibt sie dem Hesperus-Autor einen bewunderungsvollen Brief, den er als Einladung auffaßt und der, wie der weitere Verlauf dieses Verhältnisses vermuten läßt, wohl auch so gemeint war. Zu lesen, daß Herder ihn hochschätzt und Wieland ihn »unseren Yorik, unseren Rabelais« nennt, ermutigt den Mann aus Hof, den Traum einer Weimar-Fahrt zu verwirklichen. Weimar ist nicht nur die große Welt für ihn, es ist die heilige Stadt der deutschen Intelligenz, Rom und Mekka des Geistes.

»Ja, es wird ein anderes Zeitalter kommen, wo es licht wird, und wo der Mensch aus erhabenen Träumen erwacht und die Träume – wiederfindet, weil er nichts verlor als den Schlaf«, hieß es in der Zukunftsvision des »Hesperus«. Für die Menschheit ist dieses Zeitalter noch fern, »noch streitet die zwölfte Stunde der Nacht; die Nachtraubvögel ziehen; die Gespenster poltern; die Toten gaukeln; die Lebendigen träumen«, für den einen Johann Paul Friedrich Richter aber sind die Träume Wirklichkeit geworden, das hungernd und arbeitend angestrebte Ziel ist erreicht: Deutschland kennt seinen Namen, Weimar empfängt ihn.

»Wenn ich die hohe Dreieinigkeit der drei größern Weisen als je aus dem Orient zogen«, schreibt er, Schmeichelei mit Schmeichelei beantwortend, in seinem ersten Brief an Charlotte von Kalb und denkt dabei an Goethe, Wieland und Herder, »hören und sehen werde: so werd' ich kaum beides mehr können, sondern vor Liebe und Rührung verstummen.«

Drei Monate später ist es soweit. Aber er sieht und hört sehr genau. Und von Verstummen kann keine Rede sein.

20

Die heilige Stadt

*

Er fällt nicht, wie Schiller vermutet, aus dem Mond nach Weimar hinein, es ist schlimmer: er kommt zu Fuß.

Des Wetters wegen hat er die Reise noch aufgeschoben, bis Neumond Änderung verspricht. Am 9. Juni 1796 (der »Siebenkäs« ist einige Tage zuvor fertig geworden) geht er dann in aller Herrgottsfrühe los, wie seine Roman-Jünglinge das wieder und wieder tun. Wie in den Büchern ist das Wetter seinem Gemüt entsprechend, also heiter, und der Freund begleitet ihn noch aus der Stadt hinaus. Am Abend ist er in Schleiz, wo der Wirt den armen Wanderer keiner Stube für würdig hält als der größten, nämlich der Gaststube, was ihn dafür auch nur 18 Groschen kostet. Über Neustadt an der Orla und Kahla erreicht er am nächsten Tag Jena: etwa 80 Kilometer in zwei Tagen. Um 16 Uhr schreibt er an Otto einen kurzen Brief, rühmt die Schönheiten des Orlagrundes und beklagt sich über die Abscheulichkeit des Jenaer Biers. Um 19 Uhr hofft er in Weimar zu sein. Er hat sich eine Extrapost bestellt, weil er befürchtet, der Wirt des »Erbprinz« könnte auf den Fußwanderer reagieren wie der in Schleiz. »Die Postpferde ... kommen sogleich und ziehen mein froh-banges Herz dem längst ersehnten Eden entgegen.«

Und die Kutsche bewirkt, was sie soll: der Erbprinzwirt hält ihn eines guten Zimmers für würdig, nach vorn raus. »Noch nicht aus der Reisekruste heraus«, nimmt Jean Paul schon die Feder und schreibt an Frau von Kalb. Er bittet um eine einsame Stunde, weil gerade das erste Sehen keine Zuschauer verträgt. »Endlich, gnädige Frau, hab' ich die Himmelstore aufgedrückt und stehe mitten in Weimar.«

Aber die Meldung seiner Ankunft ist unnötig. Er ist schon gemeldet. Der Torwache, die nicht übermäßig belastet ist, da man nur mit 20 durchreisenden Fremden pro Tag zu rechnen hat, ist der Auftrag dazu von der alten Herzogin Anna Amalia erteilt worden. Weimar weiß Bescheid.

Nach heutigen Begriffen war diese Residenz mit ihren 6500 Einwohnern nur eine Kleinstadt, und insofern dem Kleinstaat entsprechend, der nicht größer war als heute ein Landkreis. Herzogtum Sachsen-Weimar-Eisenach, hieß das zerstückelte Gebilde, das etwa 100 000 Einwohner hatte, 63 Prozent davon Klein- und Mittelbauern, die entsetzlich arm waren, nicht nur ihres altertümlichen Wirtschaftens, sondern auch der erbärmlich entlohnten Frondienste wegen, die sie dem Adel zu leisten hatten. Daß bei 23 % städtischem Bürgertum und der Steuerfreiheit des Adels das Steueraufkommen des Staates nicht groß war, ist verständlich. Aber der Hof mit seinem übergroßen Beamtenapparat, der wie ein Wasserkopf auf dem schmächtigen Körper des Ländchens saß, mußte erhalten werden. Deshalb wurde in diesen Jahrzehnten in der Residenz von Sparsamkeit viel geredet. Und luxuriös ging es in beiden Hofhaltungen (dem der Herzogs-Mutter und dem des regierenden Herzogs Karl August) wahrhaftig nicht zu; was Essen, Trinken und Komfort betraf, eher bürgerlich-schlicht. Doch wurde für die vielen Hofbeamten, für den Bau von Schlössern, für die Anlage von Parks mehr ausgegeben als man hatte. Als 1783 die Schuldenlast auf 20 000 Taler angewachsen war, hatte man Karl August dazu bringen können, seine 800 Mann starke Armee, sein Lieblingsspielzeug, abzurüsten. Aber auch die 38 Husaren und 136 Infantristen, die ihm verblieben, kosteten Geld, wie auch die wechselnden Mätressen, die unehelichen

Kinder, die schmucken Jäger, die reinrassigen Hunde und die englischen Pferde. Karl August unterschied sich kaum von den anderen Kleinfürsten seiner Zeit. Sein Verdienst bestand lediglich darin, Goethe ins Land geholt zu haben. Der hatte als Erzieher und Minister vergeblich zu bessern versucht. Auch Verzweiflung über die Nutzlosigkeit seiner politischen Arbeit hatte ihn 1786 nach Italien getrieben.

Das Hotel »Zum Erbprinz«, in dem Jean Paul absteigt, liegt am Markt. Sein Wirt gehört zu den wenigen Bürgerlichen der Stadt, die man wohlhabend nennen könnte. Von Hofbeamten abgesehen, haben es außer ihm nur der Wirt »Zum Elephanten«, zwei Bankiers und zwei Unternehmer zu Vermögen gebracht. Das neue Zeitalter, das die ortsansässigen Schöngeister repräsentieren, ist ökonomisch noch fern. Der Stadt, die eigentlich nur ein Anhängsel des Hofes ist, ist das anzusehen. Als »wüst« hat Herder sie bezeichnet, als er ankam, als »Mittelding zwischen Dorf und Hofstadt«. Die Häuser sind zum Teil noch mit Stroh gedeckt, die Gassen eng und schmutzig. Abwässer verbreiten üble Gerüche. Hirten ziehen mit ihren Herden durch die Straßen, die nachts ohne Beleuchtung sind. Das Schloß, das 22 Jahre vor Jean Pauls Ankunft abgebrannt war, ist noch immer nicht ganz aufgebaut. Die Fleischer haben ihre Stände unter den Bogengängen des Rathauses. Die Bäcker verkaufen ihre Waren durch straßenseitige Fenster oder in den Vorderstuben ihrer Wohnungen. Richtige Läden mit Schaufenstern gibt es am Markt nur drei: eine Apotheke, ein Kosmetikgeschäft und eins für feine Stoffe. Kunden sind also nur die Leute vom Hofe.

Aber das alles beeinträchtigt das Glück des Reisenden nicht. Die Armseligkeit nimmt er nicht wahr. Verglichen mit dem Nest Hof ist Weimar eine Pracht. Ihm ist die Stadt nicht der Sitz eines Kleinfürsten, sondern der der Musen.

Die gebildeten Menschen bezaubern ihn. Er genießt den geistigen Austausch mit ihnen, vor allem aber die Bewunderung, die sie ihm zollen. Zum erstenmal erlebt er das Glück, von Leuten, die er hochverehrt, gewürdigt zu werden. Die eilig an

Otto geschriebenen Briefe verraten sowohl den Provinzler, dem der Mund offensteht vor Staunen über soviel Geschmack, Bildung und Liberalität, als auch den stolzgeschwellten jungen Autor, der jetzt erst merkt, wie groß seine Berühmtheit ist. Die Bewunderung, die ihm entgegengebracht wird, gibt ihm den Eindruck, unter lauter Gleichgesinnten zu sein.

»Lieber Bruder«, schreibt er an Otto, »Gott sah gestern doch einen überglücklichen Sterblichen auf der Erde und der war ich ... Ach, hier sind Weiber! Auch habe ich sie alle zum Freunde, der ganze Hof bis zum Herzog lieset mich ... Alle meine männlichen Bekanntschaften hier – ich wollte, diese nicht allein – fingen sich mit dem wärmsten Umarmungen an. Du findest hier nichts vom jämmerlich Gezierten in Hof, von der jämmerlichen Sorge für die Mode – ich wollte, ich hätte den grünen Talar behalten, oder bloß den blauen Stutzrock noch einmal wenden lassen ... Gegen 5 gingen wir drei in Knebels Garten ... Nach einigen Minuten sagte Knebel: wie sich das alles himmlisch fügt, dort kömmt Herder und seine Frau mit den 2 Kindern! Und wir gingen ihm entgegen und unter dem freien Himmel lag ich endlich an seinem Mund und an seiner Brust, und ich konnte vor erstickter Freude kaum sprechen und nur weinen, und Herder konnte mich nicht satt umarmen ... Mit Herder bin ich jetzt so bekannt wie mit dir ... Ich wollt' ich könnte so unverschämt sein, daß ich dir alles sagen könnte. Er lobte fast alles an meinen Werken – sogar die grönländischen Prozesse – ... Er fragte mich bei den meisten Stellen meiner Bücher um die Veranlassung dazu: er gab mir ein erdrückendes Lob; das Sprechen von deinem Paul mag etwan, obwohl in Intervallen, 5 Stunden den ganzen Abend gedauert haben. Ich bekäme Sündenbezahlung, sagten alle ... Ich würde jetzt in Deutschland am meisten gelesen; in Leipzig hätten alle Buchhändler Kommissionen auf mich. Wieland hat mich dreimal gelesen ... Herder erzählte, daß der alte Gleim den ganzen Tag und die ganze Nacht fortgelesen ... Von seinen eignen Werken sprach Herder mit einer solchen Geringschätzung, die einem das Herz durchschnitt, daß man kaum das Herz hatte, sie zu loben ... Das Beste ist, was ich ausstreiche, sagt er, weil er nämlich nicht frei schreiben darf, denn er denkt von der christlichen Religion was ich und du. – Abends saßen wir alle bei der Ostheim [Charlotte von Kalb, geb. Ostheim] und tranken 2erlei Wein und Nigges (ein milderer Bischof). Sie sind alle die eifrigsten Republikaner. Denke dir den unter Wein, Ernst, Spott, Witz und Laune verschwelgten Abend und die Vormitternacht; ich machte so viel Satiren auf die Fürsten wie bei Herold [in Hof], kurz, ich war so lustig wie bei euch ... Beim Himmel! jetzt hab ich Mut ... Ich habe in Weimar zwanzig Jahre in wenigen Tagen verlebt – meine Menschenkenntnis ist wie ein Pilz mannshoch in die Höhe geschossen. Ich werde dir von Meerwundern, von ganz unbegreiflichen, unerhörten Dingen (keinen unangenehmen) zu erzählen haben, aber nur dir allein ... Ich bin ganz glücklich, Otto, ganz ... Ich kann hier, wenn ich will, an allen Tafeln essen. Ich kam noch zu keinem Menschen ohne geladen zu sein ... Ich lebe fast nur von Wein und englischem Bier ... Hier sind alle Mädgen schön ... Ach, ich kann mich schon gegenwärtig nach meiner jetzigen Gegenwart innigst sehnen.«

Im »Erbprinz« logiert er nicht lange. Ein Bruder seines Leipziger Verehrers Friedrich von Oertel lädt ihn in sein Haus ein. So prächtig wie dort wohnte er noch nie im Leben. Zwei Zimmer stehen ihm, der noch immer in Hof mit Mutter und Bruder zusammen in einem kleinen wohnt, zur Verfügung, »besser möbliert als eines im Modejournal«. Er genießt den ungewohnten Komfort, der auch darin besteht, daß jedes Zimmer ein eigenes Licht hat, ein Nachtstuhl am Bett steht und fertige Briefumschläge, »100 Stück zu 10 Groschen«, für ihn bereit liegen.

Er lebt wie im Rausch (und hat auch oft einen), er eilt von Tafel zu Tafel, von einer Einladung zur anderen. Jeder will ihn mal in seinem Hause haben. Für drei Wochen ist er die Sensation der Weimarer guten Gesellschaft. Man lobt seinen Witz, seinen Geist, seine Heiterkeit, vor allem aber das Unhöfische seines Wesens: seine Einfachheit, seine Naivität. »Milde wie ein Kind«, nennt ihn Frau Herder, und Anna Amalia beschreibt ihn Wieland, der gerade in der Schweiz ist, so: »Sollten Sie ihn von ungefähr in einer großen Gesellschaft finden, ohne ihn zu kennen, so würden Sie ihn für einen großen Künstler wie Haydn, Mozart, oder für einen großen Meister in den bildenden Künsten ansehen, so ist sein Blick und sein ganzes Wesen. Kennt man ihn näher, so ist er ein sehr einfacher Mann, welcher mit vieler Lebhaftigkeit, Wärme und Innigkeit spricht. Liebe und Wahrheit sind die Triebfedern seiner Existenz. Er ist so unschuldig wie ein Kind, und so befangen. Kommt er in Wortwechsel über gewisse Punkte, so siehet man offenbar, daß es ihm nicht um Worte oder Verteidigung seiner Meinung, sondern nur um die Wahrheit zu tun ist. Er ist ein sehr angenehmer Gesellschafter wegen seines unerschöpflichen Witzes, der nach meinem Gefühle immer sehr treffend und angenehmer ist als in seinen Schriften. Er hat hier bei allen unseren Genies jeder Art große Sensation gemacht, und man hat ihm, was viel ist, alle Gerechtigkeit widerfahren lassen.«

Ganz so kindlich, wie er wirkt, ist er nun freilich nicht. So weiß er beispielsweise genau Bescheid über die Wirkung, die seine Unschuld ausübt, und außerdem lernt er von Tag zu Tag dazu, verliert Illusionen, gewinnt Einblick in die Realitäten der heiligen Stadt.

»Aber ein bitterster Tropfen schwimmt in meinem Heidelberger Freudenbecher«, heißt es schon am Schluß des ersten Briefes an Otto, »was Jean Paul gewann, das verliert die Menschheit in seinen Augen: ach, meine Ideale von größeren Menschen!« Und sechs Tage später vergleicht er Weimar mit der Erdkugel, die nur dem fernen Betrachter als glänzender Mond erscheint, für den, der den Fuß auf sie setzt, aber allen Nimbus verliert. Vor allem deshalb, weil die göttliche Dreieinigkeit, Wieland, Herder, Goethe, alles andere als einig ist. »Kurz ich bin nicht mehr dumm.«

21.

Der Chinese in Rom

*

Die großen Jahre deutscher Literatur und Philosophie sind auch die großen Jahre der Polemik. Widerspruch treibt die Entwicklung voran. Man streitet nicht nur mit der alten Ordnung und deren Ideologie, sondern auch miteinander. Selbst in jedem einzelnen prallen Gegensätze aufeinander. Das fast alle einigende Band, die Überzeugung vom Fortschreiten der Menschheit zur Humanität hin, wird nur dem zeitlich Fernstehenden sichtbar; dem Zeitgenossen löst es sich auf in eine Unzahl vielfarbener und vielfach verschlungener Fasern. Die Polemiken über philosophische und kunsttheoretische Fragen erzeugen Freundschaften und Feindschaften, Bündnisse und Zerwürfnisse, deren Ursachen besonders schwer erkennbar sind, wenn sie in politischen Bereichen liegen. Denn hier können die oft von fürstlichen Mäzenen Abhängigen nicht vorsichtig genug sein. Persönliche Eitelkeiten und Empfindsamkeiten machen die Lage noch schwerer durchschaubar.

Jean Paul hat Goethe zeit seines Lebens geschätzt und verehrt. Die »Unsichtbare Loge« und den »Hesperus« schickte er ihm zu, wurde aber keiner Antwort gewürdigt. Als er Charlotte von Kalb seinen Besuch in Weimar ankündigt, und dabei von der Dreieinigkeit Goethes, Herders und Wielands spricht, ahnt er nicht, wie sehr er damit seine Naivität enthüllt. Charlottes gegen Goethe gerichtete Anspielung auf die Vorherrschaft von Kälte und schaler Form versteht er gar nicht. Erst als er in Weimar ist, erkennt er die Kluft, die Schiller und Goethe von Herder trennt. Und da seine Beziehungen zu Herder am innigsten sind und auch Charlotte von Kalb zu dessen Partei gehört, gehört auch er sofort dazu.

Seine Verehrung für Herder ist groß. Im »Brief über die Philosophie« und in der »Vorschule der Ästhetik« wird er ihr später hymnisch Ausdruck geben, und die »Ideen zur Philosophie der Geschichte der Menschheit« werden seine letzte Lektüre auf dem Totenbett sein. Seit seinem 18. Lebensjahr las er Herder mit wachsendem Gewinn. »Seine Werke waren kühle Quellen für meinen Durst in der Sandsteppe von Hof«, schreibt er an Charlotte von Kalb. Den »Wutz« beeinflußte sicher Herders Glücksidee. Der brieflich ausgesprochene Beifall des Ehepaars Herder ermunterte ihn. Herder war einer der wenigen, die seine früheren Satiren kannten und schätzten. Mit Herder verbindet ihn politisch sein Demokratismus, moralisch seine strenge Auffassung von Tugend. Das aber trennt ihn von Goethe, der sich mit dem Eintritt in seine klassizistische Periode künstlerisch von seinem einstigen Anreger entfernt hatte.

Offenbar wurde der Zwist zwischen Herder und den beiden Klassikern in der Zeit vor Jean Pauls Besuch in Weimar durch das Ausscheiden Herders aus dem Mitarbeiterstab der »Horen«. Schiller, Herausgeber der Zeitschrift, lehnte einen Aufsatz Herders mit der Begründung ab, in ihm würde das Hervorgehen der »Poesie aus dem Leben, aus der Zeit, aus dem Wirklichen« behauptet, wohingegen es doch darauf ankäme, daß der Dichter dem fernen idealischen Zeitalter der Griechen verbunden bleibe, da »ihn die Wirklichkeit nur beschmutzen würde«. Darauf zog sich Herder zurück. Er verwarf den antik getönten Formkult Goethes und Schillers und forderte eine Kunst, die sich humanitären, moralischen Zwecken unterwirft. Mit Recht sah er in Jean Paul einen Verbündeten, und wenn er ihn als einen neuen Großen der Literatur pries, so nicht ohne die Absicht, ihn gegen Goethe und Schiller auszuspielen. »Ihre Schriften«, schreibt Karoline Herder an Jean Paul, »müssen gerade jetzt soviel wie möglich verbreitet werden. Die Frechheit und die Arroganz baut ja ihren Thron so hoch und breit sie kann. Der Antichrist ist nun in der höchsten schönen Form erschienen, im Schillerschen Musenalmanach.«

Natürlich hatte das alles auch politische Hintergründe, die selten klar artikuliert wurden. Herders Sympathien für die Französische Revolution hatten seinem Ansehen bei Hofe geschadet. Als Jahre später Karoline Herder vom Herzog versprochene Zuwendungen für die Erziehung ihrer Kinder über Goethe einforderte, schrieb dieser den Herders beleidigende Briefe, in denen er ihnen ihre demokratische Gesinnung vorwarf. »Ich bedaure Sie, daß Sie Beistand von Menschen suchen müssen, die Sie nicht lieben und kaum schätzen, an deren Existenz Sie keine Freude haben und deren Zufriedenheit zu befördern Sie keinen Beruf fühlen ... Freilich ist es bequemer, in extremen Augenblicken auf Schuldigkeit zu pochen, als durch eine Reihe von Leben und Betragen das zu erhalten, wofür wir doch einmal dankbar sein müssen.«

Wenn sich in Jean Pauls Briefen an Otto in die Beschreibung seines Weimarer Glücks auch Enttäuschung über die Berühmtheiten der Literatur mischt, so betrifft das sicher auch die Kleinlichkeit, mit der sich die Auseinandersetzung der Großen oft vollzieht. Sie sind sehr kritikempfindlich. Wenn es ums eigne Werk geht, fehlt ihnen Toleranz. Da ihre Schriften Entäußerungen ihrer Persönlichkeit sind, nehmen sie alles persönlich. Da sich hinter den Kleinigkeiten oft entscheidende Meinungsverschiedenheiten verstecken, ist das verständlich, aber ein schönes Bild bietet es dem von außen kommenden Jean Paul nicht.

Herder nörgelt an allem herum, was aus Goethes Haus an die Öffentlichkeit dringt. »Die Mariannen und Philinen, diese ganze Wirtschaft ist mir verhaßt«, urteilt er über den »Wilhelm Meister«, den er für leichtfertig und unsittlich hält. Gottlosigkeit und Amoralität wirft er Goethe bei jeder Gelegenheit

Konsistorialpräsident Herder   Minister von Goethe

Karoline Herder mit ihren Söhnen

Schattenrisse der Zeit

vor. Die Bedeutung Goethes großer Balladen erkennt er nicht. Als die »Römischen Elegien« in den »Horen« erscheinen, schlägt er vor, die Zeitschrift in »Die Huren« umzubenennen.

Aber auch Goethe zeigt sich in grotesker Form übersensibel, besonders in seiner letzten Unterredung mit Herder, lange nachdem Jean Paul Weimar schon endgültig verlassen hat. Der Nachwelt hat Goethe dieses Ereignis in seinen »Tag- und Jahresheften« übermittelt. Im Mai 1803 notiert er: »Schon drei Jahre hatte ich mich von ihm (Herder) zurückgezogen, denn mit seiner Krankheit vermehrte sich sein mißwollender Widerspruchsgeist und überdüsterte seine unschätzbare einzige Liebesfähigkeit und Liebenswürdigkeit. Man kam nicht zu ihm, ohne sich seiner Milde zu erfreuen; man ging nicht von ihm, ohne verletzt zu sein ... Herder hatte sich nach der Vorstellung von ‚Eugenie‘ (‚Die natürliche Tochter‘), wie ich von anderen hörte, auf das günstigste darüber ausgesprochen ... ich durfte eine Wiederannäherung hoffen, wodurch mir das Stück doppelt lieb geworden wäre. Hierzu ergab sich die nächste Aussicht. Es war zu der Zeit, als ich mich in Jena befand ...; wir wohnten im Schloß unter einem Dache und wechselten anständige Besuche. Eines Abends fand er sich bei mir ein und begann mit Ruhe und Reinheit das Beste von gedachtem Stück zu sagen ... Diese innerlichste schöne Freude jedoch sollte mir nicht lange vergönnt sein: denn er endigte mit einem zwar heiter ausgesprochenen, aber höchst widerwärtigen Trumpf, wodurch das Ganze, wenigstens für den Augenblick, vor dem Verstand vernichtet ward. Der Einsichtige wird die Möglichkeit begreifen, aber auch das schreckliche Gefühl nachempfinden, das mich ergriff; ich sah ihn an, erwiderte nichts, und die vielen Jahre unseres Zusammenseins erschreckten mich in diesem Symbol auf das fürchterlichste. So schieden wir, und ich habe ihn nicht wiedergesehen.«

Diese tragisch getönte Darstellung wendet sich leider ins Komische, wenn man erfährt, worin der widerwärtige Trumpf bestand, der Goethe so sehr erschreckte: In einer nicht gerade geschmackvollen, aber freundlich gemeinten Anspielung auf

Goethes unehelichen Knaben nämlich. Noch besser als seine »Natürliche Tochter«, hatte Herder gesagt, gefalle ihm Goethes natürlicher Sohn.

Daß Hader solcher Art zwischen den auf engstem Raum zusammenlebenden, vom gleichen Mäzen abhängigen Literaten den offenherzigen Jüngling aus Hof erschreckt, ist kein Wunder, seine Reaktion darauf echt jeanpaulisch: »Auch werd' ich mich jetzt vor keinem großen Mann mehr ängstlich bücken, bloß vor dem Tugendhaftesten.« Wer damit nicht gemeint ist, zeigt der nächste Satz, der ohne Absatz folgt: »Gleichwohl kam ich mit Scheu zu Goethe.«

Er ist also von der Kalb-Herderschen Partei schon vorbereitet: Tugendhaft ist Goethe nicht, Gefühl hat er nicht, Menschen lassen ihn kalt, nur Kunst interessiert ihn. Charlotte, den fremden Einfluß auf ihren Schützling fürchtend, rät ihm, ebenfalls Kälte zu zeigen. »Ich ging, ohne Wärme, bloß aus Neugierde. Sein Haus frappiert, es ist das einzige in Weimar in italienischem Geschmack, mit solchen Treppen, ein Pantheon voll Bilder und Statuen, eine Kühle der Angst presset die Brust – endlich tritt der Gott her, kalt, einsilbig, ohne Akzent. Sagt Knebel z. B., die Franzosen ziehen in Rom ein. Hm! sagt der Gott. Seine Gestalt ist markig und feurig, sein Auge ein Licht (aber ohne eine angenehme Farbe). Aber endlich schürete ihn nicht bloß der Champagner, sondern die Gespräche über die Kunst, Publikum usw. sofort an, und – man war bei Goethe. Er spricht nicht so blühend und strömend wie Herder, aber scharf – bestimmt und ruhig. Zuletzt las er uns ... ein ungedrucktes herrliches Gedicht vor, wodurch sein Herz durch die Eiskruste die Flammen trieb, so daß er dem enthusiastischen Jean Paul ... die Hand drückte. Beim Abschied tat er's wieder und hieß mich wiederkommen. Er hält seine dichterische Laufbahn für beschlossen. Beim Himmel, wir wollen uns doch lieben. Die Ostheim sagt, er gibt nie ein Zeichen der Liebe. 100 000 Sachen hab' ich dir von ihm zu sagen. Auch frisset er entsetzlich. Er ist mit dem feinsten Geschmack gekleidet.«

Trotz der Vorurteile, die man ihm einblies, trotz Goethes

Steifheit auch, scheint eine Annäherung noch möglich. Auch von Goethes Seite aus, der im Vorjahr den »Hesperus« an Schiller schickte, welcher ihn einen »prächtigen Patron« nannte, mit Imagination und Laune, »eine lustige Lektüre für lange Nächte«, nur leider ein Tragelaph, ein Bockhirsch, uneinheitlich, formlos also. Darauf Goethe: »Es ist mir angenehm, daß Ihnen der neue Tragelaph nicht ganz zuwider ist; es ist doch schade für den Menschen, er scheint sehr isoliert zu leben und kann deswegen bei manchen guten Partien seiner Individualität nicht zur Reinigung seines Geschmacks kommen. Es scheint leider, daß er selbst die beste Gesellschaft ist, mit der er umgeht.« Später kam er auf den großen Erfolg des Buches zu sprechen und hoffte, »daß der arme Teufel in Hof bei diesen traurigen Wintertagen etwas Angenehmes davon empfände«, worauf Schiller dem Lesepublikum Charakterlosigkeit vorwarf, da es gleichzeitig mit Jean Paul auch billigste Unterhaltung, wie die Romane Lafontaines, verehrte – was doch auch nur positiv gemeint sein konnte.

Das war das Buch; nun aber kommt der Autor; erst zu Goethe, der ihn an Schiller empfiehlt: »Er wird Sie mit Knebeln besuchen und Ihnen gewiß recht wohl gefallen.« Ein »kompliziertes Wesen« nennt er ihn, dem es wie seinen Werken geht: »Man schätzt ihn bald zu hoch, bald zu tief, und niemand weiß das wunderliche Wesen recht anzufassen.« Das findet auch Schiller: »Fremd wie einer, der aus dem Mond gefallen ist, voll guten Willens und herzlich geneigt, die Dinge außer sich zu sehen, nur nicht mit dem Organ, womit man sieht.« Worauf Goethe mit einem Schlußwort andeutet, worum es ihnen ging: um einen Bundesgenossen. »Seine Wahrheitsliebe und sein Wunsch, etwas in sich aufzunehmen, haben mich auch für ihn eingenommen. Doch der gesellige Mensch ist eine Art von theoretischem Menschen, und wenn ich es recht bedenke, so zweifle ich, ob Richter im praktischen Sinne sich jemals uns nähern wird, ob er gleich im Theoretischen viele Anmutung zu uns zu haben scheint.«

Was immer auch hier unter Theorie und Praxis zu verstehen

ist, Schiller betreffend hat Richter schon entschieden: Er lehnt nicht nur die politisch-ästhetischen Ansichten des Kunsttheoretikers ab, der Mann ist ihm auch einfach unsympathisch. Ein Jahr zuvor, in Bayreuth, sah er ein Bild von ihm: »Schillers Porträt, oder vielmehr seine Nase daran, schlug wie ein Blitz in mich ein: es stellet ein Cherubim mit dem Keime des Abfalls vor, und er scheint sich über alles zu erheben, über die Menschen, über das Unglück und über die – Moral. Ich konnte das erhabene Angesicht, dem es einerlei zu sein schien, welches Blut fließe, fremdes oder eignes, gar nicht satt bekommen.«

Jetzt wird er von diesem Erhabenen in Jena »ungewöhnlich gefällig« empfangen und zur Mitarbeit an den »Horen« eingeladen, aber sympathischer wird er ihm trotzdem nicht. »Felsigt« nennt er ihn, »voll scharfer schneidender Kräfte« und vor allem: »Ohne Liebe«. Aber die ehrenvolle Aufforderung zur »Horen«-Mitarbeit lehnt er trotzdem nicht ab, beginnt, wieder in Hof, auch schon mit Konzeptionen, kommt aber nicht weit. Denn inzwischen haben beide Seiten, ihre Positionen bedenkend, schon mit der Fehde begonnen. Leider gehen sie dabei mit dem Gold der anderen um wie Grobschmiede. Goethe macht es sich dabei besonders einfach, indem er persönlich wird, anstatt sachlich zu bleiben und außerdem den faulen Trick benutzt, den Andersartigen nicht anders oder vielleicht auch schlecht, sondern krank zu nennen.

Er ist verärgert. Knebel hatte die Liebes-Elegien des Properz übersetzt und sie nach Hof geschickt. In Richters Dankbrief kam der Satz vor: »Jetzt indeß braucht man einen Tyrtäus mehr als einen Properz«, der sich ganz eindeutig auf den Krieg zwischen Frankreich und Österreich bezog. (Der griechische Dichter Tyrtäus hatte Schlachtgesänge geschrieben und, der Sage nach, die Spartaner zum Siege geführt.) Goethe aber, als Dichter der »Römischen Elegien« auch »deutscher Properz« genannt, bezog Jean Pauls Äußerung auf sich und reagierte mit Feindschaft.

Richters Brief war am 3. August geschrieben worden, am 10. schon (man beachte die Schnelligkeit nicht nur des Zwischenträgers, sondern auch der Post!) schickte Goethe ein Gedicht für die »Horen« an Schiller: »Hier ein kleiner Beitrag; ich habe nichts dagegen, wenn Sie ihn brauchen können, daß mein Name darunter stehe. Eigentlich hat eine arrogante Äußerung des Herrn Richter, in einem Brief an Knebel, mich in diese Disposition gesetzt.«

Der Titel des Beitrags ist zwar nicht: der Mann, der aus dem Mond nach Weimar fällt, aber so ähnlich: »Der Chinese in Rom«, der Ungläubige in der Heiligen Stadt also, oder auch: der Barbar in der Hauptstadt der Kultur.

»Einen Chinesen sah ich in Rom: die gesamten Gebäude
Alter und neuerer Zeit schienen ihm lästig und schwer.
Ach! so seuft' er, die Armen! ich hoffe, sie sollen begrei-
fen,
Wie erst Säulchen von Holz tragen des Daches Gezelt,
Daß an Latten und Pappen, Geschnitz und bunter Vergol-
dung
Sich des gebildeten Auges feinerer Sinn nur erfreut. –
Siehe, da glaub' ich im Bilde so manchen Schwärmer zu
schauen,
Der sein luftig Gespinst mit der soliden Natur
Ewigen Teppich vergleicht, den echten reinen Gesunden
Krank nennt, daß ja nur Er heiße, der Kranke, gesund.«

Das ist nicht nur arrogant, sondern auch dogmatisch: Zur Zeit eingeschworen auf antike Formstrenge, hält Goethe nur diese für »solide Natur«, alles andere also für unnatürlich – was kurios genug ist, bedenkt man die Künstlichkeit der Übernahme des Griechen-Ideals durch die Angreifer und die Bedeutung, die heimatliche Natur, soziale Lage des Volkes und Gegenwart für den Angegriffenen haben.

Goethe zielt dabei natürlich auf das, was ihm jetzt (später wird er weiser urteilen) Formlosigkeit scheint. Richters Geschmack ist nicht der klassizistisch gebildete, also hat er keinen. Und wo sollte er ihn auch herhaben, wenn »er selbst die beste Gesellschaft ist, mit der er umgeht«, statt sich den Weimarern anzupassen.

»Richter in London! Was wäre er geworden! Doch Richter in Hof ist

Halb nur gebildet, ein Mann, dessen Talent euch ergötzt.«
So heißt es in einem der gegen Jean Paul gerichteten Goethe-
Schillerschen »Xenien«, und statt London kann man hier wohl
unbedenklich Weimar lesen. Eine andere Xenie wirft Jean
Paul, nicht ungerechtfertigt, vor, mit seinem Reichtum an Ta-
lent nicht haushalten zu können.

Der dichterischen Größe Goethes und Schillers entspricht
leider auch die Größe ihrer Unfähigkeit, andersgeartetes Talent erkennen zu können und gelten zu lassen. »Das ist die
wahre Abfertigung für dieses Volk«, schreibt Schiller, als er
den »Chinesen in Rom« erhält, bezeichnet im Jahr darauf
»diese Schmidt, diese Richters, diese Hölderlins« als subjekti-
vistisch, überspannt und einseitig, verrät aber doch eine Spur
von Verständnis, wenn er sich fragt, ob das vielleicht an der
»Opposition der empirischen Welt, in der sie leben« liegen
könnte.

Zum Glück kann dieses Volk sich wehren gegen die Besser-
wisserei. In der gleichen Woche, in der Goethe den Provinzler
einen Chinesen nennt, beendet dieser (ohne zu wissen, daß es
eine Entgegnung ist) seine Polemik gegen die Griechen in Weimar, in seiner Art freilich, nicht so kurz und pointiert, sondern
ausschweifend und humoristisch, ohne beleidigend zu werden,
mehr die Sache als die Person betreffend. Nicht Goethe oder
Schiller treten auf, sondern eine erfundene komische Person,
kein Dichter, ein Rezensent, als dessen Vorbild die Zeitgenossen August Wilhelm Schlegel vermuteten, mit dem aber wohl
eher Goethes Kunstberater Heinrich Meyer gemeint ist: der
Kunstrat Fraischdörfer, den Vorarbeiten zum »Titan« entnommen und in ihm wiederkehrend. Die Sache aber ist die eigne:
die Verteidigung jeanpaulischer Schreibweise gegen das
Dogma der Klassik und der zu dieser Zeit noch von ihr abhängigen Frühromantik. (Gegen beide Richtungen wird sich dann
auch der »Titan« richten, der durch das Weimar-Erlebnis erst
seine endgültige Gestalt gewinnt.)

Im November 1795 war der »Quintus Fixlein« erschienen und so gut verkauft worden, daß eine zweite Auflage geplant wurde. Da Jean Paul keine Gelegenheit zum Vorreden-Schreiben ausläßt (jedes Einzelbändchen des »Siebenkäs« hat eine, jede Neuauflage bekommt eine neue, die mit dem angehängten Buch nicht immer etwas zu tun haben muß, so daß es mehr Vorreden als Bücher von Jean Paul gibt), schreibt er nun, im August 1796, eine zweite für die zweite Auflage, die, da der Druck sich verzögert, die Polemik aber aktuell ist, kurioserweise als selbständiges Büchlein erscheint. Im November ist es schon auf dem Markt: »Geschichte meiner Vorrede zur zweiten Auflage des Quintus Fixlein«.

Eine Geschichte ist das wirklich, eine humoristische und satirische, eine Reisegeschichte, wie einige andere Vorreden auch. Auftretende Personen sind: Jean Paul natürlich, Pauline Oehrmann (die auch in der Vorrede zum »Siebenkäs« auftaucht), der Kunstrat Fraischdörfer. Der Ort: Die Straße von Hof nach Bayreuth. Die Handlung: Jean Paul gönnt sich zwei Großfreuden auf einmal: eine Fußwanderung durch die heimatliche Landschaft und das Schreiben einer Vorrede; eine dritte will er noch dazu tun, nämlich einem schönen Mädchen, das vor ihm in der Postkutsche reist, ins Gesicht zu sehen. Aber alle drei werden ihm verdorben durch den Kunstrat, (der im »Titan« sein Gesicht »wie die Draperie der Alten, in einfache edle große Falten« werfen wird). Anstatt sich der Natur, dem Menschen und dem Schreiben zu widmen, muß Jean Paul sich nun das ästhetische Gewäsch der zur Person gewordenen klassizistischen Kunstauffassung anhören, das, in seiner Überbewertung des Ästhetischen, gegenwarts-, wirklichkeits- und auch menschenfeindlich ist. Wem nur die schöne Form etwas gilt, dem wird Ästhetik zur Barbarei; der findet es ungehörig, daß architektonische Kunstwerke, die Häuser doch sind, durch Menschen, die in ihnen wohnen, entweiht werden; der freut sich über den Brand einer Stadt, weil der ihm Hoffnung auf eine neue, schönere macht; dem ist der Bauer nichts als Vorlage für Idyllenmacherei und der Krieg eine Notwendigkeit für

Schlachtenmaler; der »achtet am ganzen Universum nichts, als daß es ihm sitzen kann«; der würde, um des Kunststudiums willen auch Menschen foltern, wenn er einen Prometheus zu malen hätte. Am leichtesten allerdings, meint der Kunstrat, läßt sich die schöne, das heißt die edle griechische Form, »durch Verzicht auf die Materie« erreichen, durch Verzicht auf Inhalt also.

Das sind großartige Warnungen vor einer formalen Ästhetik, die den Weimarer Formkult treffen und auch Schillers Überschätzung des Ästhetischen in der Erziehung; doch Goethes und Schillers Werke werden dabei verfehlt (man denke nur an den gerade erschienenen »Wilhelm Meister«). Herders Vorwürfe, Goethe und Schiller brächten der schönen Form die Moral zum Opfer, scheinen überall durch. Treffend aber ist Jean Pauls Hinweis auf das Gepäck zweitausendjährigen Wissens, das abgeworfen werden müßte, um den Griechen ähnlich zu sein. Humanität sollte man bei den Griechen lernen, schreibt er wenig später an Herder, »aber des dürftigen Stoffs sollte sich das reiche Jahrhundert schämen«. Gegen die Griechen-Nachahmung (die »ausgetrockneten Weisen á la grec«) muß der moderne Prosaist Jean Paul sich wehren, weil sie seine Stoffülle beschneiden würde. Der Humorist, dem Humor »die Frucht einer langen Vernunfts-Kultur« ist, muß die Griechen-Nachahmung verspotten, weil in ihr für ihn kein Platz ist.

Sympathisch berührt, daß er dem Dogma der Klassiker kein eignes entgegenstellt. Er weist auf das Unzeitgemäße des Griechenideals und die Gefahren einseitiger Formüberschätzung hin, ruft aus: »Sage, was du willst, denn ich schreibe, was ich will«, und läßt den vertrockneten, humorlosen Kunstrat stehen, um dem Leben in Gestalt der Pauline nachzueilen, die er doch unbedingt noch von vorn sehen muß.

22.
Der Armenadvokat

*

Drei Wochen dauert die Reise nach Weimar nur. Jean Paul
kehrt nach Hof zurück, aber schon ist klar, daß er dort nicht
mehr lange bleiben wird. Bereits auf der Reise nach Bayreuth,
ein Jahr zuvor, hatte er den Umgang mit gebildeten Frauen
und Männern schätzen und seine Berühmtheit genießen gelernt. Jetzt fesselt ihn eigentlich nur noch die alte Mutter an
die Stadt, in der, von Otto abgesehen, niemand von seinem
Genie Notiz nehmen will. Innerlich Abschied nahm er schon
vor der Reise: in der Arbeit.

Am Tage vor seinem Abmarsch nach Weimar ging mit der
Berliner Post sein »Siebenkäs« zum Verleger ab. Das Sterben
und Auferstehen der Romangestalt, die ein deutliches Selbst-
porträt ist, wird zum Symbol für Abschied und Neubeginn. Jean
Paul stirbt für Hof, um für die Welt frei zu sein. Aber das Sterben im Roman ist nur ein Schein-Sterben. Auch für den Autor
wird sich die erhoffte Freiheit nur als Schein erweisen. Er wird
zurückkehren, woher er kam, zwar nicht nach Hof, aber doch
in dessen Nähe, zwischen die vier Pfähle seiner Schreibstube.
Der als Einzelgänger begann, wird auch als solcher enden.

Im Kern vorgebildet wurde die Romanfabel schon in einer
Satire der achtziger Jahre. Unter wechselnden Titeln (»Lebendig begraben«, »Lebendige Begrabung«, »Glaube, daß man tot

sei«) wurde immer wieder versucht, dem Einfall neue Seiten abzugewinnen. Das Motiv war, am Rande, sowohl in die »Unsichtbare Loge« als auch in den »Hesperus« und den »Quintus Fixlein« eingegangen; für die schon begonnenen (und nie beendeten) »Biographischen Belustigungen« war es vorgesehen. Nun gibt ein Zufall die Anregung, aus ihm einen seiner schönsten Romane hervorwachsen zu lassen.

Der Berliner Verleger Matzdorf, an den Karl Philipp Moritz die »Unsichtbare Loge« vermittelte, ist noch mit dem Druck des »Hesperus« beschäftigt, als Jean Paul ihm schon das fertige Manuskript des »Quintus Fixlein« anbietet. Als der Verleger nicht gleich antwortet, gibt Jean Paul das Werk nach Bayreuth. Matzdorf, inzwischen vom Erfolg des »Hesperus« überrascht, ist verärgert. Um ihn zu besänftigen, stellt ihm Jean Paul ein neues Büchlein in Aussicht, zu dem er vorläufig nur Titelvorschläge macht, unter denen Matzdorf wählen soll. Die Entscheidung fällt für »Blüten-, Frucht- und Dornenstücke«, hinter denen sich aber wohl zuerst nur eine Sammlung kleiner Schriften verbirgt, unter ihnen die vom Schein-Sterben eines Ehemannes. Auch als die allein in Angriff genommen wird, ist an etwas Kleines, Novellenartiges gedacht, an eine Art Idylle wie »Wutz«, wie »Fixlein«, nur daß diesmal kein Schulmann und auch kein Pastor (wie in dem kurz danach entstehenden »Jubelsenior«) im Mittelpunkt stehen soll, sondern ein Armenadvokat – der nicht weniger schlecht bezahlt wird. Aber da der Autor diesem nicht die nötige Beschränktheit mitgibt, ihn vielmehr mit wachem, ja genialem Geist ausstattet, ihm die Ergebenheit in sein Schicksal nimmt, ihn sich wehren, sich befreien läßt, wird eine ganz andere, gar nicht idyllische Geschichte daraus. Der Logik der einmal getroffenen Heldenwahl folgend, schwillt ihm das Geschichtchen »vom Fötus zum Goliath« an, es entsteht ein Roman, der allein schon genügt, seinem Verfasser den Rang eines der größten Prosaschreiber der deutschen Literatur zu sichern.

Daß der Roman ursprünglich keiner werden sollte, kommt ihm zugute. Weil dadurch nämlich verhindert wird, daß der

Autor seinem Hang zur trivialen Schauerromanfabel frönt. In seiner Art, das heißt mit Abschweifungen und Unterbrechungen, mit alten und neuen Satiren und der ausschweifenden Darstellung von Gefühlen aller Art, wird eine einfache Geschichte überschaubar erzählt: Der schriftstellernde Armenadvokat heiratet die gutherzige, einfältige, ganz kleinbürgerlichem Denken verhaftete Lenette. Armut und Wesensungleichheit entfremden die beiden einander. Mit Hilfe seines Freundes Leibgeber befreit Siebenkäs seine Frau und sich durch Schein-Sterben von den Ehefesseln. Sie heiratet den philiströsen Schulrat Stiefel. Ihn erwartet ein neues Leben an der Seite der ihm wesensverwandten Natalie. In barocker Manier enthält der Titel die ganze Geschichte: »Blumen-, Frucht- und Dornenstücke; oder Ehestand Tod und Hochzeit des Armenadvokaten F. St. Siebenkäs im Reichsmarktflecken Kuhschnappel.«

So ganz und gar ausgedacht wie es scheint, ist diese Geschichte nicht. Ähnliches hat sich damals mehrfach ereignet und ist auch literarisch verarbeitet worden. Da erregt das Verhältnis des Landgrafen Philipp von Hessen mit einer Hofdame Ärgernis, die Dame stirbt zum Schein, eine Puppe wird mit viel Pomp begraben, die Totgesagte steht dem Landgrafen auf einem abgelegenen Schloß zur Verfügung, wo sie ihm mehrere Kinder gebiert. Als eine Prinzessin von Braunschweig-Wolfenbüttel von ihrem Mann, einem Sohn Peter des Großen, so mißhandelt wird, daß sie in eine Ohnmacht fällt, gibt sie diese für ihren Tod aus, flieht nach Amerika und heiratet dort einen französischen Offizier. Eine verheiratete Frau der Weimarer Gesellschaft stirbt angeblich, wie man aus Goethes Briefen an Frau von Stein weiß, auf ihrem Gut, flieht in Wahrheit aber mit ihrem Liebhaber nach Afrika. Ein vor dem Bankrott stehender schlesischer Kaufmann macht durch Scheinsterben seine Frau zur Witwe, damit sie einen alten Krösus heiraten und nach dessen Tod beerben kann, worauf der Scheintote zu ihr zurückkehrt.

Die letzte, von Musäus nacherzählte Geschichte kannte Jean

Paul. Aber nicht in der Meisterung der skurrilen Begebenheit liegt der Wert des Romans, sondern in der psychologischen Analyse des tragikomischen Ehedramas und in seiner Einbettung in Gesellschaftliches. Der »Siebenkäs« ist (nach Gellerts kaum erwähnenswerter »Schwedischer Gräfin« und einigen oberflächlichen Romanen Wezels) der erste deutsche Eheroman von künstlerischem Wert, der dem zweiten, Goethes »Wahlverwandtschaften« ebenbürtig, in der Darstellung von Sozialem aber überlegen ist.

Obwohl keine Haupt- und Staatsaktion geschildert wird, wie im »Hesperus«, wie im »Titan«, wird die Haupt- und Staatsmisere Deutschlands deutlich. Obwohl der soziale Bereich der des »Wutz« und des »Fixlein« ist, ist nichts Idyllenartiges am »Siebenkäs«. Hart stoßen die sozialen Gegensätze aufeinander. Der Humor mildert die Verzweiflung über das Elend des »kleinstädtischen Jahrhunderts« nicht. Die realistische Gesellschaftskritik wirkt wie ein Aufruf, sich über die Armseligkeit der Verhältnisse zu erheben. Ohne daß von politischer Aktion gehandelt oder geredet wird, ist ihre Möglichkeit stets gegenwärtig. Die Reichen, die reich nur durch die Armen sind, werden verurteilt, den Armen aber wird Stolz angeraten und Hoffnung auf Änderung. »Will Gott es haben«, sagt Siebenkäs der jammernden Lenette, »daß ich mit achttausend Löchern im Rocke und ohne Sohlen an Strümpfen und Stiefeln in der Stadt herumziehe, ... so soll mich der Teufel holen und mit der Quaste seines Schwanzes totpeitschen, wenn ich nicht dazu lache und singe – und wer mich bejammern will, dem sag' ich ins Gesicht, er ist ein Narr. Beim Himmel! Die Apostel und Diogenes und Epiktet und Sokrates hatten selten einen ganzen Rock am Leibe, ein Hemd gar nicht – und unsereiner soll sich in diesem kleinstädtischen Jahrhundert nur ein graues Haar darüber wachsen lassen?« Und der Autor, der nie schweigen kann, ergänzt: »Recht, mein Firmian! – Verachte das enge Schlauchherz der großen Kleidermotten um dich ... Und ihr armen Teufel, die ihr mich eben leset ..., die ihr vielleicht keinen ganzen, wenigstens keinen schwarzen Hut aufzusetzen habt, richtet euch an der großen griechischen und römischen Zeit... auf und verhütet es nur, daß euer Geist nicht mit eurer Lage verarme, und dann hebet stolz euer Haupt in den Himmel, den ein ängstlicher Nordschein überzieht, dessen ewige Sterne aber durch das nahe blutige dünne Gewitter brechen.«

Lenette, die köstlichste und lebenswahrste weibliche Gestalt Jean Pauls, lieb, bescheiden, beschränkt, hausfraulich, arbeitsam, das Idealprodukt einer kleinbürgerlichen Erziehung, der noch schrecklicher als Armut der Abstieg aus einwandfreier Bürgerlichkeit erscheint, bringt diesen Siebenkässchen Stolz nicht auf, hält ihn für Asozialität und Blasphemie. Natalie, die sich mit einer Charakterisierung durch schwarze Schleier und empfindsam-philosophische Äußerungen begnügen muß, ist zu schemenhaft geraten, um diesen Stolz erkennen zu lassen; er kommt ihr, nach dem Willen des Autors, aber zu. Der jedoch im Roman am stolzesten sein Haupt erhebt, nicht nur über seine soziale Lage, sondern auch über die Ideologie seiner Zeit, das ist Leibgeber, der Freund, ein Freigeist reinster Prägung, umherschweifend, bindungslos, keinem Menschen, keinem Land, keiner Religion verpflichtet, ein Zyniker, oder wie Jean Paul das nennt: ein Humorist, der aber unter dem Panzer seiner Kälte verwundbarste Sensibilität verbirgt.

Vom Gesamtwerk her gesehen ist diese Gestalt ein Vorgriff: der Schoppe aus dem schon konzipierten »Titan« darf hier vorzeitig unter anderem Namen auftreten; vom Leben aber her gesehen wird mit ihr zurückgegriffen: Das Vorbild in der Wirklichkeit hieß Johann Bernhard Hermann, der früh verstorbene Freund.

Schon zu Hermanns Lebzeiten hatte Jean Paul angekündigt, dessen Charakter einmal in einen Roman zu verpflanzen. Nach seinem Tode hatte er nachgelassene Schriften herausgeben wollen, den Plan aber wieder verworfen. Dann hatten »Jean Pauls biographische Belustigungen unter der Gehirnschale einer Riesin. Eine Geistergeschichte« den Toten unter seinem wahren Namen wieder auferstehen lassen sollen. Aber bis zum Auftreten von Herrmanns Geist war das Fragment (dessen Reiz vor allem in der surrealistisch anmutenden Erfindung der Riesenstatue der Jungfer Europa besteht, in deren Kopf der Autor sitzt und schreibt und zu den Augen hinaussieht) nicht gediehen. Im »Siebenkäs« nun gelingt die Denkmalserrichtung. Doch ist Leibgeber mehr als ein Porträt Hermanns. Auch ein Teil von des Autors Charakter steckt in ihm. Erst Siebenkäs und Leibgeber zusammen ergeben Jean Paul.

Das Satirenwerk, an dem, dauernd gestört durch die schwatzende, wischende, fegende und waschende Lenette, Siebenkäs schreibt, heißt »Auswahl aus des Teufels Papieren« und wird geschrieben in eben dem Jahr (1785/86), in dem das gleichnamige Buch Jean Pauls entstand. Die in den Roman eingestreuten Satiren aber stammen vielfach von Leibgeber. Siebenkäs und Leibgeber werden häufig verwechselt, da sie sich täuschend ähnlich sehen. Zum Zeichen ihrer Freundschaft vertauschen die beiden ihre Namen, so daß, wenn Siebenkäs nach seinem Scheintod als Leibgeber weiterlebt, er nur den alten Zustand wieder herstellt, während Leibgeber durch Namenlosigkeit seine Freiheit von jeglicher Bindung vollendet. Zwei Jahre nach dem »Siebenkäs« macht sein Autor den Siebenkäs zum Verfasser der »Palingenesien«, denen ein »offener Brief an Europas Bürger Heinrich Leibgeber« voransteht. Im »Titan« dann tritt Heinrich Leibgeber als Heinrich Schoppe auf, um im Anhang wiederum als Leibgeber die Polemik gegen Fichte zu führen: »Clavis Fichtiana seu Leibgeberiana.«

Es sind also die zwei Seelen in des Autors Brust, die hier zu Gestalten werden, zu denen sich als dritte noch der Autor selbst gesellt, der immer dazwischenreden, in anderen Romanen auch selbst handelnd eingreifen muß in seine Welt, die die wahre, jeanpaulisch verformt, widerspiegelt. Denn »in jeder Dichtung« ist »das Wahre der berauschende Bestandteil«, und »eine Spiegelung, die durchaus nichts wäre als eine, würde eben deshalb keine mehr sein. Jeder Schein setzt irgendwo Licht voraus«.

In Jean Pauls Jugendkrise, die ihn zum Dichter reifte, als

der Gedanke an den Tod an ihn herantrat, hat er sich selbst zur Rettung seiner empfindsamen Seele zum Glauben an Gott und die Unsterblichkeit gezwungen. Aber der unterdrückte Teil seines Geistes war nur scheintot. Als Atheist Leibgeber feiert er Auferstehung. Lenette fürchtet den Freund ihres Mannes wie den Teufel, den Widersacher gottgewollter Ordnung. Siebenkäs aber bedauert und bewundert ihn. Vor allem aber liebt er ihn. Ihm kann er sich ganz öffnen, als wäre er ein Teil von ihm.

Zu den Kuriositäten, die Jean Pauls Leben und Werk begleiten, gehört auch, daß er als Junggeselle den ersten großen deutschen Eheroman schreibt – in dem es seltsamerweise Sexualität nicht gibt. Man könnte deren Fehlen leicht der Unerfahrenheit des Autors zuschreiben, doch liegt es an dieser nicht: es ist moralisches und künstlerisches Prinzip. Die Ehekräche aber, die höchste Lesefreuden bieten, sind so sicher und genau geschildert, daß man sie für selbst erlebt halten muß. Sie sind es auch, nur war (von einigen, für die zweite Auflage hinzugeschriebenen Szenen, die eigne Eheerfahrungen verwerteten, abgesehen) keine Ehefrau die Partnerin, sondern die Mutter. Die Streitereien um Lärm und Leihhaus in der engen Stube erlebte er mit ihr, als hungernder Kandidat in Hof. Der Autor, um dessen Manuskripte sich die Verleger seit kurzem reißen, blickt zurück auf seine schlimmste Zeit. Insofern ist das, was wir als Eheroman schätzen, mehr Erinnerungsbuch für ihn. Seine Ansichten über Ehe sind andere, als sie der »Siebenkäs« bietet. Wenn er sie äußert (und das wird er oft tun), sind sie nicht realistisch, sondern idyllisch.

Großartig gelungen ist im »Siebenkäs« auch die Darstellung des Volkes. Wenn Jean Paul später von Börne als Anwalt der Armen gefeiert wird, so hat er diesen Ruhm durch nichts so sehr verdient als durch die Geschichte des Armenadvokaten, – eine Berufsbezeichnung übrigens, die Siebenkäs wohl nur als Ausdruck der Protesthaltung des Autors führt; denn in der Ausübung seines Berufs wird er nie gezeigt, wenn man von der Klage in eigner Sache absieht, die er gegen den Regierenden führt, der ihn arm gemacht hat. Diese Protesthaltung steigert sich beim Aufsetzen des Testaments zu solcher Schärfe, daß der federführende Notar aus Angst vor den Folgen solch umstürzlerischer Redeweise keinen anderen Ausweg sieht, als aus dem Fenster zu springen, unter dem zu seinem Glück ein Haufen Gerberlohe liegt, die ihm das Leben rettet.

Daß es selig werde, »besonders auf dieser Welt«, wünscht das Testament dem Volk von Kuhschnappel, den Gerbern, Schuhflickern, Buchbindern, Friseuren, Strumpfwirkern und Bettlern, deren Darstellung das Buch zu einer Chronik der Zeit macht, zur notwendigen Ergänzung offizieller Geschichtsschreibung, die nicht registriert, was war, sondern nur, was die vorgeschriebene Entwicklungslinie zu beweisen scheint, die damals also das Volk aus ihrer Betrachtung ausließ. »Ach, wieviel Tränentropfen, wieviel Blutstropfen, welche die drei Eck- und Standbäume der Erde, den Lebens-, den Erkenntnis- und den Freiheitsbaum, befeuchteten und trieben, wurden vergossen, aber nie gezählt! Die Weltgeschichte malet an dem Menschengeschlecht nicht, wie der Maler an jenem einäugigen König, bloß das sehende Profil, sondern bloß das blinde; und nur ein großes Unglück deckt uns die großen Menschen auf, wie totale Sonnenfinsternisse die Kometen. Nicht bloß auf dem Schlachtfeld, auch auf der geweihten Erde der Tugend, auf dem klassischen Boden der Wahrheit türmet sich erst aus 1000 fallenden und kämpfenden unbenannten Helden das Fußgestell, auf dem die Geschichte einen benannten bluten, siegen und glänzen sieht. Die größten Heldentaten werden zwischen vier Pfählen getan; und da die Geschichte nur die Aufopferungen des männlichen Geschlechtes zählet und überhaupt nur mit vergossenem Blute schreibt, so sind in den Augen des Weltgeistes unsere Annalen gewiß größer und schöner als in den Augen des Welthistorikers; die großen Aufzüge der Weltgeschichte werden nur nach den Engeln oder Teufeln geschätzt, welche darin spielen, und die Menschen zwischen beiden werden ausgelassen.«

Die Zeitschriftenkritik reagiert enthusiastisch bis wohlwollend, die Zensoren in Österreich mit Verbot: Die Einfuhr die-

ser »zeitverderbenden und unsinnigen Lektüre«, die »politisch-
und religiös-anstößige Witzeleien« enthalte und zudem unverständlich sei, wird nicht gestattet. Der »Kaiserlich privilegierte
Reichs-Anzeiger« aber liefert zu dem humoristischen Roman
noch ein humoristisches Nachspiel. Am 25. August 1797 veröffentlicht er einen Artikel mit dem Titel: »Rüge eines Schrift-
steller-Frevels«, in dem der Autor des »Siebenkäs« angepran-
gert wird, weil er nicht nur den Betrug seines Helden an der
Preußischen Witwenverpflegungsanstalt gutheiße, sondern
auch den an der Kirche: denn durch sein Schein-Sterben prelle
Siebenkäs das Konsistorium um die Scheidungsgebühren.
»Sollte es nicht einer Frage wert sein, ob je von irgendeinem
Schriftsteller seinem Volke das geboten worden ist, was Herr
Richter durch diese Geschichte den Deutschen bietet, oder ob
diese allein, deren Volksruhm vordem Ehrlichkeit war, jetzt
Schelmenstreiche, die den Pranger verdienen, für launige Aus-
geburten schöner Seelen halten?«

Für heutige Leser unvorstellbar ist, daß der »Siebenkäs«
kein so großer Erfolg wie der »Hesperus« wird. Bedeutende
Zeitgenossen, Freunde und Freundinnen beurteilten ihn, wenn
auch immer mit Einschränkungen, im wesentlichen günstig.
Nur eine urteilt ausgesprochen negativ: Charlotte von Kalb.

23.

Die Titanide

*

Selten entstehen künstlerische Produkte ohne den Antrieb mehr oder weniger heftigen Größenwahns. Die Vermutung, es schöner, größer, wirklichkeitsnäher, phantastischer, moderner oder was auch immer, auf jeden Fall aber besser machen zu können als andere, scheint notwendige Voraussetzung künstlerischen Arbeitens. Ohne diese kann nur dämmernder Gleichmut die Qual des Restlos-sich-Verausgabens ertragen; und der bringt sowieso keine großen Werke hervor.

Nun ist aber dieser Wahn (der nur in den seltenen Fällen, in denen erträumte Qualitäten mit tatsächlich erreichten übereinstimmen, diese Bezeichnung nicht verdient und dann vielleicht Selbstsicherheit genannt werden darf), besonders bei intelligenten Leuten schwer herstellbar und leicht zerstörbar, weshalb falsch oder zu früh angesetzte Kritik dem Werk schaden kann, weil durch sie das mühsam erhaltene Gleichgewicht zwischen Größenwahn und Unzulänglichkeitsbewußtsein gestört wird. Daran scheitert manchmal eine heutige Verlagsarbeit, bei der kritische Zeigefinger schon gehoben werden, ehe das erste Wort geschrieben ist; darauf beruht aber auch die oft lächerlich wirkende Überempfindlichkeit vieler Künstler gegen Kritik. Wer über sein Werk nicht hinausgewachsen ist, ehe es die Öffentlichkeit erreicht, kann schlimme Gleichgewichtsstörungen erleiden. Für Autoren sind die vielen Monate, die heute, dank unserer Ämter, unserer Verlage und Druckereien, zwischen der Fertigstellung eines Buches und seinem Erscheinen liegen, so betrachtet ein Segen. Die Autoren haben Zeit, Abstand zu gewinnen, bevor die zerstörerische Kritik einsetzt.

Diesen Vorteil hatten ihre Kollegen vor 200 Jahren nicht. Wenn sie ein Buch für fertig hielten, war es das auch. Kein Verleger zögerte durch Änderungswünsche den Abschluß der Arbeit hinaus; er sagte ja (oder nein), gab das Werk in Druck, und Wochen später konnten Autor und Leser, falls der Zensor nicht eingriff, es als Buch (mit vielen Druckfehlern freilich) in der Hand haben. Der Autor, noch ganz im Banne seiner Arbeit, mußte sich vor Zerstörung seines Selbstbewußtseins anders schützen.

Er tat das mit Mitteln, die sich noch bis heute als wirksam erweisen, erklärte zum Beispiel alle Rezensenten für Feinde oder Dummköpfe, berief sich auf positive Leserstimmen und schuf sich einen Kreis von Verehrern, die ihm seine Größe ständig bestätigten. Umgang mit kritischen Kollegen vermied er tunlichst. Deshalb sind Freundschaften zwischen gleichrangigen Autoren so selten. Nicht ohne Grund wurde die kurzlebige Arbeitsgemeinschaft zwischen Goethe und Schiller schon früh mit einer Gloriole umgeben. Auch die Anfälligkeit vieler Autoren für Opportunismus erklärt sich so: Wenn der Beifall von unten ausbleibt, nimmt man mit dem von oben vorlieb. Und auch die Wahl der Frauen hat damit zu tun. So rührend Goethes Verbindung (nicht mit der Frau von Stein, sondern) mit dem »Mädchen aus dem Volk«, Christiane, auch ist, so bezeichnend ist sie auch.

Friedrich Richter ist darin keine Ausnahme. Alle seine Freunde (auch der kritische, Christian Otto, den er lebenslang als Lektor benutzt) sind glühende Bewunderer des Schriftstellers Jean Paul, und seine »Christiane« wird Karoline Mayer heißen und nicht Charlotte von Kalb. Nicht weil Karoline, wie gerührte Biographen bemerken, ein schlichtes Bürgermädchen ist, läßt seine Brautwahl zu ihren Gunsten ausgehen, sondern weil sie den Grad der Emanzipation Charlottes (oder der anderen intellektuellen Frauen, die er kannte und liebte) nicht hat und damit auch nicht ihre Kritikfähigkeit. »Eine Frau, die ein vorzügliches Wesen ist, macht mich nicht glücklich«, hat Schiller mit seltener Offenheit im Hinblick auf dieselbe Charlotte von Kalb einmal geschrieben. Das hätte auch Jean Paul sagen können oder mancher andere Mann. Denn nicht nur Dichtern fällt es schwer, eine Frau zu haben, die auch im Alltag die Hochleistungen von einem verlangt, die man der Öffentlichkeit bietet.

Zuerst ist Jean Pauls Entzücken über Charlottes Bewunderung groß. Er erwidert sofort ihre Gefühle, die sie ihm ziemlich unverhüllt kundtut. »Zwei Drittel des Frühlings sind vorüber..., die Bäume stehen noch unbelaubt im schönen Park, die Nachtigall hat noch nicht gesungen, und Sie waren noch nicht hier. Alle Zeichen des Frühlings bleiben aus.«

Das schreibt sie ihm Wochen, bevor er nach Weimar kommt. Tage nach seiner Ankunft erscheint in ihren Briefen (die sie ihm trotz Kleinstadtnähe schreibt) zum erstenmal das vertrauliche Du: erst in einer Regung von Eifersucht an dem Tag, an dem er zu Goethe geladen ist, dann in einem Brief, der auch die ausgesprochene Liebeserklärung an den Dichter und den Mann enthält: »Eine idealische Schilderung liebt die Seele, einen idealischen Menschen liebt das Herz – und will es, und will es, und will ihn.«

Das Fordernde in ihrer Liebe schreckt ihn nicht, soweit die Briefe das erkennen lassen. Er geizt nicht mit schönen Liebesworten. Daß diese unausstehlich gekünstelt wirken, sagt wenig, da all die vielen, die er an viele Frauen schrieb, nicht anders sind. All diese Briefe verraten mehr Arbeit als Gefühl. Erschreckt aber wird er davon, daß Charlotte nicht nur bewundern, sondern eigne Meinungen zur Geltung bringen will.

Das beginnt schon, deutlich aber noch harmlos, in den Anfängen, wenn sie dem »Siebenkäs« die künstlerische Reife abspricht und Teile als »krank und krampfhaft« bezeichnet. Darüber kann er noch mit der Floskel, daß sie »vielleicht überall«

Charlotte von Kalb
Gemälde von F. A. Tischbein

recht habe, hinweggehen. Als sie aber seine religiös getönten Moralfundamente angreift, reagiert er mit Unwillen.

Nach vertrautem Umgang mit ihr in Weimar schickt er ihr die kleine allegorische Erzählung »Die Mondfinsternis«, die er, neben anderem Alten, im Zuge seiner Resteverwertung in den »Quintus Fixlein« aufnahm. Darin setzt er seine Sprachkraft und -schönheit zur Verteidigung weiblicher Keuschheit ein, läßt die Teufelsschlange des Paradieses als Verführer und den Genius der Religion als Beschützer der Mädchentugend auftreten. Daß die freisinnige, lebenserfahrene Frau darüber verärgert ist, wird besonders verständlich, wenn man, vermutungsweise, voraussetzt, daß sein moralischer Rigorismus ihr auch in der Praxis zu schaffen macht.

»Das Ködern mit dem Verführen!« schreibt sie ihm empört. »Ach, ich bitte, verschonen Sie die armen Dinger und ängstigen Sie ihr Herz und ihr Gewissen nicht noch mehr! Die Natur ist schon genug gesteinigt .. . Ich verstehe diese Tugend nicht und kann um ihretwillen keinen heiligsprechen... Keinen Zwang soll das Geschöpf dulden, aber auch keine ungerechte Resignation. Immer lasse der kühnen, kräftigen, reifen, ihrer Kraft sich bewußten und ihre Kraft brauchenden Menschheit ihren Willen; aber die Menschheit und unser Geschlecht ist elend und jämmerlich! Alle unsere Gesetze sind Folgen der elendesten Armseligkeit und Bedürfnisse, selten der Klugheit. Liebe bedürfte keines Gesetzes. Die Natur will, daß wir Mütter werden sollen; – vielleicht nur, damit wir, wie einige meinen, Euer Geschlecht fortpflanzen! Dazu dürfen wir nicht warten, bis ein Seraph kommt – sonst ginge die Welt unter. Und was sind unsere stillen, armen, gottesfürchtigen Ehen? – Ich sage mit Goethe und mehr als Goethe: unter Millionen ist nicht einer, der nicht in der Umarmung die Braut bestiehlt.«

Das ist nicht nur eine Lebensweisheit, für die Jean Paul taub ist, das ist ein Angriff auf seine Arbeit, auf alle seine reinen Frauengestalten, von deren Körperlichkeit man nur erfährt, weil Höflinge auf sie lüstern sind. Folgerichtig schreibt er auch an seinen Freund Otto, Hof, gleich nebenan, als er ihm den bösen Brief hinüberschickt, vom »Einmengen in mein ästhetisches Leben«, über das er ihr die »entschiedenste Meinung sagen« will.

Dazu ist er besonders gut in der Lage, da inzwischen andere Frauen seine Gefühle und seine knappe Briefschreibezeit beanspruchen. So wird es ein Brief halber Trennung, die zur ganzen nie wird. Sechs Monate später ist sie wieder seine »unersätzliche Charlotte«, und als er im Oktober 1798 nach Weimar übersiedelt, steht er wieder ganz im Banne der Ostheim, wie er sie meist, nach ihrem Mädchennamen, nennt.

Obwohl von ihr Briefe fehlen, und von seinen nur Konzepte oder gekürzte Kopien enthalten sind, läßt sich das Neuerstehen und Vergehen dieser Liebe ungefähr rekonstruieren.

Er an sie: »Gestern kam ich an . . ., geliebte Freundin, nach deren Erscheinen ich mich unter so vielen Zeichen unsers vereinigten Frühlings noch inniger sehne . . . Kommen Sie bald und bringen Sie die alte Gesinnung mit.«

Sie an ihn: »Kommen Sie noch diesen Abend!« – »Komme um 4 Uhr zur mir, dann bin ich einige Stunden allein.« – »Was tun Sie heute? Ich bin im Zimmer.« – »Heinrich von Kalb ist heute vormittag angekommen. Kommen Sie diesen Abend nicht!« – »Ich fange an zu zittern und Todeskälte erfaßt mich. Ich kann nichts tun, bis ich weiß, ob Sie den Abend kommen.«

Er an Freund Otto: »Durch meinen bisherigen Nachsommer wehen jetzt die Leidenschaften. Jene Frau – künftig heiße sie Titanide . . . will mich heiraten und sich scheiden . . . Meine moralischen Einwürfe gegen die Scheidung wurden durch die 10jährige Entfernung des Mannes widerlegt . . . O, ich sagte der hohen heißen Seele einige Tage darauf: Nein! Und da ich eine Größe, Glut, Beredsamkeit hörte wie nie: so bestand ich eisern darauf, daß sie keinen Schritt für, wie ich keinen gegen die Sache tun solle . . . Ich habe endlich Festigkeit des Herzens gelernt – ich bin ganz schuldlos – ich sehe die hohe genialische Liebe . . . – aber es passet nicht zu meinen Träumen.«

Er an sie: »Sei still, liebe Seele: Werde ruhig und hoffend!«

Sie an ihn: »Ach, komme . . . laß mich nicht in den fürchter-

176

Emilie von Berlepsch

lichen Leiden allein!« – »Kommen Sie ja! Sie müssen mich hören!«

Er an sie: »Ich muß vom Ätherbild scheiden, das mit jeder Stunde neue Strahlen wirft, es ist mir, als geb' ich ein Ideal aus meiner Seele weg.«

Sie an ihn: »Ich verspreche nichts und wünsche nichts – nur keine Trennung...« – »Glaube mir, wir haben noch nicht alles erkannt, was uns unser Herz gewähren kann.«

Er an sie: »Die Abendröte des gestrigen Abends verbleicht nicht, ich sehe in ihr mit goldnen Worten geschrieben: sie ist am schönsten, wenn sie am sanftesten ist.«

Sie an ihn: »Die Kinder fragen, ob Herr Richter nicht heute mit uns essen würde, weil wir Sauerkraut hätten.«

Er an Freund Otto: »Die Titanide... nahm... ihre Resignation schon oft und heftig zurück; – die glühenden Briefe werden Dir einmal unbegreiflich machen, wie ich mein Nein ohne Orkane wiederholen konnte.«

Sie an ihn: »Liebe mich und kein anderes Wesen so wie mich. Ich kann und will mich nicht ändern, denn ich fürchte das Unglück und die Öde und die Trauer meines Lebens.«

Er an sie: »Behalte ein stilles und ein warmes Herz.«

Sie an ihn: »Du hast mir oft tiefe Schmerzen gegeben! Dichterbiographen wie Du, das heißt, wie Du allein bist, sehen, fassen, bilden, zeichnen und schaffen tief die Menschheit. Aber die Wirklichkeit eines festen, unzerstörlichen, liebenden Gemüts fassen sie nicht.« – »In Hildburghausen sagt man, die Feuchtersleben wäre Ihre Braut.« – »Ich las vor einigen Tagen die Briefe von Hölderlin wieder... Einst gab ich sie Ihnen zu lesen, Sie haben sie nicht geachtet... Dieser Mann ist jetzt wütend wahnsinnig... Der Mann kann es noch weniger vertragen als das Weib, wenn er seinesgleichen um sein Tun nicht findet, aber ein jeder wird arm und ist beklagenswert in der Öde und Leere.«

Er an sie: »Die Seele... erquicke sich an einer unvergänglichen Vergangenheit!«

Sie an ihn: »Obgleich Sie so einzig waren, mir auf meine

letzten Briefe nicht zu antworten, schreib ich Ihnen doch wieder.« – »Sie zögern lange mit Ihrer Antwort.« – »Warum sind Sie so karg mit Ihrem Papier und mit der Tinte, daß Sie mir nicht ein Wort schreiben?«

Er an Freund Otto: »Ich kann Dir nicht sagen, mit welcher ersten Berechnung auf meinen ‚Titan' das Geschick mich durch alle diese Feuerproben in und außer mir, durch Weimar und durch gewisse Weiber führt. Jetzt kann ich ihn machen . . .« [den Titan].

So unversehrt geht der Autor, dem alles Erleben sich in Stoff für seine Arbeit umformt, aus dieser Seelentragödie hinaus. In der Linda des »Titan« wird diese Liebe verwertet, dann interessiert Charlotte ihn nicht mehr. Vergeblich versucht sie aus den Ruinen der Liebe noch die Freundschaft zu bergen. Selbst den Umweg über die von ihm geliebten Frauen scheut sie nicht. In der irrigen Annahme, Amöne Herold, Hauptmitglied der Hofer Erotischen Akademie (und bald Ottos Frau), sei ihre gefährlichste Nebenbuhlerin, nimmt sie diese bei sich auf. Als Jean Paul sich in Berlin verlobt, akzeptiert sie die Erwählte sofort als Dritte im gar nicht mehr existierenden Bunde. Jahrelang richtet sie ihre Briefe an das Ehepaar, bekommt aber bald nur noch von der Frau Antwort. Sie liest und beurteilt, in alter Schärfe, jedes neue Buch von ihm. Die Echolosigkeit nimmt sie nicht zur Kenntnis. Denn diese vermeintliche Freundschaft ist alles, was sie noch hat. Ihre Furcht vor der Trauer und Öde eines Lebens ohne ihn hat sich als berechtigt erwiesen. Sie altert schnell. Ihre Augenkrankheit (im »Titan« verwertet) verschlimmert sich; zeitweilig ist sie völlig blind. Sie verliert ihr Vermögen. Ihr Mann, mit dem sie nie zusammenlebt und von dem sie nie geschieden wird, erschießt sich, wie auch später ihr Sohn. Ärmlich lebt sie mit ihrer Tochter Edda, die unverheiratet bleibt, in Berlin, isoliert von der Gesellschaft, aber interessiert an allem Neuen in Literatur, Philosophie, Politik, und unentwegt mit Plänen beschäftigt, die ihr aus ihrem seelischen und finanziellen Elend heraushelfen sollen. Sie strickt und stickt für die bessere Gesellschaft Berlins, sie handelt mit Stoffen, sie will in Bayern oder Preußen Mädchenpensionate gründen, sie versucht sich in Finanzgeschäften, hofft, eine Saline billig pachten und industriell ausbeuten zu können, sie schriftstellert (erbärmlich). Aber alles schlägt fehl. Als sie durch Krankheit völlig mittellos wird, erbarmt sich eine preußische Prinzessin ihrer und bringt sie mietfrei in einem Zimmer des Berliner Schlosses unter. Sie wird 82 Jahre alt. Die Hälfte ihres Lebens hat sie so »dahin vegetiert«. Ihr brieflich ausgesprochener Wunsch: »Ehe ich sterbe, möchte ich Richter noch sehen und sprechen«, wird ihr nicht mehr erfüllt.

Jacobi gegenüber bekennt Richter einmal, Charlotte von Kalb habe für seine Bildung mehr getan, »als alle übrigen Weiber zusammen«, – aber nachdem sie das getan hat, ist ihre Aufgabe auch erfüllt. Darin geht es ihr nicht anders als den anderen Frauen, die ihn in den Jahren seiner Reisen durch die große Welt verehren und voranbringen. Ihnen allen setzt er, wenn von Bindung die Rede ist, seine provinziellen Glücksvorstellungen entgegen. Bei allen hätte er, wie bei Charlotte, sagen können: sie »passeten nicht zu meinen Träumen«.

Wie die aussehen, macht er mit einem seiner seltsamsten Bücher ohne jede Verschlüsselung der Öffentlichkeit bekannt, mit der »Konjektural-Biographie« oder, wie der Haupttitel des gesamten, mit Satiren aufgefüllten Bändchens heißt: »Jean Pauls Briefe und bevorstehender Lebenslauf« (1799).

»Daher hab' ich – kalt gegen die Engherzigkeit eines erbärmlichen Sprödetuns mit den Mysterien eigner Personalien – es geradezu (ohne meine gewöhnlichen biographischen Fiktionen) in die Welt hinaus gemalt, wie mein Leben aussehen werde von diesem Jahre an bis zu meinem letzten«, heißt es im Vorwort. Und von Sprödetun ist da wirklich keine Rede. Da wird genau datiert und Freunde und Orte beim Namen genannt, so daß kein Zweifel an der Traum-Echtheit auch des Konjektural-Lebens entsteht.

Da wird ganz deutlich, daß, erstens, Schriftstellerei ihm das wichtigste am Dasein ist (»Für mein jetziges Leben wüßt' ich nicht besseres als die Schilderei des nächsten«, heißt es gleich zu Beginn) und daß, zweitens, diese, die Schriftstellerei, ihm am besten ausführbar scheint in heimatlicher Enge, in einer Häuslichkeit, der eine dafür geeignete Frau Ordnung und Wärme gibt. So wird sein Wunsch-Leben nicht zu »einer Art«, sondern zur reinen Idylle, weil ihm nämlich die Widerborstigkeiten des »Wutz« und »Fixlein« fehlen. Landschaft, Wetter, Jahreszeiten sind immer so, wie die Gemütslagen es erfordern, ein kleines Gut steht zur Verfügung, die Arbeit geht voran und wird gewürdigt, die Enttäuschung, daß man es am Lebensende nicht dazu gebracht hat, mit eignen Werken eine Riesenbibliothek, wie die sagenhafte von Alexandria, füllen zu können, wird verwunden, die häuslichen Feste werden genossen, Kinder sind da, vor allem aber die Frau nach Wunsch: Rosinette, nach Rosina, seiner Mutter, die er schon im »Siebenkäs« (nicht ödipustriebhaft, sondern aus Mangel an anderer Anschauung) zu seiner Frau machte.

Rosinette also, das »liebe Kind«: voll munterer Laune soll es sein, soll leicht weinen und leicht lachen, leicht erröten, milde sein gegen alle Wesen, voll Wärme für den Nächsten, ein offenes Auge »für den Zauberpalast des Lebens und der Natur« soll es haben, des Mannes Freunde soll es gern haben und für sie hausfraulich sorgen, wenn sie kommen: »So sind die guten Weiber; die weiblichen Kraftgenies hingegen sind wie *wir*.«

Und dann soll Rosinette natürlich Jean Pauls Bücher gern lesen. Auf dem Spaziergang am Hochzeitstag (in aller Stille gefeiert) lesen sie gemeinsam »Jean Pauls Briefe und bevorstehender Lebenslauf«, bis er ihr »gerührt von der leuchtenden Liebe, ernst an das fromme Herz« fällt.

24.

Die bekehrte Sünderin

*

Fünf Junggesellenjahre liegen noch vor ihm. An Verehrerinnen
herrscht kein Mangel, nur haben diese von den erträumten Ro-
sinetten-Zügen nur einen: sie sind von Jean Pauls Werken begeistert. Wenn sie den Mann, der sie geschrieben hat, kennenlernen freilich, sind sie es mehr noch von ihm. Da mehrere
Liebschaften gleichzeitig aktuell sind und keine einen richtigen
Abschluß findet, bildet sich eine neue Art Erotischer Akademie, die sich aber von der Hofer in wesentlichen Punkten unterscheidet: Die Mitglieder leben in verschiedenen Orten Europas, sie sind die Werbenden, nicht er ist es, und vor allem
sind es keine kleinbürgerlichen Mädchen, sondern adlige eman-
zipierte Frauen. Gemeinsam dagegen ist beiden Kreisen, daß
alle Liebesbeteuerungen, die brieflich ausgetauscht werden, zu
keinem Ergebnis führen. Von einer kurzfristigen Verlobung abgesehen, die es in Hof auch gab, kommt es zu keiner näheren
Verbindung. Seine Tugend bringt er keiner dieser Frauen zum
Opfer. Er schwimmt durch Meere der Versuchung, ohne naß
zu werden. Wenn Eifersüchte aufkommen, hat er einen Begriff
zur Hand, der die Betroffenen kaum beruhigt haben kann: Si-
multan- oder Tuttiliebe nennt er das.

Schon im »Hesperus« kommt das vor, auf Victor, sein Ebenbild, bezogen. Mit »Gesamt- oder Zugleichliebe« übersetzt er

es da, aber auch mit »Universalliebe«, die er mit einem Fausthandschuh vergleicht, in den jede Hand schlüpfen kann, »weil keine Vorschläge die vier Finger trennen«, während die »Partialliebe dem Fingerhandschuh ähnlich ist, in den nur eine einzige hineinpaßt. Wenn er mit Berufung auf diese Art zu lieben, Ausschließlichkeitsansprüche der Damen abwehrt, klingt das wie ein Vorwurf gegen alle, die einer solchen hohen Liebesform nicht fähig sind. Daß es sich in Wahrheit aber um eine Kümmerform handelt, hätten die Betroffenen im 11. Hundsposttag nachlesen können, denn dort steht deutlich, daß es dabei um ein Gefühl geht, »das zu warm ist für die Freundschaft und zu unreif für die Liebe, das an jene [also die Freundschaft] grenzt, weil es mehrere Gegenstände einschließt, und an diese [die Liebe], weil es an dieser stirbt.«

Die »Hesperus«-Vorarbeiten gaben noch genauere Auskunft. Da sollte Victor in eine ganze Nähstube verliebt sein, aber: »Er kam in der Liebe bis auf einen gewissen Punkt (Kuß), dann hörte seine Belagerung auf.« Und bis zu diesem gewissen Punkt gehen dann auch alle Liebesbeziehungen des Autors nur. Die körperliche Erfüllung der Liebe scheint er zu fürchten. Sinnlichkeit steht bei ihm immer auf der Negativ-Seite menschlicher Empfindungen. Wenn er in der »Vorschule der Ästhetik« auf sie zu sprechen kommt, bringt er sie bezeichnenderweise mit dem Ekel in Zusammenhang: »Der stärkste Einwand gegen die Ausmalerei der sinnlichen Liebe ist kein sittlicher, sondern ein poetischer. Es gibt nämlich zwei Empfindungen, welche keinen reinen freien Kunstgenuß zulassen, weil sie aus dem Gemälde in den Zuschauer hinabsteigen und das Anschauen in Leiden verkehren, nämlich die des Ekels und die der sinnlichen Liebe.« Und später, 1813, notiert er in sein »Gedanken«-Heft: »Ich wollte, der Teufel hole den sogenannten Geschlechtstrieb; er macht den besten Menschen an sich irre, und er denkt nicht an das Gute in sich selber.«

Sicher wirkt hier protestantische Erziehung lebenslang nach. Luther hatte zwar die Ehe verweltlicht, indem er sie als Sakrament nicht anerkannte, doch galt auch ihm alles Sexuelle als

Ausdruck der Erbsünde, war außerhalb der Ehe nicht gestattet (dann hieß es »Hurerei«), in ihr nur so weit, als es der Zeugung diente, woraus sich sein schlimmer Satz über die Frauen erklärt: »Ob sie sich aber auch müde und tzu todt tragen, das schadt nicht, laß sie nur todttragen, sie sind drumb da.« Auch die Theologie der Aufklärung, die den jungen Jean Paul so nachhaltig beeinflußte, war in dieser Frage kein Stück weiter gekommen. Zedlers Universallexikon aus der zweiten Hälfte des 18. Jahrhunderts führt, Wolffs »Vernünftigen Gedanken von dem gesellschaftlichen Leben des Menschen« folgend, aus, daß »die Lust, welche nur ein Mittel ist, wohin die Lust des Beischlafes gleichfalls gehöret«, nicht »wider die Natur zu einem Endzweck« gemacht werden dürfe. Die Frage, warum dann aber die Natur dem Manne den »Samenüberfluß« gegeben habe, beantwortet das Lexikon mit der Gegenfrage, ob der denn nicht durch übermäßiges Essen und Trinken und »verderbte Begierde des Willens« hervorgerufen werde.

Die andere Quelle, aus der antisexuelle Theorie und Praxis bei Jean Paul gespeist werden, ist sein Bürgerstolz. So wie Pietismus und Empfindsamkeit sich als bürgerliche Gegenbewegung gegen den Atheismus und Zynismus des Adels verstehen, so hat auch die Tugendpredigerei einen ausgesprochen antifeudalen Zug. Amoralität und Materialismus, die für Jean Paul zusammengehören, sind Sache der Aristokraten; Keuschheit, verbunden mit seelischer Differenziertheit, ist eine bürgerliche, ja revolutionäre Tugend. Das ist in seinen Werken überall da, oft schon zum Klischee erstarrt, und nicht nur bei ihm. Höfling und Lüstling sind fast Synonyme. Jungfrauen und Jünglinge aus der reinen Bürgerwelt betreten den Hof wie eine Lasterhöhle. Hinter jeder Ecke lauert der Versucher, die Versucherin.

Jean Paul widersteht allen. Nach Aussage seines Neffen legt er sich mit 38 Jahren unberührt ins Ehebett. Es gibt keinen Anlaß, daran zu zweifeln. Nicht daß er impotent gewesen wäre, oder auch nur unsinnlich. Wahrscheinlich hat Novalis recht, der hinter dem empfindsamen Tugendschwärmer einen großen Wollüstling vermutet. Sicher ahnt Novalis etwas von dem Vorgang, den man heute Sublimierung nennt. Darin ist Jean Paul ein Meister, davon lebt er als Autor. Sein Jammern über seine Unbeweibtheit reißt nicht ab, selbst in der Zeit nicht, in der die schönsten (und reichsten) Frauen ihn umwerben. Im Küssen und Umarmen ist er unersättlich, aber weiter läßt er es nicht kommen. Nicht nur, weil das Bindung für ihn bedeuten würde. Er hat auch Angst vor dem Fertigsein, vor der Wirklichkeit der Liebe. Sehnsucht nach ihr ist ihm ein mächtigerer Antrieb. Er ist der Autor der Jünglingsgefühle. Deshalb will er der ewige Jüngling bleiben. Er erträgt die Sexualnot, weil deren Umformung seine Dichterstärke ausmacht. Was er wie kein anderer beschreiben kann, ist nicht die Liebe, sondern der Traum von ihr. Über die Gestalt der Natalie im »Siebenkäs« schreibt er an Schlichtegroll: »Die ewige Sehnsucht nach dem Ideal wird durch die Darstellung desselben entladen wie die Liebe durch Besitz.« Genau das ist es: Er zieht die Entladung durch Schreiben der durch Erleben vor.

Das Ergebnis ist, daß es eine große, leidenschaftliche Liebe in seinem Leben nicht gibt. Bei den fünf jungen Mädchen in Hof ist beständig in seinem Verhältnis zu ihnen nur der Wechsel. Zuerst steht er sich mit Renate Wirth am besten, tritt dann Helene Köhler näher, verliebt sich in Amöne Herold, um sich danach mit deren jüngerer Schwester (15 Jahre alt) zu verloben. Die Neigung zu Amöne (die übrigens später seine Briefe an sie durch Streichungen und Zusätze zu ihren Gunsten verfälschte) war vielleicht die heftigste seines Lebens. Sein Tagebuch vom Januar 1793 verzeichnet, als sich sein Freund Christian Otto auch um Amöne bewirbt, drei Wochen Eifersuchtsqualen – die plötzlich mit einem »blauen Himmel« für ihn enden: »Mein Buch war da. Meine Freude war fast Andacht.« Er hat das erste Exemplar der »Unsichtbaren Loge« in der Hand und vergißt darüber seinen Liebeskummer, der dann im »Hesperus« zum Stoff wird. Er ist eben Schriftsteller; alles andere, auch Liebender, erst in zweiter Linie.

Wenn nach dem »Hesperus« dann aber die erfahrenen Frauen kommen, wird aus dem sanften Werber ein heftig Umworbener. Oft beginnt es brieflich, aber nicht immer. Frau Juliane von Krüdener zum Beispiel spricht persönlich vor. Am 17. August 1796, also einige Wochen nach der Weimar-Reise, steht die Weltdame plötzlich in der ärmlichen Stube der Mutter Richter. Sie ist blond und von zierlicher Schlankheit. Das Bezauberndste aber an ihr sind die großen, tiefblauen Augen in ihrem Mädchengesicht. Angelika Kauffmann hat sie gemalt, mit ihrem Söhnchen zur Seite, das sinnigerweise Amors Bogen in der Hand hält. »Sie kamen wie ein Traum. Sie flohen wie ein Traum, und ich lebe noch in einem Traum«, schreibt Jean Paul im ersten Brief an sie.

Sie ist 32 Jahre alt, er 33. Sie stammt aus einer reichen baltischen Adelsfamilie, ist in Riga geboren, in Rußland also, spricht Deutsch und Französisch gleich schlecht und ist mit einem 20 Jahre älteren russischen Diplomaten verheiratet, mit dem und ohne den sie durch Europa reist: Venedig, Rom, Südfrankreich, Paris, Schweiz, Kopenhagen, Berlin, Leipzig. Sie hat ein luxuriöses Leben und einige Liebesabenteuer mit französischen Aristokraten hinter sich und träumt nun von Schriftstellerruhm und einem naturverbundenen Leben à la Rousseau in der Schweiz, das sie aber nicht beginnen will, ohne vorher den berühmten »Hesperus«-Dichter gesehen zu haben.

Der kurze Vormittagsbesuch wird ein voller Erfolg. Beide sind begeistert voneinander. Sie reden von schönen Gefühlen und erhabenen Gedanken, weinen miteinander und fühlen sich verstanden. Beide können ein Wiedersehen kaum erwarten. Erst will er zu ihr nach Leipzig, dann sie zu ihm nach Hof, schließlich treffen sie sich in Bayreuth. »Ich blätterte 2 Abende in ihrem Herzen«, schreibt er Friedrich von Oertel, der vor ihrem Egoismus warnte. »Sie hat meine Seele erobert, ich sehe ihre Sonnen- und Sommerflecken des Weltlebens, ihre übertriebene Selbstachtung, ihre weiblichen Niederlagen; – aber ich sehe auch den fliegenden glühenden Geist.«

In der einen Woche, die sie noch in Leipzig verbringt, gehen noch mehrere gefühlvolle Briefe hin und her, dann reist sie ab, schreibt auch gleich aus der Schweiz – aber Jean Paul ant-

Juliane von Krüdener um 1790
Gemälde von A. Kauffmann

wortet nicht: Er schreibt am »Jubelsenior«. Sie versucht es wieder. Da schreibt er am »Titan«. So schnell die Verliebtheit kam, so schnell ist sie vergessen. In den vier Jahren, in denen Frau von Krüdener ihm wieder und wieder schreibt, antwortet er nur einmal. Auch die Einladung, ihr in ihre »Einsamkeit« zu folgen, ignoriert er. »Ich habe eins der angenehmsten Häuser bei Lausanne, was Aussicht und Lage betrifft. Sie würden mich wirklich sehr erfreuen, wenn Sie ein Zimmer darin annähmen, dort ganz ohne Zwang mit ihren Büchern unter dem Schatten der Alpen lebten und ihrer Freundin so einige Zeit ihres Leben schenken. Mit offenem, wahren Zutrauen, das keinen Prunk kennt, bietet Ihnen mein Herz dieses an, und ich wäre sehr glücklich, wenn Sie ja sagten.«

Er aber sagt gar nichts, arbeitet, schreibt anderen Frauen, die näher sind, ist vielleicht auch aufgewacht aus seinem Traum von der schönen Philanthropin, als die sie sich ausgibt, weil er langsam gemerkt hat, daß sie Berühmtheiten sammelt, wie andere Leute Jagdtrophäen, und daß ihr Sonderwunsch an ihn der ist, eine seiner Romanheldinnen zu werden.

Als dunkle Andeutung erscheint das schon in ihrem ersten Brief, der auch schon ihre Fähigkeit deutlich macht, seitenlang Hochachtungsvolles über sich selbst zu sagen. »Ich komme mir selbst vor wie eine reiche Goldgrube, die ihren Wert zwar erkennt, sich aber selber nicht sichtbar machen kann. So trage ich zwar einen Schatz und lebe von ihm, aber nur das Auge des Philosophen, das die schönen Tränen des Gefühls kennt, nur dieses Auge kann mich durchschauen und könnte den Gedanken meines Ichs aus der Wiege nehmen, worin er für die Menschen schlummerte, ihn den Menschen zu zeigen, fühlbar machen und meine dunkle Gefühle Licht aufprägen. [So ist ihr Deutsch!] Das kann die Hand des Genies.«

Diesen Wink kann seine Verliebtheit noch übersehen. Auch wenn sie später von seinen »schönen Schöpfungen« als einem Elysium spricht, um bei dieser Gelegenheit den Wunsch äußern zu können, »in diesem schönen Paradiese naturalisiert zu werden«, kann das noch alles Mögliche bedeuten. Dann aber wird sie deutlicher, wenn auch bescheidener: nur »einige Zeilen« möchte sie von ihm, »über unsere erste Zusammenkunft, mein Bild, entworfen von Ihrer Hand, etwas über meine Züge und mein Herz, wie Sie selbige sehen.« Und als er nicht antwortet, wiederholt sie die Bitte. »Schicken Sie mir bei einer müßigen Stunde die Szene unserer ersten Bekanntschaft, nur flüchtig hingeworfen. O, wie wünschte ich, noch einmal die Augenblicke herzuzaubern, die so lieblich in meinem Leben gewebt sind.«

Die Eleganz, mit der er das ablehnt, ohne den pathetischen Ton dieses seltsamen Liebesbriefwechsels zu verletzen, ist bewundernswert. »Der mit Dinte gemalte Widerschein des inneren Feuers hat nicht die Wärme, nur die Farbe des Feuers...« Danach aber schweigt er für vier Jahre.

Die ruhelose Dame verbringt ihre ländliche Zurückgezogenheit vorwiegend in Kreisen französischer Aristokraten, die die Revolution in die Schweiz verschlagen hat. Sie reist umher, bezaubert in Zürich Lavater, dem sie Jean Pauls Briefe vorliest, so wie sie in Bayreuth Jean Paul die Briefe anderer Berühmtheiten vorgeführt hat, mal ist sie in München, mal in Teplitz, in Dresden, mal auf ihrem Gut bei Riga, mal trifft sie sich auch mit ihrem Mann, dem es gelingt, sie nach Berlin zu holen, wo er russischer Gesandter ist. Kaum hört sie 1801, daß Jean Paul auch dort ist, versucht sie wieder, das alte Verhältnis zu erneuern.

»Jean Paul! Beleben Sie durch Ihren Umgang die stilleren Stunden meines hier dem Weltverkehr zu sehr gewidmeten Lebens«, schreibt sie.

Und das tut er, obwohl er kurz vor seiner Hochzeit steht, ausgiebig. Wieder wirkt ihr Zauber, aber nur, solange er gegenwärtig ist. Kaum hat Jean Paul, frisch verheiratet, Berlin verlassen, ist Frau von Krüdener vergessen. Ihre Briefe beantwortet er nicht mehr, bis auf den einen, ihren längsten, ein wahres Meisterwerk edler Leere und beeindruckenden Selbstlobs. Den Ehrgeiz, von Jean Pauls Dinte gemalt zu werden, hat sie nicht mehr. Das hat sie inzwischen selbst besorgt: Die Titelheldin ihres in

Juliane von Krüdener um 1820

Paris erschienenen Romans »Valérie« ist ihr Traum von sich selbst.

Madame de Staël, die in ihr allerdings eine Konkurrentin (in bezug auf Leser als auch auf Männer) sieht, urteilte vernichtend: »Dieses Buch ist eine solche Karikatur der Gattung Roman, daß man sich schämt, sich ihrer noch weiter zu bedienen.« Die Verfasserin selbst ist freilich anderer Meinung. Sie nennt ihr Buch in aller Bescheidenheit »einfach und gut«, beschreibt Jean Paul detailreich alle Kennzeichen ihres enormen Ruhms (die lobenden Rezensionen der »ersten Schriftsteller Frankreichs«, die nassen Augen der Leserinnen, die Hüte und Schals à la Valérie, die Leserbriefe, die Romanzen, die ihr komponiert wurden), erzählt, wie ihr, »verloren im Entzücken der Natur«, die Romanidee kam, wie ihre Absicht, den »Nebenmenschen nützlich sein zu können«, sich verwirklichte, wie der Roman ihr aus der Seele strömte, »daß ich nicht weiß, ob es ein Hauch oder eine Schrift ist«, um dann zum Kern zu kommen.

»Nun zur Sache! Seien Sie so gut, bester Jean Paul, eine kleine Rezension über Valérie zu machen«, und zwar in einer Literaturzeitung, die in Rußland gelesen wird; denn in Frankreich und Deutschland ist ihr Ruhm schon groß genug. Nun aber will sie zum Zaren Alexander, will dort Gutes wirken, ihren »Bauern Freiheit verschaffen, wenigstens ihnen nützlich sein.« Nur dazu wünscht sie Ruhm auch in Rußland. »Hätte ich bloß Eitelkeit – o, die ist genug befriedigt worden! Aber mein Herz hat noch mächtigere, noch edlere Bedürfnisse.« Und deshalb fühlt sie sich auch berechtigt, Jean Paul genaue Anweisungen zu geben, was die Rezension enthalten soll. Die große Moralität des Buches soll er herausstreichen, »weil die unleugbar ist«, Saint-Pierre soll er zitieren (das Zitat liefert sie mit), den Erfolg beschreiben und auch des Enthusiasmus' gedenken, mit dem die Verfasserin überschüttet wurde.

Auf diesen Brief antwortet er, ohne die gewünschte Rezension auch nur zu erwähnen. Es ist der letzte Brief an sie. Aber daß er sie nicht vergessen kann, dafür sorgt sie, indem sie noch viel von sich reden macht. Denn ihre große Zeit beginnt erst jetzt.

Nachdem ihr Dichterruhm verraucht ist und sie durch ihr ausschweifendes Leben ihre Schönheit und – wie das Gerücht geht – auch ihre berühmten blonden Haare eingebüßt hat, macht sie sich einen Namen als religiöse Schwärmerin. Betend und predigend reist sie durch Europa, wirkt für christliche Wiedererweckung, versucht, unter vielen anderen, Madame de Staël zu bekehren und greift schließlich zur Zeit der Befreiungskriege – ohne ihre Bauern befreit zu haben – in die Weltgeschichte ein, indem sie Einfluß auf den Zaren Alexander gewinnt und diesen zur Gründung der »Heiligen Allianz« veranlaßt.

Jean Paul gedenkt ihrer 1817 noch einmal in einer Notiz zum unvollendet gebliebenen »Überchristentum«, wo er sie für harmlos erklärt, da sie keine Sekten stifte, sondern nur eine »Allzeit-Predigerin« sei. Goethe aber, der, nicht nur seiner Geistesgröße, sondern auch seines Alters wegen, bei allem das letzte Wort hat, hat es auch hier. Nach ihrem Tod bemerkt er zu Kanzler Müller als »Nekrolog der Frau von Krüdener: So ein Leben ist wie Hobelspäne; kaum ein Häufchen Asche ist daraus zu gewinnen zum Seifensieden.« Und in seinem Nachlaß findet sich ein schon 1818, also noch zu der Zeit, als sie die »Lady der Heiligen Allianz« war, verfaßtes Gedicht:

> »Frau von Krüdener
> Junge Huren, alte Nonnen
> Hatten sonst schon viel gewonnen,
> Wenn, von Pfaffen wohlberaten,
> Sie im Kloster Wunder taten.
> Jetzt geht's über Land und Leute
> Durch Europens edle Weite!
> Hofgemäße Löwen schranzen,
> Affen, Hund' und Bären tanzen –
> Neue leid'ge Zauberflöten –
> Hurenpack, zuletzt Propheten!«

25.

Opfer der Planung

*

Erfolg ist für Schriftsteller notwendig und gefährlich. Die Bücher, die man wie umfangreiche Briefe an Unbekannte in die Welt geschickt hat, erhalten durch ihn ihre Antwort. Er schafft das Selbstvertrauen, das man zur Weiterarbeit braucht. Aber er bringt auch Belastung, Versuchung und Entfremdung. Die Öffentlichkeit nimmt niemanden auf, ohne Opfer zu fordern. Das Geld wird reichlicher, aber Arbeitszeit und -kraft werden knapper. Das Licht, in das man sich gedrängt hat, droht einen zu blenden. Die Höhe, die man erklommen hat, kann die Perspektiven verzerren. Mancher ist verurteilt, ein Doppelleben zu führen: im erlauchten Kreis der Berühmtheiten und (in diesem Fall) in der engen Stube der Mutter, die jetzt, da die Not vorbei ist, sich aufs Sterbelager legt.

Die nach Talenten hungernden Radio-, Film- und Fernsehleute, die sich heute auf jeden erfolgversprechenden Anfänger stürzen und ihn von seinen eignen Plänen abzuziehen versuchen, wurden damals vollauf ersetzt durch eine Unzahl von Verlegern, die sich gegenseitig die Autoren abzujagen versuchten. Ihre Angebote waren verlockend, besonders für einen Autor, der es gewöhnt war, von ihnen abgewiesen zu werden.

Gleich nach dem »Hesperus« ist der »Titan« an der Reihe. Aber da es nicht recht vorwärts gehen will damit, wird Jean

Paul die Versuchungen der Verleger nur los, indem er ihnen nachgibt. Seine erste Planabweichung wird ein Zufallstreffer: der »Siebenkäs«. Dann aber bringen die Nebenarbeiten tatsächlich nur Nebenprodukte hervor: Den idyllenartigen »Jubelsenior«, der die Schönheit von »Wutz« und »Fixlein« nicht erreicht, das moralisch-erbauliche Traktat »Das Kampanertal oder über die Unsterblichkeit der Seele«, dem eine recht müde Satire (nach Lichtenbergs Erklärung der Hogarthschen Kupferstiche gefertigt) unter dem Titel »Erklärungen der Holzschnitte unter den 10 Geboten des Katechismus« angehängt ist, die »Palingenesien«, in denen neue und aktualisierte alte Satiren aus den »Teufelspapieren« durch die Beschreibung einer Reise nach Nürnberg (zu einer Traumfrau des Erzählers, die eine Hermina genannte Rosinette ist) zusammengehalten werden, und schließlich die schon erwähnten »Briefe und bevorstehender Lebenslauf«.

Die Arbeitsleistung, die mehr imponiert als deren Ergebnis, wird unvorstellbar, wenn man die vielen Begegnungen, Reisen, Umzüge und Briefe bedenkt, die ihn in diesen Jahren von der Arbeit abhalten. Seine Korrespondenz mit Verlegern und Literaten wird reger. Immer neue Freundinnen und Freunde, Verehrerinnen und Verehrer kommen zu den alten hinzu, besuchen ihn, werden besucht, schreiben, werden mit Briefen bedacht. Zwischen 1796 und 1800 schreibt er durchschnittlich mehr als 200, zum Teil sehr lange und mühsam erarbeitete Briefe pro Jahr. Dazu ist er weiterhin unersättlich im Lesen und Exzerpieren.

Eine der Frauen, die ihm viel Zeit kosten, ist Emilie von Berlepsch. Sie wird nicht später zur Schriftstellerin wie Charlotte von Kalb und Juliane von Krüdener – sie ist schon eine. Dramen und Gedichte hat sie veröffentlicht, ist in Weimar bekannt, mit Herders befreundet, hat an Anna Amaliens Tafelrunde vorgelesen, aber wenig Sympathie geerntet. Wieland spottet über sie, Frau von Stein schildert sie als »lustig und munter und dick und fett«, und Wilhelm von Humboldt, der sie als Student in Göttingen kennenlernte, nennt sie eingebildet, eitel und geschwätzig. Ein Gemälde zeigt sie aufgedonnert und üppig mit klassischem Profil.

Sie stammt aus vornehmer Familie. Ihre Mutter war eine geborene Gräfin Dönhoff, die nach dem Tod von Emiliens Vater einen »natürlichen« Sohn des Königs von Schweden heiratete. Emilie war schon mit 17 verheiratet worden, hatte aber mit ihrem Mann kaum zusammengelebt. Als sie 1797 von Leipzig nach Franzensbad reist und in Hof Station macht, ist sie gerade geschieden worden. Ihr Alter: 42. Jean Paul ist 34.

»Ich weiß voraus, sie wird mich zu sehr einnehmen«, schreibt er schon vorher an Oertel. »Das doppelte Lesegeld gäb ich darum, hätt' ich nur eines ihrer Werke gelesen oder wüßte die Titelblätter auswendig.« Aber es geht auch ohne literarische Vorkenntnisse gut. Am 3. Juli heißt es in einem Billet an Otto: »Die Berlepsch bleibt auch heute hier«, und am 24. schon spricht er von Abreise und böhmischem Geld und reist auch wirklich, am 25., der üppigen Dame nach, obwohl seine Mutter krank ist.

Am nächsten Tag schon erreicht ihn die Nachricht vom Tod der Mutter. Er fährt zurück, begräbt sie und ist schon eine Woche später wieder in Franzensbad. Im August noch kommt Emilie wieder nach Hof. Sie verabreden ein Wiedersehen in Leipzig.

»Hof vertausch' ich in einem Vierteljahre, aber ich weiß nicht gegen welche Stadt«, schrieb er kurz vorher an Karoline Herder. Jetzt weiß er es. In seinem, den Umzug ankündigenden Brief an Oertel gibt er als Grund für die Wahl Leipzigs das Studium seines Bruders Samuel an. Gleich dahinter aber steht der Satz: »Auch die Berlepsch zieht nach Leipzig.«

Seine Ansprüche an die zukünftige Behausung sind nicht besonders groß: »Sie muß 1 erträgliche Stube für mich, eine kleinere für meinen Bruder und eine Schlafkammer für uns beide haben – ferner kann sie in der Vorstadt und ohne Aussicht sein (für etwa 30 rtl.) – Rauch und Sonnenhitze und besondere Winterkälte darf sie nicht haben – einige Möbeln (da ich mein Gerümpel nicht gern so weit transportiere) und sogar die Gelegenheit, mit oder von den Leuten im Hause zu essen, wäre mir als Surrogat meiner eingebüßten Häuslichkeit erwünscht... Unter Möbeln meine ich bloß elende.«

Die Wohnung besorgt der Verleger Beigang. Anfang November ist es soweit. Der Abschied von Hof und von Christian Otto fällt ihm schwerer, als er erwartete. Er wohnt erst in der Peterstraße, wie vor Jahren als Student, dann am Nicolaikirchhof. Der Theologe Abegg, der ihn im Mai 1798 besucht, beschreibt die Wohnung so: »Er wohnt im dritten Stock, und sein Arbeitszimmer sieht sehr einfach aus. Gegen das eine Fenster ist ein langer Tisch gestellt; zur Rechten hat er ein Gestell von Brettern, auf welchen von oben bis unten Mappen, als wäre er ein Advokat, liegen. Seine Bibliothek ist sehr schwach, diese steht gleich an der Türe und ist nicht gehörig geordnet.«

Da sitzt er nun, der berühmte Autor, bleich und hager, in der Stadt der Bücher, die doch weniger eine der Bücherschreiber als der Buchhändler ist. Seinen Abschied von Hof bezeichnet er als den Abschluß seiner Jugendzeit, aber schon gehen dem 34jährigen die Haare aus. Er nimmt sich vor, auch in Leipzig sehr fleißig zu sein, sich nur die Mittagsstunden, von 12 bis 14 Uhr, und die Zeit nach dem Abendessen rauben zu lassen; denn er habe »noch so wenig zu leben und noch so viel zu schreiben.«

Aber das wird ihm in der geschäftigen Stadt schwergemacht. Theater, wie er es noch nie gesehen, Konzerte, wie er sie noch nie gehört hat, locken ihn vom Arbeitstisch weg, viel mehr aber noch die täglich zahlreicher werdenden Bekannten. »Wie dem Adam die Tiere«, werden ihm die Leute präsentiert, und er kann niemanden wegschicken, keine der vielen Einladungen ablehnen. »Zu jedem bin ich gebeten, und jeder neue Bekannte macht wie ein Narr zehn.« Alles erlebt er wie ein Abenteuer. Anfangs genießt er seinen Ruhm, ist geblendet vom Luxus der Essen, der Feste, der Bälle. Seine Briefe an Otto enthalten ganze Listen berühmter Namen: Platner, sein ehemals bewunderter Lehrer, Weiße, dem er mal erfolglos seine ersten Arbeiten gab, Kotzebue, Thümmel, der Kapellmeister Reichardt,

Schelling, Professoren, Buchhändler und nicht zuletzt Verleger, die sich dem Erfolgreichen angenehm zu machen versuchen. Bald aber wird es ihm zu viel. »Lob ist kein Glück, und Zerstreuung auch nicht.« Seine Klagen über Zeitmangel häufen sich, und das Heimweh nach dem stillen Hof wächst so sehr, daß er die ersten Semesterferien seines Bruders dazu benutzt, sich dort zu erholen. Bald aber stürzt er sich wieder in den Trubel. »Unter der Messe wurd ich so besucht, als stände ich außer dem Tore und mäße entweder 2 Schuh oder 8.«

Die meiste Zeit und Kraft aber stiehlt ihm Emilie von Berlepsch. Die Gefühlskurve seines Verhältnisses zu ihr ähnelt sehr der zu den anderen Frauen dieser Art. Es beginnt mit enthusiastischen Lobsprüchen. Nicht genug weiß er neben ihrem geistigen Höhenflug ihre Unsinnlichkeit zu rühmen, die es ihm gestattet, ihre »Seele... ohne Ecken und Widersprüche zu genießen«. »Sie ist die erste genialische Frau, bei der mein Herz keine moralischen Schmerzen litt.«

Naiv genug ist er, an ihre Absichtslosigkeit zu glauben. Um diese zu betonen, macht Emilie ihm in Franzensbad den Vorschlag, ein mit ihr befreundetes Fräulein Heidegger zu heiraten und sie, Emilie, bei dem jungen Paar wohnen zu lassen. Doch bald, schon vor Leipzig, meldet sie brieflich Ausschließlichkeitsansprüche an, die er unter Berufung auf seine Simultan-Liebe heftig abwehrt. »Ich habe nie eine Seele der andern geopfert... Der Mensch ist ein aus so vielen Kräften zusammengeimpftes Wesen (gleichsam mehr ein Baum-Garten als ein Baum), daß er zum Gedeihen fast Sonne und Regen und Frühling und Herbst und Licht und Schatten zugleich bedarf: er hält oft die Übermacht einer Kraft für Harmonie aller Kräfte und den freien Anklang aller Töne für Disharmonie. Ich sehne mich... von der Messiade zum Epigramm, vom Kampaner Tal in die Holzschnitte – von der Dichtkunst ins bürgerliche Leben – vom Land in die Stadt – von Ihnen zu andern, – aber freilich noch stärker zurück.«

Doch sie besänftigt ihn, verspricht ihm volle Freiheit. Und sie ziehen beide nach Leipzig. Sie hat ein Sommerhaus in Gohlis draußen, wo immer ein Zimmer für ihn zur Arbeit im Grünen offen steht. In Leipzig und Weimar will man schon wissen, daß Jean Paul und Emilie von Berlepsch bald heiraten werden. Aber es wird nichts daraus, trotz all ihrer Bemühungen, oder gerade wegen dieser. Von Unsinnlichkeit ist nun keine Rede mehr. Im Gegenteil, und von dem reichen Fräulein Heidegger auch nicht, nur noch von ihr selbst.

Wie immer in solchen Fällen, ist auch er so ganz unschuldig an dieser Entwicklung nicht. War vorher noch davon die Rede, daß die »physische Liebe... den Schmetterlingsflügel der höhern« abreibt, so scheint er sich in Leipzig, wo er sich ohne die Hofer Freunde, trotz allen Trubels, einsam fühlt, ehe sie ankommt, eines Besseren besonnen zu haben, wenn er ihr schreibt, daß die »Wortsprache«, die allein er sonst schätzte, vielleicht durch die »Körpersprache« überflüssig würde, »wenn der Mensch an der Seite und an den Augen und an dem Herzen und an den Lippen seiner geliebten Seele ist.« Aber als Emilie dann da ist und ihre Forderungen stellt, da packt ihn wieder die Angst vor »Hand und Halfter«, er weicht aus, es kommt zu Szenen, »die noch keine Feder gemalt«, mit Blutspeien, Ohnmachten. Dann aber verspricht sie ihm jede Freiheit – und er ihr in einer schwachen Stunde die Ehe.

Die Versuchung, das Versprechen zu halten, ist groß, nicht nur die fleischliche, auch die materielle. Er hungert nicht mehr, aber glänzend steht er sich finanziell auch nicht. Alle Essen-, Reise- und Mietkosten beschäftigen ihn nach wie vor sehr; Papier, das in Leipzig teuer ist, läßt er sich aus Hof schicken. Frau von Berlepsch aber will ihm ein Landgut kaufen, wo immer er will, »am Neckar, am Rhein, in der Schweiz, im Vogtland«. Aber er widersteht der Versuchung, übersteht zwei »aus der glühendsten Hölle gehobene Tage« und kann frohlokken: »Ich bin frei, frei, frei und selig, geb ihr aber, was ich kann«, nämlich ein Teilchen seiner Universalliebe, mit der sie sich nun zufrieden geben muß. »Ach, ich hätte eher den Knoten so durchschneiden sollen, ich hätte dadurch tiefere und vergiftete Schnitte erspart. Wir leben in ungetrübter Freundschaft, und sogar ihre hat die Möglichkeit, sich in etwas Heißeres zu verkehren, verloren.«

Er macht noch eine Reise mit ihr, nach Dresden, auf der sich die angebliche Freundschaft in Abneigung verkehrt, da er jetzt erst ihren aristokratischen Hochmut »gegen Niedere« wahrnimmt und die Bindung an sie endgültig satt hat. »Ach, ich habe keine Freiheit, das ist's ... Ich reise künftig nie anders als zu Fuß und allein.« Emilie entschließt sich zu einem Besuch in Schottland und heiratet später einen mecklenburgischen Gutspächter. Er schreibt ihr noch jahrelang blumige Briefe, denen man anmerkt, daß er ihr nichts mehr zu sagen hat. Wieder geht eine Aristokratinnen-Episode (nicht die letzte) zu Ende mit der Erkenntnis, daß sie zu seinen Träumen nicht paßt.

Aber was er Träume nennt, ist eigentlich ein Lebensplan, der ihn leitet. Immer scheint er in Gefühlen zu schwimmen; aber er schwimmt mit festem Ziel. Wenn er oft als Wunder registriert, daß Fiktionen seiner Bücher zu Fakten seines Lebens werden, so übersieht er, daß er selbst das Wunder vollbringt, seine Wünsche zu Wirklichkeiten werden zu lassen. Was dieses Leben so faszinierend und, bei aller Rationalität, auch unheimlich macht, ist, daß er immer genau weiß, was er will. Kein Zufall, keine Armut, kein Reichtum können ihn irre machen daran. Daß die wenigsten Leute das können, bedrückt ihn. Wochen-, Jahres- oder Geschäftspläne sieht er, aber keine fürs Leben. »Die Menschen sind auf ihrem Wege ohne Ziel, und der Zufall, die Not und die Begierde drängen sie an eines, und das nehmen sie für ihres: Goldstücke und Ehrenmedaillen ziehen den Menschen am längsten im Leben nieder, und so stirbt der äußere, ohne daß der innere je flog.« Die »Dumpfheit der menschlichen Wünsche« beklagt er, und an die Friedhöfe möchte er die »allgemeine Grabschrift setzen: Hier liegen die Wesen, die sonst nicht wußten, was sie haben wollten«.

Das schreibt er Frau von Berlepsch schon in den Anfängen ihrer Beziehungen, und sie stimmt dem zu, ohne zu ahnen, daß sie, wie andere, ein Opfer seines Lebensplanes werden wird.

Ohne ihm zu unterstellen, daß es bewußt geschieht: Im Grunde sind alle diese adligen Damen nur Stoff für seinen »Kardinalroman«. Alle Affären dieser Art liegen zeitlich zwischen dem Beginn und dem Abschluß der Arbeit an ihm. Die Frauen spielen die gleiche Rolle für ihn wie die wechselnden Wohn- und Besuchsorte dieser Jahre: vorwiegend Residenzen, die er sich für seinen »Titan« erobern muß. Nur Leipzig ist die Ausnahme, ein Mißgriff. Doch das merkt er bald.

Als er von Dresden heimkehrt, ist der Student Samuel mit der Kasse seines großen Bruders durchgebrannt. Nun hält Jean Paul nichts mehr in dieser Stadt, deren Umgebung platt ist, wie die Seelen seiner Bewohner. Die Handelsstadt sagt ihm nicht zu, weil ihm die Handelsleute zuwider sind. Er liebt das Kleinbürgertum, wie man seine Heimat liebt, und, mit einer Haßliebe, den Adel, als Gegenstand seiner Romane und Satiren. So wenig wie französische Revolutionäre wußten, daß das Ergebnis ihres Kampfes die Herrschaft der Profitmacher sein würde, so wenig wußte Jean Paul, daß seine gesellschaftsverändernde literarische Arbeit den Leuten zugute kommen wird, die er vor Verachtung kaum zur Kenntnis nimmt: den »Krämern«, den »merkantilischen, geldachtenden, egoistischen Seelen« der Bourgeoisie.

Die Reisen, die er von Leipzig aus noch unternimmt, wirklich zu Fuß und allein, sind eigentlich Erkundungsgänge. Er ist auf der Suche nach einem neuen Wohnort. Er braucht »Leute, die einen anstrengen und übertreffen.« Bei Lafontaine in Halle, bei Kapellmeister Reichardt in Giebichenstein findet er die genausowenig wie bei Gleim in Halberstadt. Bleibt also nur Weimar. »Bloß im Sommerrock und mit Taschen voll Schuhen und Wäsche, ohne Mantelsack und ohne alles«, geht es über Weißenfels, wo er zu Gast bei den Eltern von Novalis ist, und über Jena, wo er mit Fichte speist und Schiller ihn, wegen angeblicher Krankheit, nicht empfängt, nach Weimar, wo er Goethe und Wieland besucht und ein gerührtes Wiedersehen mit dem Ehepaar Herder feiert.

Bei Wieland in Oßmannstedt »mußt' ich wegen meines

weitgegitterten Sommerornats in der häßlichen Kälte seinen Rock anziehen ... und ging wie der Alte im Haus herum. Gott schenke jedem Dichter eine so anstellige, weich-anfassende, feste, nachsehende und nachlaufende, biedere, klare Frau. Da im Reichsanzeiger über die Ruhr von Erkältung gelesen wurde: brachte sie mir warme Strümpfe aus Angst ... In seinen Zölibats- und Witwen-Töchtern liegen schöne Herzen, aber mit den Gesichtern will's nicht fort ... Sie sagte ihm mittags den Vorschlag (und er behauptete, ihn schon am Morgen gedacht zu haben), daß ich im entgegengesetzten Hause wohnen ... und bei ihnen essen sollte (für Geld) – er sagte, er bekomme neues Leben durch mich – und alle liebten mich; – natürlich weil ich sie immer lachen mache, und weil man die ganze Familie lieben muß. Ich verhieß, in Weimar nachzusinnen. Allein, das geht nicht, weil zwei Dichter nicht ewig zusammenpassen – weil ich keine Kette, und wäre sie aus Duft an der blassen Mondsglut geschmiedet, anhaben will – und weil ich gewiß weiß, daß ich in der Einsamkeit und in der Gesellschaft darauf am Ende eine von seinen Töchtern heiraten würde, welches gegen meinen Plan ist.«

Also mietet er sich ein Logis in der Stadt, an der Westseite des Marktes, an der Ecke der Windischengasse, beim Sattlermeister Kienholz.

»Eia, wären wir da! Aber dann liebes Geschick, treibe mich nicht wieder aus, binde mich an meine Frau und an meinen Stuhl und führe mich in die Ruhe, die ich sonst so mied.«

26.

Der Bund der Wahrheit
und
der Liebe

*

In der Hamburger Zeitschrift »Genius der Zeit« erschienen
1799 anonyme »Bemerkungen über Weimar«, die einen ehemaligen Mönch und späteren Philosphieprofessor, Joseph Rük-
kert, zum Verfasser hatten. Über Jean Paul weiß dieser Plauderer zu berichten: »Jean Paul Richter, dieser berühmte Dichter mit zweien Köpfen, deren einer eine Cherubs-, der andere
eine Satyrs-Physiognomie hat, wandelt erst seit kurzer Zeit auf
Weimars fruchtbaren poetischen Auen. Die freie und schöne
Muse dieses Ortes scheint ihn aus dem geräuschvollen Markte
von Leipzig, wo er sich zuvor aufhielt, herbeigesungen zu haben. Richter ist aus Hof gebürtig, wo er in frühern Jahren
einige Zeit den Hauslehrer machte, und wo sich sein Genius
nicht unter den günstigsten Umständen entfaltend, endlich mit
Adlerschwingen vor dem erstaunten Auge der Welt erhob.
Dieser Aufflug, in dem man ihn erkannte und bewunderte, geschah mit dem Hesperus. Aus seinen vorhergegangenen Werken konnte niemand klug werden ... Das Äußere dieses merk-
würdigen Mannes ist der reine Abdruck seines Geistes. Die
höchst geistige Heiterkeit mit einer Miene, die das Lächerliche
bemerkt, malen sich vermischt in seinem ausdrucksvollen Gesichte. In seinem immerbewegten Auge regt sich und glüht
jenes hohe, idealische Feuer und Leben, jene geistige Trunken-

heit, die uns in seinen Schriften ergreift. Sein ganzes Wesen ist Seele. Seine Reden fließen über von Witz und Laune, wie seine Werke... Seine Arbeiten sind für ihn Wollust, geistige Schwelgerei, von denen er sich nur mit Gewalt losreißen kann. Sein wißbegieriger Geist hat jede Wissenschaft methodisch studiert; und Jean Paul lieset noch täglich, was ihm unter die Hände kommt, von Goethe an, seinem Idole, bis zu dem Leipziger Adreßkalender herab mit großer Aufmerksamkeit und zieht sich Exzerpte heraus, deren er schon von früher Jugend auf ganze Stöße verfertigt hat... Neben den Büchern studieret Richter auch fleißig und mit großem Interesse den Menschen. Er sucht oft den Lärm des Lebens auf, erscheint an öffentlichen Orten, bei fröhlichen Gelagen, mischt sich unter das Volk und betrachtet ihr Tun und Wesen stumm, mit scharfem, aufmerksamen Auge. – Er wird sich nächstens mit einem Fräulein in Hildburghausen vermählen, deren Seele der seinigen verwandt sein soll.«

Daran stimmt manches so wenig wie Jean Pauls Geburtsort, anderes aber ist treffend, und auch das Fräulein in Hildburghausen existiert wirklich. Daß aus der Vermählung nichts werden wird, kann der Berichterstatter nicht ahnen.

Wieland, der sich aus dem aufwendigen Weimar in das ländliche Oßmannstedt zurückgezogen hatte, war, Richter und Weimar betreffend, skeptisch: »Wie er es aber bei seiner... kindlichen Simplizität und Unschuld unter den Weimarischen Menschenkindern aller Arten... in die Länge aushalten wird, sehe ich noch nicht. Er ist eines der kommunikativsten Wesen und betrachtet alle Menschen als seine Brüder und Schwestern. Wir wollen sehen, wie er mit ihnen zu rechte kommen wird.«

Diese Sorgen hat er, dem sie gelten, nicht. Jean Paul weiß, daß er bei Herders (von der ganzen Familie) und bei von Kalbs (von der Frau) sehnlich erwartet wird und daß er auch sonst vielen ein gern gesehener Gast ist. Bald ist er nicht nur als witziger Kopf und leicht zu rührender Menschenfreund, sondern auch als heftiger Diskutierer bekannt, der auf geheiligte Personen und vorherrschende Meinungen keine Rücksicht nimmt. Goethe, den er einmal dazu bringt, stumm vor Ärger, eine Viertelstunde lang den Teller zu drehen, klärt er darüber auf, daß es mit der Stimmung, die man angeblich zum Dichten brauche, »Narrenspossen seien, er brauche nur Kaffee zu trinken, um, so gerade von heiler Haut, Sachen zu schreiben, worüber die Christenheit sich entzücke«, Schiller macht er klar, daß wirklich poetische Charaktere auf dem Theater überhaupt nicht darstellbar seien, und Wieland entsetzt er mit seiner Meinung über die alten Griechen, deren Kunst er für »Schönheitsspielerei« erklärt. Die Urteile über ihn schwanken zwischen komisch bis gefährlich.

Mit seinem Zimmer am Markt ist er zufrieden, vor allem der Wirtin wegen, die wie eine Mutter für ihn sorgt, »alles herrlich hinlegt und aufträgt – für mich handelt – mich um 6 Uhr zur warmen und erleuchteten Stube und Kaffeekanne aufklopft – und der ich stets einen Laubtaler gebe, wovon sie ohne Rechnung auszahlt bis sie einen neuen braucht – und der ich oft ein Glas Wein verehre.« Sie ist sein »größtes Labsal außer Herder hier ... Nie war ich so stubenglücklich. Ich will nur etwas von unserem Verhältnis anführen: Ein an sich geräumiger Nachttopf wollte doch nicht zulangen, wenn ich gerade schrieb, weil er und das Dintenfaß wie natürlich in umgekehrtem Verhältnis voll und leer werden. Die Frau sah, daß ich oft die Treppe in der Kälte hinab mußte. Sie brachte mir also einen ganz neuen bowlen-mäßigen getragen, bei dem ich 8 Seiten schreiben kann. – Sie sorgt für Holz, ... für Wohlfeilheit, wäscht, wenn ich verreise, wie meine Mutter, alles, sogar das Dintenfaß, und ich kehre wie in eine wartende Familie zurück.«

Unter ihm wohnt die Sängerin Maticzek, die mehr lacht und singt als spricht, »und mit Recht«. Wenn er, was selten geschieht, abends nirgendwo eingeladen ist, sitzt er zuweilen bei ihr, obwohl sie weder viel Deutsch spricht noch schön ist. Dort erlebt ihn Goethes Christiane einmal: »Gestern abend war ich bei der Maticzek, und wir saßen ganz ruhig und nähten. Auf einmal kam Herr Richter, und er hat uns bis 10 Uhr recht artig unterhalten. Aber, unter uns gesagt, er ist ein Narr; und ich kann mir nun denken, wie er bei den Damen Glück gemacht. Ich denke, ich und die Maticzek, mir wollen noch oft unsern Spaß haben. Wenn Du wiederkömmst, sollst von Wort zu Wort unsere Unterhaltung erfahren. Die Maticzek sagt, er spräche zu gelehrt, aber ich versteh' beinahe alle Worte.«

Den vertrautesten Umgang hat er, wenn man von Charlotte absieht, mit Herder, der ihm das Manuskript der gegen Kant gerichteten »Metakritik« zur Durchsicht gibt und seine seitenlangen Verbesserungsvorschläge weitgehend annimmt. Besonders Herders wegen ist er nach Weimar gekommen, und seine Verehrung für ihn schwindet, trotz späterer Unstimmigkeiten, nie. »Mit Herder wachs ich immer tiefer zusammen; kaum 4 Tage können wir uns missen ... Gewöhnlich abends nach dem Arbeiten komm ich zur Frau, dann gehen wir oder ich hinauf zu ihm, und bis zum Essen glüht Auge und Mund; und so fort bis 10 1/2 Uhr. Wieland ist einige Tage jetzt bei ihm, und wir sind alle Abende zusammen, auch einmal in der Zauberflöte; und es rührt mein Herz, wenn ich so die 2 guten alten verdienstreichen Männer vor mir sehe ... Von Goethe weiß ich nichts zu sagen so wie von Schiller; beide waren freundlich.«

Natürlich setzt mit der Zeit auch Kritik ein. Bezeichnenderweise ist die erste die, daß die Großen der Literatur so wenig lesen, die zweite, daß das Volk so arm ist wie anderswo und deshalb viel gestohlen wird. Die ausführlichste aber gilt dem Hof, zu dem er (von Anna Amaliens Gesellschaften abgesehen) kein Verhältnis hat und auch keins sucht. Der Mensch Karl August ist ihm gleichgültig, der Herzog Karl August sowieso. Gegen das Beeindruckende von Rang und Stand ist Jean Paul weitgehend immun. Daß einer reich und mächtig ist, stört ihn sowenig, wie es ihm imponiert. Er sieht in jedem nur den Menschen. Wenn er Herrschende verehrt, dann nicht wegen, sondern trotz ihrer Stellung. Überdies sind die Verehrten meist

Frauen, und auch nur solche, die wiederum ihn verehren, so daß er sich als gleichgestellt betrachten kann. Den Höfen gegenüber, an denen er in diesen Jahren verkehrt, bewahrt er immer seinen Bürgerstolz.

So berichtet vom Hildburghausener Hof ein Augenzeuge, daß »eines Tages das Unerhörte geschah, daß die fürstliche Tafel auf den eingeladenen Dichter warten mußte, und ein Lakai, der nach ihm ausgesendet wurde, die untertänigste Vermeldung brachte«, daß dieser im Hotel »auf dem Bette liege und eben nicht in der Verfassung sei, den durchlauchtigsten Herrschaften aufzuwarten«.

Und aus Weimar berichtet er selbst an Otto, daß bei einem der Hofkonzerte, in denen die Bürgerlichen auf der Galerie zu sitzen hätten, wo wenig zu hören sei, ihm gesagt worden wäre, er dürfe zu den Edelleuten in den Saal, nur müsse er einen Degen anlegen, um nicht aufzufallen, worauf er geantwortet hätte: »So ists vorbei; andere werden durch Degenabnehmen degradiert, ich würd es durchs Gegenteil.« Und Otto gegenüber, der immer an sein demokratisches Gewissen appelliert, verteidigt er sich auch gegen den Vorwurf der Eitelkeit mit folgendem Bekenntnis: »Ja, ich bin oft eitel, aber frank und frei und spielend, weil ich immer etwas in mir habe, was sich um keinen Beifall schiert. In meinem 10. Jahr erhob ich mich ohne Muster und Nachahmer schon über Stand und Kleider und war ein Republikaner im 18ten; und finde noch jetzt hier einen Mut und eine Denkungsart gegen Fürsten in mir, die ich bei den großen Männern hier eben nicht so finde. Überhaupt steig ich in die Nester der höhern Stände nur der Weiber wegen hinauf, die da, wie bei den Raubvögeln, größer sind als die Männgen.«

Eine der angeblich größeren Weiber wird seine nächste (die dritte) Verlobte. Karoline von Feuchtersleben heißt die Braut. Sie ist, im Gegensatz zu den anderen, verheirateten oder geschiedenen adligen Frauen davor und danach, noch ein Fräulein. Doch sie dichtet auch, freilich nur heimlich. Zum Beispiel so:

»Der Bund

Schon hing der Himmel schwer und trübe
vor dem betränten Aug' –
die Seligkeit der reinsten Liebe
zerrann in Wehmutshauch:

Da brach durch Wolken sanft die Sonne,
daß sie im Herzen wiederschien,
und leuchtet nun in unbegrenzter Wonne,
vor welcher Furcht und Zweifel fliehn!

Zwei Seelen schlossen einen Bund
des schönsten Mein und Dein –,
und fester kann auf diesem Erdenrund
kein Bund der Wahrheit und der Liebe sein!«

Anlaß zu diesem lyrischen Jubel ist Karolines Verlobung,
deren Vorgeschichte erstaunlich kurz ist. Die Herzogin Charlotte von Hildburghausen, eine Schwester der preußischen Königin Luise und fleißige Jean-Paul-Leserin, hatte den Verehrten eingeladen. Zu den ihn anbetenden Damen des Höfchens
gehörte auch Karoline, die ihm schon Briefe geschrieben und
ihre Silhouette geschickt hatte. Die Freude aneinander war
beidseitig, nur bei der 25jährigen Hofdame viel tiefer als bei
dem Schriftsteller, der, während sein Verhältnis mit Charlotte
von Kalb sich im Auflösungsstadium befand, brieflich gerade
ein neues mit Josephine von Sydow begonnen hatte. Aber angetan war er von dem sentimentalen, in allen Künsten dilettie-
renden Mädchen sehr. Er blieb doppelt so lange in Hildburghausen als vorgesehen, und danach begann eine rege Korrespondenz.

Das war im Mai 1799. Im August verleiht ihm die Herzogin, vielleicht um den bürgerlichen Schriftsteller der Familie
des Fräulein attraktiver zu machen, den (amt- und gehaltlosen)

Titel eines Legationsrates. Im Oktober ist er schon wieder in Hildburghausen, sieht Karoline also zum zweitenmal – und verlobt sich, was so vor sich geht: Sie fragt: »Willst du mein sein?« worauf er antwortet: »Das muß ich dich ja fragen.« Einige Wochen halten sie ihr Eheversprechen geheim, dann hält er formell um ihre Hand an. Und erntet Entrüstung.

Karolines Vater, der Generaladjutant des Herzogs von Hildburghausen Feuchter von Feuchtersleben, ist schon tot, aber ihre Mutter, eine geborene Schott von Schottenstein, lebt noch und ist so entsetzt über die Mißheiratsabsichten wie die übrige Verwandtschaft. Ein Briefwechsel zwischen Karolines Brüdern macht deutlich, welche Demütigungen den bürgerlichen und nicht gerade wohlhabenden Heiratskandidaten erwartet hätten, wäre es zur Ehe gekommen.

Dem Bruder Heinrich, Herzoglichem Oberjägermeister, stellt sich die Sache so dar, daß sich »ein neuer weimarischer Gelehrter namens Richter«, der bei allen vernünftigen Leuten »durch sein auffallendes Betragen und seine sonderbare Attitude Gelächter erregte«, in das Feuchterslebensche Haus eingeschlichen und die Karoline durch »Schmeicheleien und Phantasien« für sich gewonnen hat, was er, der Oberjägermeister, viel zu spät erfuhr, »sonst würde ich seine Absicht gleich gemerkt und ihn kurz und gut abgefertigt haben«. So aber kommt es zum Unglück der Verlobung und zu einer entsetzlichen Szene mit der Mutter, die schon deshalb entrüstet ist, weil »ihr das vom sel. Vater gelernte Sprichwort (je gelehrter, je verkehrter) einen Abscheu für alle Gelehrte, besonders gegen Tochter-Männer, gibt – und weil dieser Gelehrte in Hinsicht seines Geistes sowohl als seines Körpers ein wahrer Sonderling ist, der äußerst auffällt – der nicht wissen kann, wie lange er den Beifall der Leser behält, wie lange er sich an einem Ort aufhalten darf, der bloß Phantast und nicht instruierender Schriftsteller ist – der nicht nach seinem Ableben seiner Frau und Kindern hinlänglichen Unterhalt hinterlassen kann – und weil die Karoline vielleicht noch eine bessere Partie tun kann oder Aussicht hat, am Hof zu kommen, der ihr schon

50 Gulden jährlich Pension gibt – sich also nicht, ohne sich zu verbessern, dem Hohngelächter schadenfroher Leute auszusetzen nötig hat, indem sie in solch eine seltene Mariage entriert... Natürlich muß man sich nun erst um seine Umstände erkundigen, und nicht gut lautende Nachrichten wären vielleicht das einzige Mittel, was die Karoline wieder zurückbringen könnte«.

Man erkundigt sich also, der Konsistorial-Präsident Herder sagt gut für den Gelehrten, und dieser selbst legt seine finanziellen Verhältnisse (äußerst schmeichelhaft) dar, so daß die Braut an ihren Bruder schreiben kann: »Er bekommt für jeden Bogen 5-6 Louisd'or schwer Geld, was nach unserm etwa 32 Reichstaler beträgt, und er schreibt bei der größten Muße wöchentl. 1 Bogen. Kapital hat er jetzt nur 2100 Rther, etwas mehr als ich also. Rechne nun selbst. Sein Stand und seine Unabhängigkeit machen ihn von allen Anforderungen des leeren, aber teuren Lebens frei – und wir können uns nach Willkür einschränken; ohnerachtet die Madame Richter reicher sein wird als das Fräulein von Feuchtersleben. – Man wendet ein, daß er mir kein Wittum geben könne, dagegen habe ich das Versprechen des edlen wahrhaften Mannes, daß mir einst diese traurige Unterstützung von einer Summe zukomme, die er in 5-6 Jahren für die sämtl. Ausgabe seiner Werke erhalten wird und welche sich auf 12-16 000 Rchthlr beläuft. – Was meine hiesigen und adelichen Verhältnisse betrifft, wurde durch den Beifall der Fürstin entschieden.«

Nicht die Produktionsphantastereien von einem Bogen pro Woche oder die vage Aussicht auf die sämtlichen Werke (die noch ein Vierteljahrhundert auf sich warten lassen) entscheiden schließlich, sondern der zuletzt erwähnte Beifall der jean-paul-begeisterten Herzogin. Die Mutter gibt nach, sagt ja, allerdings unter der Bedingung, daß der Tochtermann ihr in den nächsten Jahren nicht unter die Augen kommt. Nur Bruder Heinrich macht noch Schwierigkeiten. »Er fordert, daß ich Richtern entsagen solle, weil sein bürgerlicher Stand dem adelichen Bruder in seiner hiesigen Karriere schaden könne.« Aber auch Heinrich wird von der Herzogin beruhigt, und nachdem man die standhafte Karoline ein halbes Jahr lang seelisch gefoltert hat, gibt man den Weg endlich frei.

Für den 21. März 1800, den 37. Geburtstag Jean Pauls, verabredet die überglückliche Braut ein Treffen mit ihm, der Mutter wegen, in Ilmenau. Doch der Bräutigam schützt schlechtes Wetter und Unpäßlichkeit vor – reist aber nach Gotha. Erst Anfang Mai kommt die Begegnung zustande. Karoline wird anstandshalber von ihrer Halbschwester begleitet, Jean Paul vom Ehepaar Herder. Drei Frühlingstage verbringen sie gemeinsam in Ilmenau. Als sie abreisen, ist die Verlobung gelöst.

Ob nun, wie Karolines Bruder behauptet, Herder den beiden klargemacht hat, daß sie nicht zueinander passen, oder ob die Lösung ganz von ihm aus ging, ist unklar. Fest steht, daß die wahrhaft Liebende sie war, und er nicht nur das entscheidende Wort sprach, sondern auch mit Leichtigkeit die Trennung überwand. Tage danach ist er wieder heiter wie zuvor und ein halbes Jahr später wieder verlobt, wieder mit einer Karoline, aber mit einer bürgerlichen, die der gesuchten Rosinette mehr gleicht. Der adligen Karoline schreibt er: »Wir sind gleichförmig im höhern Streben, wir spielen dieselbe höhere Melodie, aber jeder trägt sie in einer andern Tonart, d. i. Individualität, vor – und dadurch wird das Ähnlichste das Unähnlichste: die Sekunde ist der größte Mißton.«

Sein Beruf sei nicht: zu lieben, sondern die Liebe zu schildern und so »aller Frauen Mann zu sein«, schreibt Herder der Verlassenen, die an die Endgültigkeit ihres Unglücks noch lange nicht glauben kann, und er hat recht damit, auch wenn Jean Paul bald schon einer einzigen Frau Mann sein wird.

Als sich die beiden Entlobten ein Jahr später in Hildburghausen noch einmal sehen, redet Jean Paul viel mit ihr, sagt aber still für sich: »Gott sei Dank!« Karoline werden gegenteilige Gefühle bewegt haben. Noch Jahre später feiert sie in ihren Tagebüchern Jean Pauls Geburtstag als ihren »großen Tag«, der ihr immer »heilig und teuer« bleiben werde. Sie verbringt ihre besten Jahre als Hofdame in Hildburghausen und in

Württemberg, heiratet endlich mit 42 und spricht noch als Greisin mit Rührung von dem Verlobten ihrer Jugendzeit. Dieser aber kann sich 1820, als bei einer Hofaudienz in München das Gespräch auf das Fräulein in Hildburghausen kommt, an den Namen seiner Verlobten nicht mehr erinnern.

Enttäuscht von dem wankelmütigen Liebhaber ist nicht nur die unmittelbar Betroffene, sondern auch das Ehepaar Herder, das sich sehr engagierte. Es kommt zu keinem ausgesprochenen Bruch zwischen Herder und Jean Paul, aber die Verstimmung ist beträchtlich. Da auch die Bindung an Charlotte von Kalb gelöst ist, und das Verhältnis zu Goethe und dem inzwischen nach Weimar übergesiedelten Schiller immer frostiger wird, hat die Stadt an Reiz für ihn verloren. Die schon vorher geplante Reise nach Berlin, die er noch im Entlobungsmonat Mai antritt, ist wieder eine Erkundungsfahrt nach einem neuen Wohnort. Zwei Frauen erwarten ihn dort: Josephine von Sydow, Gutsbesitzerin aus Hinterpommern, und Luise, Königin von Preußen.

27

Weiber die Menge

*

Es ist sozusagen seine Hauptstadt, in die er fährt. Denn seit acht Jahren ist Jean Paul preußischer Untertan. Nach der Abdankung des Fürsten Karl Alexander bildet Ansbach-Bayreuth den südlichsten Stützpunkt des unter Friedrich zur Großmacht gewordenen Landes, das sich, nach der räuberischen Zerstückelung Polens und dem Baseler Frieden mit Frankreich, von Warschau bis an den Rhein erstreckt: ein Koloß, aber ein hohler; Napoleon braucht sechs Jahre später nur anzustoßen, und er fällt in sich zusammen.

Noch immer schreibt Jean Paul an seinem »Kardinalroman«, in dem ein Fürst zu der Fähigkeit erzogen wird, einen verrotteten Feudalstaat zu reformieren. Mit Preußen hat dieser Staat wenig Ähnlichkeit, doch gemeint ist es wie andere Staaten auch. Dieses Riesendenkmal des Feudalismus ist sehr reformbedürftig. Die Männer, die das erkennen, sind schon da, nur bedarf es noch der Katastrophe, um ihnen den Weg zu ebnen. Im Leerlauf erstarrte Bürokratien sind zu Veränderungen unfähig ohne Anstoß von unten oder außen.

Preußen war durch seine überstarke Armee zur Großmacht geworden. Ursprünglich zu deren Zweck war eine Bürokratie aufgebaut worden, die im Laufe des 18. Jahrhunderts den Staat zentralisiert und militarisiert hatte. Armee und Bürokratie in der Hand eines starken Monarchen hatten einen Absolutismus erzeugt, wie er absoluter nicht vorstellbar ist. Obwohl der Adel durch die Zentralisation seiner Selbstherrlichkeit teilweise beraubt wurde, blieben seine Besitzverhältnisse unangetastet. Er wurde zur staatsgläubigen Offiziers- und Beamtenkaste umfunktioniert und, zum Lohn für treue Dienste, vor jeder Beschneidung seiner Vorrechte durch das erstarkende Bürgertum abgeschirmt. Unter Friedrich II. durften Bürger weder geadelt werden noch Rittergüter kaufen; alle Offiziers- und höhere Beamtenstellen waren ihnen verschlossen.

Aber Friedrich ist seit 14 Jahren tot. Seit 11 Jahren gelten neue, von der Revolution in Frankreich gesetzte Maßstäbe. Bürgerliche Macht und bürgerliches Selbstbewußtsein sind auch in Preußen gewachsen. Die politischen Machtstrukturen entsprechen nicht mehr den ökonomischen. Die neue Zeit pocht auch an preußische Türen, aber die herrschende Kaste stellt sich taub, und in der Zentrale, die Friedrich für sich geschaffen hat, sitzen jetzt unfähige Männer, deren Kraft sich darin erschöpft, die Starrheit »Friedrichs des Einzigen« zu konservieren. Die alten Institutionen sind zu Attrappen geworden. Lüge, Intrige, Heuchelei beherrschen den Apparat. Die Minister sind korrupt, die überalterten Militärs Phrasendrescher. Innen- und außenpolitisch schaukelt man von einer Krise in die nächste. Und auf dem Thron sitzt ein Schwächling.

Auf den zweiten Friedrich ist der zweite Friedrich Wilhelm gefolgt, der sich einen besonderen Platz in der hohenzollernschen Ahnenreihe durch Verschwendungssucht und Mätressenwirtschaft sichert. Auf die Folgen der Französischen Revolution im deutschen Geistesleben reagiert er hysterisch, mit Zensurverschärfung und Religionsedikt. Jean Paul verabscheut ihn gründlich. Sein Sohn, der dritte Friedrich Wilhelm, hat eine bessere Methode, der neuen Zeit zu begegnen: er paßt sich ihr äußerlich an, gibt sich schlicht, sparsam, zurückhaltend, tugendhaft. Sein Image ist das eines bürgerlichen Familienvaters. Und er hat, nicht zuletzt durch seine schöne und kluge Frau, Erfolg damit. Auch bei Jean Paul. »Mir gefällt sein stiller Anfang«, schreibt er an Otto und berichtet von der Verhaftung und Verurteilung der Gräfin Lichtenau, die eigentlich Minchen Encke heißt, Tochter eines Berliner Kneipenwirts ist und die »Gemahlin linker Hand« des verstorbenen königlichen Vaters.

Das ist allerdings schon zwei Jahre her. Inzwischen hat sich erwiesen, daß der neue König außer den schlimmsten Verirrungen seines Vaters (er hebt auch das Religionsedikt auf) nicht viel zu ändern gedenkt. Da er vor jeder Beschneidung von Adelsvorrechten zurückschreckt, bleiben schüchterne Reformversuche unwirksam. Jean Pauls Sympathien sind deshalb schon längst seiner Frau, der Königin Luise, zugewandt, die erstens schön ist, zweitens tugendhaft scheint und drittens, wie ihre Schwester, die Herzogin von Hildburghausen, Jean Paul ungemein schätzt. Ihr und ihren drei Schwestern widmet er seinen Reform-Roman – vielleicht nicht ohne Wirkung: Nach dem Sieg Napoleons über Preußen gehört die Königin zu der Hofpartei, die für die Amtseinsetzung des Reformers Stein eintritt.

Der erste Band des »Titan« ist gerade erschienen. Gleich nach seiner Ankunft in Berlin schickt Jean Paul ihn der Königin; am nächsten Tag schon hat er eine Einladung von ihr. Er sieht sie in Sanssouci und ist entzückt: von ihrer Schönheit. Überhaupt erscheinen ihm in seinem sexuellen Notstand alle Frauen schön. Er sieht nur sie, hat nur für sie Interesse. Manchen berühmten Mann, der Empfänge besucht, die Jean Paul zu Ehren gegeben werden, macht das ärgerlich. »Er hat keine besondere Notiz von mir genommen«, schreibt Schleiermacher. »Er will eigentlich nur Weiber sehen und meint, selbst eine gemeine wäre immer, wenn auch nicht eine neue Welt, doch ein neuer Weltteil.« Zum Glück ist es so, daß die Weiber auch alle ihn sehen wollen.

Noch nie feierte eine Stadt ihn so wie die Großstadt Berlin, die damals schon 153 000 Einwohner hat. Er wohnt bei seinem Verleger Matzdorf, an der Stechbahn (heute Teil des Marx-Engels-Platzes, also ganz in Schloß-Nähe). Seinem Ruhm entsprechend hat er vier Zimmer zu seiner Verfügung: »Köstlich – seidene Stühle – Wachslichter – Erforschen jedes Wunsches.«

Daß Matzdorf »ein Pack Gelehrte« ihm zu Ehren eingeladen hat, macht ihn verdrießlich. Angenehmer sind da schon die extra für ihn angesetzten Aufführungen im Königlichen Theater, die Festempfänge in der Freimaurer-Loge, bei Ministern, in Familien – weil da die Frauen dabei sind. »Ich besuchte keinen Gelehrtenklub, so oft ich auch dazu geladen worden, aber Weiber die Menge. Ich wurde angebetet von den Mädgen, die ich früher angebetet hätte. Himmel! welche Einfachheit, Offenheit, Bildung und Schönheit! Auf der herrlichen Insel Pikkelwerder (2 1/2 Meilen von Berlin) fand ich so viele Freundinnen auf einmal, daß es einen – ärgerte, weil jeder Anteil den andern aufhob ... Viele Haare erbeutete ich (eine ganze Uhrkette von 3 Schwestern-Haaren) und viele gab mein eigner Scheitel her, so daß ich ebensowohl von dem leben wollte – wenn ichs verhandelte –, was auf meiner Hirnschale wächst, als was unter ihr.«

Aber nicht nur von Frauenscharen ist die Rede, auch von einzelnen. (Seine spätere Frau ist übrigens nicht dabei, die wird nur indirekt mit den drei Schwestern erwähnt.) Da ist zuerst die Französin aus Hinterpommern, Josephine von Sydow, deren Briefe ihm die Entlobung erleichterten. Sie war mit ihren Eltern als Sechzehnjährige aus Südfrankreich nach Preußen gekommen, hatte unter dem Namen Madame de Montbart Romane, Gedichte und pädagogische Schriften im Geiste Rousseaus veröffentlicht, ist zum zweitenmal unglücklich verheiratet und versucht unter den Leibeigenen ihrer Güter im aufklärerischen Sinne zu wirken. Die Lektüre des »Hesperus« war ein Ereignis für sie, sein Verfasser ein »Orakel«, ein »Gottmensch«, ein neuer Rousseau. Ihr erster Brief vom März 1799 beginnt mit dem schönen Satz: »Wäre ich Königin, so würde der Dichter des Hesperus mein erster Minister sein; wäre ich fünfzehn Jahre alt und könnte ich hoffen, seine Klothilde zu sein, so wäre ich glücklicher, als wenn ich Königin wäre.«

Leider ist sie schon 41, aber die Briefe Jean Pauls machen ihr trotzdem Hoffnungen, so daß sich ein Jahr lang ein reger

Josephine von Sydow

Liebesbriefwechsel entwickelt. Sie schickt ihm ihr Bild, das er über sein Klavier hängt. Ihre schönen und langen Briefe nehmen vieles, was die beiden miteinander in Berlin erleben wollen, schon vorweg, so daß die Wirklichkeit der Phantasie dann nicht nachkommt. Josephine kann nur ein paar Tage bleiben (schließlich ist sie verheiratet und ihr Mann darf von ihrer Reise nichts wissen), und Jean Paul hat, der vielen Ehrungen wegen, wenig Zeit für sie. Er schreibt begeistert an Otto über ihre Naivität und ihr »südliches Feuer«; sie schreibt nach ihrer Abfahrt gleich aus Stettin ihrem »süßen und einzigen Freund«: »Liebe mich, schreibe mir, denk an mich ...«, aber doch ist diese Begegnung das Ende der Schwärmerei. Die Briefe werden seltener, der Ton sachlicher. Es ist keine Enttäuschung, oder doch nur die, die jede Wirklichkeit bringen kann. In der moralisierenden Erzählung »Heimliches Klagelied der jetzigen Männer« wird Josephine porträtiert, in den letzten Bänden des »Titan« werden Züge von ihr verwendet – und damit ist wieder eine Episode voll glühender Liebesversicherungen abgeschlossen. Die jetzt noch folgen, werden kürzer und sinnlicher. Ein Jahr hat er noch bis zur Heirat.

Da trifft er in Berlin eine geistreiche Jüdin wieder, die in Franzensbad Anlaß zu Emilie von Berlepschs Eifersucht war. Sie wohnt im Tiergarten, lädt ihn zum Kaffee, zum Essen, geht mit ihm ins Theater. Als erotische Quintessenz dieser Bekanntschaft erfährt Otto folgendes: »Im Tiergarten blieb ich ... eine Nacht und rauchte meine Pfeife und ging rein von dannen.«

Die 17jährige Berlinerin Wilhelmine, die sich der Originalität wegen Helmina nennt, kann seiner Tugend noch weniger gefährlich werden. Helmina ist eine geborene von Klencke, hat mit 16 einen Grafen Hastfer geheiratet, läßt sich aber schon wieder scheiden. Als Enkelin der Karschin literarisch vorbelastet, hat die Frühreife, als sie bei Chodowiecki die »Unsichtbare Loge« fand, mit 14 Jahren den Vorsatz gehabt, einen Roman in jeanpaulischer Manier zu schreiben, es zum Glück aber unterlassen und sich mit einem Brief an den Dichter begnügt, den dieser aber nicht beantwortete. Jetzt bemüht sie sich sehr um ihn, lädt ihn zu Ausflügen ein oder zum Essen in die Gipsstraße, wo sie bei ihrer Mutter wohnt. Zum Mittag sei er mit Ahlefeldt eingeladen, heißt es in einem ihrer Billets, doch er allein solle schon »fein um 10 Uhr des Morgens« kommen, »damit Sie sehen, wie ich an meine Toilette die letzte Hand anlege«. Das wird er sich zwar nicht haben entgehen lassen, aber ihr Erfolg war gering. Er erwähnt sie kaum. Um so mehr sie ihn in ihren Erinnerungen. Denn Schriftstellerin wird sie wirklich, wenn auch ihr späterer Name, Helmina von Chézy, mehr in Musik- als in Literaturgeschichten vorkommt: Sie schrieb das Libretto zu Webers Oper »Euryanthe«.

Die schlimmste Versuchung aber, die der reine Junggeselle noch durchzustehen hat, wartet bei seiner Rückkehr von der Berlin-Reise in Weimar auf ihn. Sie heißt Henriette Gräfin Schlabrendorf, und Fontane hat später über sie berichtet, ohne freilich von ihren Beziehungen zu Jean Paul zu wissen. In seinen »Wanderungen durch die Mark Brandenburg« gibt er eine Genealogie der Schlabrendorfs, deren berühmtester Sproß namens Gustav in Paris lebte, Girondist war, von den Jakobinern zum Tode verurteilt wurde, der Guillotine aber dadurch entging, daß er, als er zum Schafott gefahren werden sollte, seine Stiefel nicht fand, am nächsten Tag vergessen und schließlich durch den Sturz Robespierres befreit wurde. Dessen Bruder Heinrich nun, der zu Hause auf dem Gut Gröben bei Berlin blieb, war Henriettes Mann. Über seine Ehe weiß Fontane zu berichten: »Graf Heinrich ... machte als junger Offizier die Bekanntschaft eines durch Schönheit, Geist und Wissen ausgezeichneten Fräuleins von Mütschephal, deren Vater in demselben Husaren-Regiment ein oberes Kommando bekleidete. Die Bekanntschaft führte bald zur Verlobung und Vermählung ... Erst um 1792 ... wurde das älteste Kind geboren und zwei Jahre später ein Sohn. – Es war wohl keine Neigungsheirat gewesen, wenigstens nicht vonseiten des Fräuleins, und so wurden aus Geschmacks- und Meinungsverschiedenheiten alsbald Zerwürfnisse. Man mied sich, und wenn der Graf in Gröben war, war die Gräfin in Berlin und umgekehrt. Aber auch in

Henriette von Schlabrendorff

diesem sich Meiden empfanden beide Teile noch immer einen Zwang, und ihre Wünsche sahen sich erst erfüllt, als gegen Ende des Jahrhunderts aus der bloßen örtlichen Trennung auch eine gesetzliche geworden war. Der Sohn verblieb dem Vater, die Tochter folgte der Mutter, welche letztere, noch eine schöne Frau, bald danach einem thüringischen Herrn von Schwendler ihre Hand reichte.« Das aber erst, nachdem sie die Jean Pauls nicht gekriegt hatte.

Sie ist eine Freundin der Rahel, die Jean Paul in Berlin natürlich auch kennenlernt, sie »witzig philosophisch« nennt, aber nicht für sie erglüht: die Rahel schätzt sein Werk, bleibt aber kritisch, sie mag den Menschen, hält aber Abstand. Die Gräfin aber kommt ihm entgegen, weit. Seine Berichte an Otto sind noch immer die eines Jünglings, der erregt von seinen ersten erotischen Abenteuern erzählt. Der Gedanke, daß er, wenn er mit ihr sündigen sollte, sich an keinem anderen versündigt, beruhigt ihn, aber der, daß er mit seiner Hinhaltetaktik sich an ihr versündigt, kommt ihm gar nicht. »Ich halte mich passiv; und dabei kann keine Partei sehr riskieren«, denkt er, aber die zehn Jahre jüngere Frau riskiert mehr, als er erwartet. Vom »Hände-Anfassen mit eingemischten leichten Drucken« hat sie bald genug. Sie wollen zusammen nach Gotha fahren. Am Vorabend der Reise ißt er bei ihr. »Wir bewohnten dann das Kanapee – die schöne lange Gestalt, die durchaus harmonischen Teile, die gerade Nase und der feine, zu besonnene, gespannte ... Mund ..., das alles neigte sich an meine Lippen ... Sie hatte noch die Hof-Brillanten an Fingern und am Halse; und als ich wahrlich an dem letzteren nicht weiter rückte als ein Rasiermesser an unserem ... so schnallte sie das Kollier ab und machte ungebeten die tiefern schönen Spitzen auf ... Ihr Globulus hatte die Farbe und Weichheit der Wolkenflocken ... Dabei blieb die Doppelglut; aber aus ihrem Anwinden und aus ihrem Wunsche, an mir zu schlafen ... war leicht auf die Zukunft zu schließen. Ich sagte zu ihr: Du ... weißt den Teufel, wie oft Männern ist. Und so ging ich. – Ich hatte in meinem schlafenden Kopf fast das ganze schlagende

Herz droben. Morgen abends – im gothaischen Gasthofe – ist eine Sache entschieden (dacht ich die ganze Nacht) . . . Einmal war ich fast dem Absagen der höllischen Himmelfahrt nahe. Aber ich fuhr doch mit.«

Doch in Gotha sitzen sie dann auch nur, die Tochter neben sich, auf dem Kanapee, und die Schilderung davon wird, wie auch die schon des Vorabends, mehrmals unterbrochen von Gedanken an die literarische Verwertbarkeit dieser neuen Erfahrungen, die mit der Versicherung kommentiert werden: »Bei Gott! ich bin physisch-kalt und moralisch heiß zugleich gegen Freundinnen«; dann folgt eine Prahlerei über die vielen Mädchenherzen, die ihm in jeder Stadt zufliegen, und zum Schluß des Absatzes wird eine »treffliche Frau« aus Gotha zitiert, die ihm sagte: »Ich könnte einer Frau die Augen auskratzen, die Sie sinnlich liebt.«

Das Liebhaber-Kapitel muß dem Betrachter, der Jean Pauls Moralauffassungen nicht teilt, als das dunkelste dieses Lebens erscheinen. Imponierend aber ist die Konsequenz, mit der Jean Paul sich immer selber treu bleibt. Weder durch Schönheit noch durch Reichtum ist er korrumpierbar. So wichtig ihm sein literarischer Aufstieg ist, so gleichgültig ist ihm sein gesellschaftlicher. Als Mensch, als Bürger und auch als Ehemann will er bleiben, was er ist. »Es ist freilich komisch, daß meine Treppe zum Ehebette . . . unendlich lang sein soll. Ich sorg' indeß, in Berlin spring' ich hinein; aber es muß bloß ein sanftes Mädgen darin liegen, daß mir etwas kochen kann, und das mit mir lacht und weint. Mehr begehr' ich gar nicht.«

Daß er bei diesen Worten schon an seine künftige Frau denkt, ist unwahrscheinlich. Er kennt sie schon, aber daß sie ihn mehr beeindruckte als andere, wird nirgends ersichtlich. Sein Entschluß, den kommenden Winter in Berlin zu verbringen, ist nicht auf sie zurückzuführen. Seitdem es zwischen ihm und den Herders Unstimmigkeiten gibt, fühlt er sich in Weimar nicht mehr wohl. »Weimar ekelt mich an«, schreibt er an Otto, und an Oertel: »Weimar ist eine abgebrannte Stadt, auf deren heißer Asche ich noch schlafe. Jede Stadt scheint mir vor

221

dem Auszug ebenso verkohlt. Die Poesie erbeutet bei dieser Völkerwanderung durch Örter und Herzen; aber das Herz wird ein armer Emigré; ich wollt' ich wär' ein Refugie in meiner Hochzeitsstube.« Und an Ahlefeldt nach Berlin: »Weimar belastet mich, und ich schmachte nach mittelmärkischer Luft, die so schöne Lippen bewegen.«

Berlin, »dieses architektonische Universum« gefällt ihm. Daß die »Einwohner, sogar die Einwohnerinnen ... einfach gekleidet« sind, sagt ihm zu. Adel und Bürgertum scheinen ihm gleichberechtigter miteinander zu verkehren als an den kleinen Höfen. Der Umgangston ist freier. »Diesem Juwel fehlt nur die Fassung, eine schöne Gegend.« Denn die Mark kann er, wie die meisten seiner Zeitgenossen, nicht als schön empfinden, und überhaupt kann er nur da leben, wo es Berge gibt – und gutes Bier. »Ja, Berlin ist eine Sandwüste, aber wo sonst findet man Oasen?« (Das sagt er zu Helmina von Chézy, und Fontane benutzt 80 Jahre später diese Metapher für die Charakterisierung von Jean Pauls Werk: »Sahara, aber welche Oasen drin!«)

Wie früher Oertel in Leipzig, bekommt jetzt Ahlefeldt in Berlin den Auftrag, eine Stube für den »dünnen Satiriker« herzurichten: neben einem alten Schreibtisch ist das Repositorium (»mehr ein Papier- als Bücherbrett«) die Hauptsache. »Mache überhaupt meine Einrichtung nicht kostbar; denn der Ehe, des Alters und der Gesundheit und der Literatur wegen, muß ich sparen.«

Er wird bei Ahlefeldt wohnen: Neue Friedrichstraße 22 (heute Littenstraße).

28.

Letzte Verlobung

*

Das Berliner Winterhalbjahr 1800/1801 ist der Scheitelpunkt
dieses Lebens. Bis hierher war alles Aufbruch, jünglingshaftes
Drängen nach oben und außen. Was jetzt kommt, sind Etap-
pen der Heimkehr. Er steht auf dem Höhepunkt seines Ruhms
und wird seiner schon müde. Mit dem umfangreichsten und
ehrgeizigsten seiner Romane, dem »Titan« (dessen vier Bände
nacheinander, von 1800–1803 erscheinen) kann er den Erfolg
des unausgegorenen »Hesperus« nicht wiederholen. Seine Neu-
gier auf andere Menschen und andere Verhältnisse ist nur noch
gering, seine Enttäuschung über berühmte Leute groß. Der
Haß auf die kleinstädtische Enge seiner Jugendzeit ist langsam
einer Sehnsucht nach ihr gewichen. Bei allem Spaß am Verkehr
mit den Spitzen der Gesellschaft, verändert dieser ihn gefühls-
und bewußtseinsmäßig nicht. Er ist nicht korrumpierbar, weil
er keinen Ehrgeiz hat, in die Kreise aufgeonmmen zu werden,
die ihn feiern. Fast scheint es, als ob der Ausflug in die höheren Stände nur dazu diente, diese kennenzulernen, um sie im
»Titan« darstellen zu können. Als die Arbeit an diesem Werk
zu Ende geht, zieht er sich wieder zurück, enttäuscht und ange-
schlagen. Denn gesundheitlich geht es mit ihm bergab. Bald beginnt der dünne Dichter dick zu werden. In wenigen Jahren
wird aus dem Jüngling ein alter Mann.

Die Zäsur ist seine Heirat. Am 3. Oktober 1800 kommt der berühmte Autor, der sich vorgenommen hat, sein Junggesellen-dasein zu beenden, in Berlin an. Fünf Wochen später ist er verlobt. 14 Tage danach erfahren es alle Damen, die sich Hoffnungen auf ihn gemacht haben, aus der »Vossischen Zeitung«: »Der Legationsrat Jean Paul Friedrich Richter meldet seine Verlobung mit der zweiten Tochter Karoline des Herrn Geheimen Ober-Tribunals-Rat Mayer.«

Einzelheiten über die Vorgeschichte dieser letzten Verlobung sind nicht bekannt. In diesem Ernstfall schweigt der sonst so Mitteilungssüchtige sich auch gegen die Freunde aus. Von den drei Schwestern Mayer ist mehrmals die Rede, aber nicht von der einen. Daß die 23jährige, die man versucht ist, mehr als Verehrende denn als Liebende zu bezeichnen (»Ich möchte sie anbeten, vor Ihnen knien, wie man vor Gott sich beugt...« schrieb sie ihm), nicht ganz initiativlos dabei war, ist zu vermuten. Sie ist mit einem ungeliebten Vetter verlobt und legt dem für Moralprobleme zuständigen Dichter die Frage vor, ob sie, der Pflicht gehorchend, bei ihrem Verlobten bleiben oder, ihrer Neigung folgend, sich von ihm trennen müsse.

Die Antwort erfolgt schnell: »Schöne Seele! So unparteiisch und kalt, als hätt ich Sie nie gesehen, will ich Ihnen die Antwort meines Gewissens geben. Sie ist: Sie dürfen sich trennen.« Das wird ausführlich begründet, ohne daß Jean Paul dabei auch nur ein Wort von seiner Neigung zu ihr fallen läßt.

Das schreibt er am 30. Oktober, am 4. November aber das: »Einzige! endlich hat mein Herz sein Herz – endlich ist mein Leben gerade und licht. So bleibt es und niemand könnt' uns trennen als wir, und wir tun es nicht.« Und am 9. November schon bittet er, blumenreich, den Geheimen Ober-Tribunals-Rat um die Hand seiner Tochter, was in dieser Zeit keine bloße Konvention ist, sondern rechtliche Notwendigkeit; denn nach dem preußischen Landrecht werden nur die Söhne bei Volljährigkeit aus der elterlichen Vormundschaft entlassen, die Töchter erst durch Verheiratung.

Der Titel des Herrn Mayer ist nicht wie der des Herrn Richter ein bloßes Schmuckstück. (»Widerwärtig wie ein hölzernes Schaugericht« nennt Charlotte von Kalb den Hildburghausener Titel ohne Amt, als Richter kindliche Freude über ihn äußert.) Mayer trägt den Titel als hoher Justizbeamter. Er ist ein nüchterner, vernünftiger Mann, zu dem der Schwiegersohn nie in vertrauliche Beziehung tritt, über den er aber auch nie zu klagen hat. Von der Mutter seiner drei Töchter ist Mayer seit 18 Jahren geschieden, wobei die unsinnige Vereinbarung getroffen worden war, daß die Kinder abwechselnd eine Woche bei ihm und eine Woche bei der Mutter zu wohnen hatten. Er aber hatte das Erziehungsrecht, das er gut nutzte. Teils unterrichtete er die Mädchen selbst, teils zog er Professoren dazu heran. So erhielten die drei Schwestern eine Bildung, deren Qualität man damals als »männlich« bezeichnete. Die für den Vater enttäuschende Folge ist, daß alle Töchter Literaten heiraten; Minna, die älteste, den Liederkomponisten und Musikschriftsteller Karl Spazier, der erst Lehrer am Philantropin in Dessau, dann Herausgeber der Leipziger »Zeitung für die elegante Welt« ist, Ernestine, die jüngste, den unbedeutenden Dichter August Mahlmann. In diesem Kreis der Schwiegersöhne ist der berühmte Jean Paul natürlich der willkommenste, obwohl auch er nicht ohne Mißtrauen betrachtet wird; denn seine Vermögenslage ist undurchschaubar, und er macht keine Anstalten, sie zu offenbaren.

Aber Geheimrat Mayer sagt erst einmal ja zu dem Antrag, wartet vier Monate und fragt dann klar und bestimmt an, wie es mit den Finanzen denn stünde. Und der Dichter antwortet, ohne jede Verstimmung, zählt seine bescheidenen Ersparnisse auf, auch die 100 Taler, die er Herder, die 100, die er Ahlefeldt geliehen hat, läßt auch die 70, die er in der Tasche hat, nicht aus, versichert, daß er momentan mehr verdiene, als er ausgebe, und vertröstet dann wieder auf die in acht bis zehn Jahren zu erwartenden Gesammelten Werke. Gegen Schwiegervaters Plan, Karoline in der Preußischen Witwenkasse (derselben, die Siebenkäs so schändlich betrogen hat) versichern zu lassen, hat er nichts, will auch gern Geld dazu geben. Man merkt an allem, daß der schon so oft Versprochene entschlossen ist, diesmal das Versprechen einzulösen, auch wenn er den Hochzeitstermin noch hinauszögert. Das hat andere Gründe.

Natürlich macht auch er sich Sorgen um die Ernährung der zukünftigen Familie. Für ein gutbürgerliches, wenn auch anspruchsloses Leben, wie es ihm vorschwebt, bilden die schwankenden Honorare eine zu unsichere Grundlage. Zwar zahlen die Verleger ihm jetzt mehr als vorher pro Druckbogen, und jede Neuauflage bringt ihm ohne Neuarbeit wieder das halbe Honorar (heutige Schriftsteller verdienen daran das ganze), aber dafür steigen auch seine Ausgaben ständig, und die vielen gesellschaftlichen Verpflichtungen rauben ihm Zeit. Zur Rosinette, die er in Fräulein Mayer gefunden hat, fehlt ihm als materielle Grundlage eben das im »Bevorstehenden Lebenslauf« erträumte Gut Mittelspitz. Darauf ist nicht zu hoffen. Die einzige Möglichkeit, zu regelmäßigen Einkünften zu gelangen, besteht, wenn er kein Amt annehmen will (und dieser Gedanke wird niemals wieder erwogen), darin, von der Kirche oder vom Staat (was in protestantischen Ländern dasselbe ist) eine Leibrente zu bekommen, eine Pfründe, eine Präbende, ein Kanonikat oder ähnliches, das heißt, ein Gehalt ohne Arbeitsleistung, ein Honorar für Ehrenmitgliedschaft, wie es heute, aus ähnlichen Motiven (nämlich um einen bedeutenden Mann zu verpflichten) zum Beispiel noch Kunstakademien zahlen. Man kann das, je nach Standpunkt, Korruption oder Förderung der Künste nennen.

Das gibt es auch in Preußen. Aber die Zahl der Präbendare ist begrenzt. Erst wenn ein Leibrentner stirbt, kann ein Anwärter nachrücken. Verteiler dieser Gnade ist der König. Und Jean Paul fleht diesen – man möchte es gerne verschweigen – unter Verleugnung seiner Person und seines Werks um dieselbe an, drei Wochen vor der Hochzeit.

»Allergnädigster König und Herr«, so beginnt der Bittbrief, in dem er erst an seine elende Jugend erinnert, um dann so fortzufahren: »Erst nach einem langen Verarmen und Mißlingen gewann ich mit meinen ästhetischen Werken das kleinere höhere Publikum und später ein größeres; aber da mir ihr Zweck, den sinkenden Glauben an Gottheit und Unsterblichkeit und an alles, was uns adelt und tröstet, zu erheben und die in einer egoistischen und revolutionären Zeit erkaltete Menschenliebe wieder zu erwärmen, da mir dieser Zweck wichtiger sein mußte als jeder andere Lohn und Erfolg meiner Feder: so opferte ich diesen und Zeit und Gesundheit dem höheren Ziele auf und zog die längere Anstrengung dem reichern Gewinnste vor. Jetzt indessen, da ich in die Ehe trete, wo die eigne Aufopferung nicht bis zur fremden gehen darf, verspricht mir mein Gewissen einige Entschuldigung, wenn ich vor dem Throne, der so viele zu erhören und zu beglücken hat, auch meine Bitte um eine Unterstützung, welche die wachsenden Jahre nötiger machen, die untertänigste Bitte um eine Präbende hoffend niederlege.«

Zum Bild des Mannes, der Fürsten und Feudalsystem in seinen Schriften angreift und es in Weimar unter seiner Würde hält, den Degen anzulegen, paßt das genausowenig wie zu der ganz und gar positiven Gestalt, die er gerade in Albano, dem strahlenden Helden des »Titan« zu schaffen versucht. Entschuldigungen für diese Heuchelei gibt es viele: Es ist der künftige Ehemann und Vater, der das schreibt, könnte sagen, wer es fertigbringt, Autor und Werk zu trennen. Und setzt Jean Paul sich nicht zur gleichen Zeit (allerdings erst auf mehrfache Bitten Ottos und dann leider vergeblich) bei Hardenberg dafür ein, daß der Hofer Kaufmann Herold (Amönes Vater, Ottos Schwiegervater) von der sechsmonatigen Haftstrafe wegen Majestätsbeleidigung verschont wird? Und sind die entscheidenden Taten eines Schreibers nicht allein seine Schriften, denen er mehr verpflichtet ist, als seiner Ehrlichkeit? Und hat das Werk des »Fürstenknechts« Goethe an Wert und Wirkung nicht das aller seiner Beschimpfer von links weit übertroffen? Und konnten die Lichtgestalten der deutschen Literatur, Hölderlin und Büchner, nicht vielleicht nur zu welchen werden, weil ihr Leben früh endete? Und ist gegen Machthaber, die man für unrechtmäßig hält, nicht jedes Mittel erlaubt? Aber ist andererseits nicht jede Lebensentscheidung eines Autors auch Entscheidung über sein Werk?

Für Jean Paul freilich bedeutet die Bettelei um Rente keine Entscheidung – denn er kriegt sie nicht. (Und wenn er sie bekommen hätte, wäre das mit Sicherheit für sein Werk ohne Bedeutung gewesen.) Trotz seiner Fürsprecher am Hof (des Ministers Alvensleben, der Hofdame Karoline von Berg und sicher auch der Königin) fertigt ihn Friedrich Wilhelm kühl ab und vertröstet auf spätere Zeiten. Der staatstreue Kotzebue (Wer will es dem König verdenken!) ist ihm lieber, und auch der seichte Lafontaine (dessen süßliche Unterhaltungsromane übrigens auch die Königin liebt) bekommt die Präbende und baut sich vor den Toren Halles eine prächtige Villa, in der er, wie Varnhagen berichtet, so behaglich lebt, daß er sich »zu faßartiger Beleibtheit« ausmästen kann.

Durch die Ablehnung der Lebensrente ist Jean Paul nun nicht an Preußen gebunden. Jetzt steht die Wahl des Wohnorts ihm frei. In Berlin zu bleiben hat er nicht vor. In Briefen an die Freunde stellt er immer wieder die Frage, welche Stadt sie für ihn geeignet halten. Billig muß man in ihr wohnen können, Berge muß sie in ihrer Umgebung haben und gutes Bier: braun und bitter. Allen Ernstes macht er auch davon die Wahl des künftigen Domizils abhängig. Als er Halberstadt erwägt, schreibt er an Gleim: »Ich bitte Sie um Nachricht, ob nicht wenigstens 3, 4, 5 Meilen von Halberstadt recht bitteres Hopfenbier zu finden ist.«

Bier war damals schon, neben reinem Wasser, das verbreitetste Getränk kleinbürgerlicher Kreise. Die Obrigkeit jeder, selbst der kleinsten Stadt, vergab Braugerechtigkeiten, die nicht an Personen, sondern an bestimmte Häuser gebunden waren, und regulierte die Preise, die sie (wie auch bei Brot und Fleisch) möglichst niedrig hielt, um bei der Bevölkerung keine Unruhe aufkommen zu lassen. Jean Paul brauchte Bier als Anregungsmittel für seine Arbeit. Es hatte langsam den Kaffee abgelöst, der ihm die immense Arbeitsleistung in der Jugend ermöglicht hatte. Als er am »Hesperus« schrieb, notierte er sich Regeln für die Arbeit, die sich nicht nur auf Form und Inhalt der Kapitel, sondern auch auf Arbeitstechnik und -moral bezogen. »14. Bessere dich!« hieß es da, »16. Gehe die Hauptartikel im Wörterbuch [Register für Exzerptensammlung] durch«; dazwischen aber stand, nicht weniger wichtig, die Anweisung zum Kaffeetrinken: »Früh $2\frac{1}{2}$–3 Lot, abends 2.« Er trank also so viel und so stark, daß er in einen Rausch geriet. Den erzielt er jetzt durch Bier. Schon aus Weimar berichtete Böttiger: »Er trinkt, wenn er komponiert, viel Bier und Wein und sitzt erstaunlich warm, wie in einem Schwitzofen«, und Karoline schreibt, nachdem sie eine Woche mit ihm verheiratet ist, an ihren Vater: »Aus Grundsatz und Ökonomie gewöhnt der gute Mensch sich den Wein ab ... trinkt nur Bier.«

Der gute Mensch! Für Karoline ist er mehr als das, er ist der »reinste, heiligste, gottähnlichste Mensch, der jemals gelebt hat«. Es gibt Augenblicke, wo sie »vor seiner Seele knieend« liegt. Das bezeichnet genau ihr Verhältnis zu ihm. Und das gefällt ihm, ermöglicht ihm, mit ihr zu leben. Sie ist genau die Rosinette, die er gesucht hat: hübsch, jung, anpassungsfähig, von Mitgefühl für alles Lebendige erfüllt, ohne eignes Geltungsbedürfnis (also keine »Pracht- und Fackeldistel«, keine »Titanide«) und doch gebildet genug, um seine Bücher lesen und lieben zu können. Als sie ihn kennenlernt, küßt sie ihm in ehrfürchtiger Rührung die Hand. Als sie ihn in der Verlobungszeit darum bittet, etwas für ihn arbeiten zu dürfen und dabei natürlich an Handarbeiten denkt, trägt er ihr auf, seine »Palingenesien« zu lesen. Und um die Übereinstimmung mit der »Konjektural-Biographie« vollständig zu machen, schiebt er die Hochzeit bis Pfingsten auf: Wirklichkeit wird Abbild der Literatur, der eignen.

Bis dahin genießt er (neben angestrengter Arbeit an den letzten Bänden des »Titan« und dem ersten der »Flegeljahre«) das gesellige Leben der Großstadt, eilt »froh und liebend und geliebt von Teetisch zu Teetisch«, in Oper, Schauspiel, Konzert, mit der Verlobten und noch öfter ohne sie, zum Beispiel zu Einladungen bei Hofe, zu denen sie nicht gebeten wird. Der Verkehr mit den alten Lieben geht vertraulich wie zuvor weiter: Madame Bernard wird besucht, Julie von Krüdener lädt ihn ein, und die Gräfin Schlabrendorf, die beim Empfang der Verlobungsnachricht krank wird, sich aber schnell wieder faßt, versucht sofort, aus den Trümmern der Liebe die Freundschaft zu retten, indem sie sich mit der jungen Braut anfreundet, die Eifersucht nicht zu kennen scheint: Jede Regung dieser Art wird von Karoline sofort in Minderwertigkeitsgefühl umgesetzt; brieflich träumt sie edle Träume von Entsagung, um einer Würdigeren ihren Platz an der Seite des Angebeteten einzuräumen.

Im Gegensatz zum ersten Berliner Kurzaufenthalt kommt Jean Paul jetzt auch mehr mit den Geistesgrößen der Stadt in Berührung, vornehmlich mit Angehörigen der »neuen Sekte« der Romantiker, deren Zentrum sich von Jena nach Berlin verlagert hat. Zwischen dem Einzelgänger und der Gruppe kommt es zu einem Waffenstillstand, der fast wie Vereinigung aussieht, es aber nicht ist. Gegen Tieck, der Jean Pauls Prüderie in der satirischen Vision »Das jüngste Gericht« böse verspottet hatte, äußerte er sich im August noch so: »Bisher saß ich noch gelassen da und hatte den Krokodilrachen offen für alle Mükken und alles was darin stach und sog; wenn sie mich aber zu arg stacheln, so schnapp ich zu.« Im Oktober aber schon berichtet er von freundschaftlichem Verkehr mit Tieck, mit Bernhardi und anderen Intellektuellen der romantischen Schule.

Mit ihrem kritischen Haupt, Friedrich Schlegel, ging es ihm ähnlich. Der hatte ihn schon (von Schiller mißtrauisch registriert) in Weimar besucht und freundschaftliche Gespräche mit ihm geführt, nachdem er ihn scharf, aber nicht ohne Verständnis, kritisiert hatte. Im ersten Band des »Athenäum« von 1798 hatte er Jean Pauls Romane als erster umfassend gewürdigt, im dritten (und letzten) von 1800 seine Romantheorie an Werken Jean Pauls erläutert und diese dabei treffend »eine Enzyklopädie des ganzen geistigen Lebens eines genialischen Individuums« genannt. »Der große Haufen liebt Friedrich

Richters Romane«, heißt es im ersten »Athenäum«, »vielleicht nur wegen der anscheinenden Abenteuerlichkeit. Überhaupt interessiert er wohl auf die verschiedenste Art und aus ganz entgegengesetzten Ursachen. Während der gebildete Ökonom edle Tränen in Menge bei ihm weint und der strenge Künstler ihn als das blutrote Himmelszeichen der vollendeten Unpoesie der Nation und des Zeitalters haßt, kann sich der Mensch von universeller Tendenz an den grotesken Porzellanfiguren seines wie Reichstruppen zusammengetrommelten Bilderwitzes ergötzen oder die Wirklichkeit in ihm vergöttern. Ein eignes Phänomen ist es, ein Autor, der die Anfangsgründe der Kunst nicht in der Gewalt hat, nicht ein Bonmot rein ausdrücken, nicht eine Geschichte gut erzählen kann ... und dem man doch schon um eines solchen humoristischen Dithyrambus willen, wie der Adamsbrief des trotzigen, kernigen, prallen, herrlichen Leibgeber, den Namen eines großen Dichters nicht ohne Ungerechtigkeit absprechen dürfte ... Seine Frauen haben rote Augen und sind Exempel, Gliederfrauen zu psychologisch-moralischen Reflexionen über die Weiblichkeit oder über die Schwärmerei ... Sein Schmuck besteht in bleiernden Arabesken im Nürnberger Stil. Hier ist die an Armut grenzende Monotonie seiner Phantasie und seines Geistes am auffallendsten: aber hier ist auch seine anziehende Schwerfälligkeit zu Hause, und seine pikante Geschmacklosigkeit, an der nur das zu tadeln ist, daß er nicht um sie zu wissen scheint. Seine Madonna ist eine empfindsame Küstersfrau, und Christus erscheint wie ein aufgeklärter Kandidat. Je moralischer seine poetischen Rembrandts sind, desto mittelmäßiger und gemeiner; je komischer, je näher dem Bessern; je dithyrambischer und je kleinstädtischer, desto göttlicher; denn seine Ansicht des Kleinstädtischen ist vorzüglich gottesstädtisch.«

Liebenswürdig sind die Romantiker also nicht zu ihm, und was sie an ihm loben, ist sicher nicht das, was er lobenswert findet, aber sie nehmen ihn ernst, verfolgen alles, was er schreibt, mit Aufmerksamkeit, während Schiller und Goethe ihn ignorieren. Das macht Gespräche mit ihnen möglich und fruchtbar, ohne daß Jean Paul einer der ihren werden könnte. Denn sie huldigen einem Ästhezismus, den er schon in seiner »Geschichte meiner Vorrede zum Quintus Fixlein« als Weg zur Barbarei beschrieben hat. Sie schätzen an ihm die Willkür seiner Form, verlachen aber sein sittliches Wollen. Gleichzeitig angezogen und abgestoßen werden sie von ihm, so wie er es von ihnen wird. Bei ihnen wechseln Lobeshymnen auf ihn mit Schmähungen; ihm gerät der faszinierende Böse des »Titan«, Roquairol, einem romantischen Genie so porträtähnlich, daß Brentano erklären konnte, er verstehe nicht, wie Jean Paul, ohne ihn zu kennen, ihn so genau habe treffen können, – während im Anhang zum gleichen Roman der Luftschiffer Gianozzo (im Berliner Winter entstanden) aus seiner Montgolfiere wie einer der frühromantischen Intellektuellen auf die gegenwärtige Welt herunterblickt, sie klein, eitel und verachtenswert findet und besonders die überalterte Berliner Aufklärung (den Hauptfeind der Romantiker) mit ihrem greisen Anführer Nicolai verspottet.

Ein ähnlich zwiespältiges Verhältnis hat Jean Paul zu Fichte. Alter, Herkunft, gleiche Entwicklung und gleiche politische Position verbinden sie, aber Fichtes Philosophie stößt Jean Paul ab. 1799 veröffentlicht er den »Clavis Fichtiana«, den Schlüssel zu Fichtes Philosophie, in dem er den »philosophischen Egoismus« satirisch ad absurdum führt, und im »Titan« läßt er Schoppe über Fichtes Philosophie wahnsinnig werden. Bezeichnenderweise aber ist Schoppe einer der sympathischsten Figuren des Romans, ein revolutionärer Geist wie der frühe Fichte selbst (obwohl er sonst keine Personalähnlichkeit mit ihm hat); und als reaktionäre Kräfte in Jena den Philosophen in den sogenannten Atheismusstreit ziehen, um ihn von der Universität zu entfernen, stellt Jean Paul sich selbstverständlich auf die Seite des Verfolgten. Auch persönlich sind sich beide durchaus sympathisch. Und den Angriff im »Clavis« hat Fichte nicht ernst genommen; er meinte nur: »Dieser Schlüssel mag wohl nicht schließen, denn der Verfasser desselben ist nicht hineingekommen.«

Selbst für den späten Fichte findet Jean Paul, als er die »Reden an die deutsche Nation« rezensiert, noch lobende Worte, obwohl er die nationalistischen Überspanntheiten als gefährliche Dummheit charakterisiert.

Die spätere reaktionäre Entwicklung der Romantiker aber lehnt er eindeutig ab. Die Annäherung in Berlin bleibt für ihn Episode, auch wenn Tieck, Bernhardi, Fouqué und andere ihn später hymnisch preisen. Er bleibt allein.

Isoliert stand er in seiner Zeit, schreibt Heine später, als er über die politischen Schriftsteller des »Jungen Deutschland« berichtet, die in Jean Paul ihren Vorläufer sehen, und gibt als Grund dafür an, daß Jean Paul sich ganz seiner Zeit hingegeben habe, was als Lob gemeint und als solches berechtigt ist. Jean Paul war der Mann der Gegenwart. Er suchte seine Ideale und Stoffe nicht in der Antike und nicht im Mittelalter. Das war sein Verdienst, und es markiert seine Grenzen. Denn die Flucht in die Vergangenheit war eine zu der Größe, die die deutsche Gegenwart nicht bot, ein Versuch, sich geistig über die Misere zu erheben. Indem Jean Paul diese Flucht verschmähte, blieb er auf die miserable Realität angewiesen. Das Kleinliche der Kleinstaaterei und des Kleinbürgertums konnte er darstellen wie sonst keiner. Seine Versuche, den verachteten Verhältnissen ideale Helden gegenüberzustellen, scheiterten, weil eben diese Verhältnisse den Helden keine Gelegenheit zu Taten boten. Das ist so im »Hesperus«, und so wird es auch im »Titan«, seinem großangelegten Meisterstück, indem er etwas für die Zeit Einmaliges schafft: den politischen Bildungsroman.

29

Sonnengott
und
Himmelsstürmer

*

Der Grundstein für den »Titan« wird früh gelegt. Schon 1792, nach Abbruch der »Unsichtbaren Loge«, entstehen erste Notizen. Als Titel ist vorgesehen: das Genie. Kaum ist der »Hesperus« fertig, beginnt Jean Paul zu schreiben. Aber die Voraussetzungen sind noch nicht gegeben. Erst die Erfahrungen der Weimar-Reise bringen ihn wieder voran. Nun kann er Fürsten, Höfe und Höflinge aus eigner Anschauung darstellen; nun hat er Licht- und Schattenseiten der Genies kennengelernt und auch die emanzipierten Frauen, die er als titanisch empfindet. Leseerlebnisse werden produktiv gemacht: des verehrten Jacobi Genie-Roman »Allwill« in den Anfängen, Goethes »Wilhelm Meisters Lehrjahre« später. Auf der mit Emilie von Berlepsch unternommenen Reise nach Dresden beeindrucken ihn die Abgüsse antiker Skulpturen. Jedes Bildungserlebnis fließt in den Bildungsroman ein. In Hof wird das Riesenwerk begonnen, in Leipzig, Weimar und Berlin fortgesetzt, in Meiningen beendet. Die gesamten Wander- und Ruhmjahre stehen in seinem Zeichen.

Fünf Jahre etwa liegen zwischen dem »Hesperus« und dem ersten Band des »Titan«; die erlebnisreichsten seines Lebens, die auch sehr produktive sind. »Quintus Fixlein«, »Geschichte meiner Vorrede«, »Biographische Belustigungen«, »Siebenkäs«, »Jubelsenior«, »Kampanertal«, »Palingenesien«, »Briefe und bevorstehender Lebenslauf«, »Clavis Fichtiana«: neun Bücher, sozusagen nebenbei, dazu noch die bearbeitete und erweiterte zweite Auflage des »Hesperus«. Danach jährlich ein »Titan«- Band, vier Jahre lang, samt »Komischen Anhang«, der zwei Bände füllt und ein so wichtiges Einzelwerk wie »Des Luftschiffers Gianozzo Seebuch« enthält. Inzwischen aber sind auch die »Flegeljahre« schon begonnen, die ursprünglich ein »Titan«-Teil werden sollten, doch dann abgespalten wurden; ein Nebenwerk also wieder, aber eins vom Range des »Siebenkäs« und wie dieser künstlerisch das Hauptwerk überragend. Denn hier wie dort bewegt sich Jean Paul auf vertrautem Boden, in Dorf und Kleinstadt, im kleinbürgerlichen Milieu, in der »Groschengalerie« des Welttheaters, wo er zu Hause ist und sich wohl fühlt. Hier kann er sein, wie er ist. Im »Titan« aber, der fast ausschließlich in Aristokratenkreisen spielt, zwingt er sich eine Leistung ab, bei der er sich verleugnen muß. Der Gegner der Klassiker hat hier den Ehrgeiz, einer zu werden. Keins seiner Bücher ist so von Weimar bestimmt, wie dieses Anti-Weimar-Buch. In keinem werden seine Hoffnungen, seine Ideale und Ansichten so deutlich wie hier. Aber der großen Idee werden die Mittel, die er beherrscht, nicht gerecht.

Er ist ein Erziehungs- und Bildungsroman, wie Goethes »Wilhelm Meisters Lehrjahre«, den er übertreffen will, und dem er verpflichtet ist. Indem sich Jean Paul von Goethe distanziert, lernt er von ihm. Die produktive Auseinandersetzung mit dem Klassiker schafft ein Bildungsideal, das das goethische in sich aufgenommen hat und es überragt, weil es um das politische Moment bereichert ist. Das Ziel des Bildungsprozesses ist bei beiden die allseitig gebildete Persönlichkeit (Allkräftigkeit heißt es bei Jean Paul), aber während bei Goethe die Utopie einer Klassenharmonie den unpolitischen Bildungsbürger erzeugt, führt Jean Pauls Demokratismus zum Ideal eines politisch orientierten Menschen. Nicht der tätige, anpassungsbereite Bürger steht bei ihm am Ende, sondern der Staatsmann, der bestehende Verhältnisse ändern will. Wenn die (gestalterisch leider kaum vorhandene) Idealgestalt der Prinzessin Idoine gegen Schluß des Romans zum Helden sagt: »Ernste Tätigkeit, glauben Sie mir, söhnet zuletzt immer mit dem Leben aus«, so klingt das sehr goethisch, ist aber zustimmende Äußerung über Albanos Absicht, in die Französische Armee einzutreten, um die Revolution zu verteidigen.

Leider wird dieses hehre Ideal von Jean Pauls »hohem Menschen« am falschen Sujet abgehandelt. Entspringt doch das Streben der Zeit nach Bewahrung des Menschlichen durch allseitige Ausbildung dem Drang, der Deformierung des Menschen durch Arbeitsteilung entgegenzuwirken. Diese aber wird doch erst durch die kapitalistische Entwicklung ins Extrem getrieben, ihre Darstellung ist also am besten am Bürgertum möglich, wie es bei Goethe auch geschieht. Jean Paul aber verbannt die ursprünglich vorgesehene bürgerliche Parallele zur Bildungsgeschichte Albanos in den nächsten Roman, die »Flegeljahre«, und handelt das Problem der Einkräftigkeit an Aristokraten ab, die auf Grund ihrer Privilegien der Deformierung durch Arbeitsteilung doch am wenigsten ausgesetzt sind. Den Vorteil, dadurch zu Handlungsträgern zu kommen, die politisch wirksam werden können, bezahlt er mit Verschiebung des Problems auf andere Bahnen: Die Einseitigkeiten, an der alle Personen (bis auf die Lichtgestalten Albano und Idoine) scheitern, sind nicht existentieller, sondern ideologischer Natur. Während Goethe das Grundproblem des kommenden Jahrhunderts trifft, bleibt Jean Paul aktueller Gesellschafts- und Ideologiekritik verhaftet.

Als 1803 der letzte Band des »Titan« erscheint, ist er schon fast veraltet. Die Tage der Kleinstaatdespoten sind gezählt, die Diskussionen um Klassik und Romantik sind bald vorüber. Die dynastische Intrige, die Jean Paul als Vorbild für seine stark verknotete Fabel benutzt, hat sich so ähnlich 75 Jahre vorher in Ansbach-Bayreuth abgespielt; zeitgemäß kann man das kaum noch nennen. Und die Bourgeoisie, die von Frankreich aus die Geschicke Europas für die nächsten Jahre bestimmt, kommt bei Jean Paul nicht einmal als Ahnung vor.

Doch der Mißerfolg des Buches erklärt sich nicht nur daraus. Die lange Entstehungszeit hatte zu Zwiespältigkeiten vieler Art geführt, die künstlerisch nicht bewältigt, nur überdeckt wurden. Daß der erste Band noch viel von der Verspieltheit und Skurrilität des »Hesperus« hat, im zweiten Band die Handlung nicht recht vorankommt und erst die beiden letzten Bände sich sprachlich wirklicher Klassizität nähern, ist sicher weniger wichtig als die Tatsache, daß Fabelführung und Bildungsideal nicht zueinander passen. In dem für Held und Leser undurchschaubaren Intrigenspiel ist Albano nur Spielball. Und als er endlich, ohne daß ihm ein Handeln je vergönnt war, am Schluß des Bildungsweges den Entschluß, nach Frankreich aufzubrechen, faßt, bleibt das Erkenntnis ohne Folgen. Denn da wird ihm (dem Zwang der mühsam ersponnenen und mit Geistermaschinerien geschmückten Fabel gehorchend) eröffnet, daß er der Fürst der beiden in Fehde liegenden Ländchen ist. Und ohne daß Verfasser und Held noch ein Wort darüber verlieren, tritt (nach hastiger Verlobung mit der reformfreudigen Prinzessin Idoine) der Mann, der eben noch bereit war, den feudalistischen Staat zu bekriegen, die Thronfolge in einem solchen an. Der Sinn des Happy-Ends ist also der des »Hesperus«: So begeistert von Revolution muß der Herrscher sein, der eine von oben durchführen will! Und wenn der Schluß auch weder für den Realismus noch für den Republikanismus des Verfassers spricht, so beweist er doch, daß sich Jean Pauls Einstellung zur Revolution in Frankreich nicht verändert hat. Zehn Jahre nach der Zeit, in der der Schluß des Romans spielt, ist für seinen Verfasser der Gipfelpunkt der Erziehung des positivsten seiner Helden noch immer die Entscheidung für die Revolution – in ihrer girondistischen Phase. Denn bevor die Jakobiner die Macht an sich reißen, schließt der Roman. Und wie Jean Paul über diese dachte, hat er in dem 1801 erschienenen Aufsatz »Über Charlotte Corday« unmißverständlich gesagt: Während er die Girondisten »die letzten Republikaner« nennt, ist ihm die »blutdürstige Bergpartei« nicht Verteidigerin, sondern Zerstörerin der Freiheit, »der Tornado des Säkulums,

der eiskalte Sturm des Terrorismus«, vor dem er Ekel empfindet.

Von der »Unsichtbaren Loge« und dem »Hesperus« her gesehen stellt der dritte Versuch des (eigentlich nur einen) »heroischen« Romans einen großen künstlerischen Fortschritt dar.
Die Sprache ist gebändigt. Satiren darf nur Schoppe machen.
(Die sonst vom Autor eingeschobenen, sind in den »Komischen
Anhang« verwiesen.) Die Gefühls- und Naturschwärmereien
halten sich in Grenzen. Wirklich Großes aber wird geleistet
mit den Charakteren.

Da ist die unter der Despotie ihres Vaters, des Ministers,
leidende Liane, Albanos erste Liebe, die an übersteigerter Sensibilität und Todessucht zugrunde geht. Da ist Linda, die
zweite Geliebte Albanos, ein bis zur Peinlichkeit genaues Porträt der Charlotte von Kalb, an deren Augenschwäche leidend,
in Zitaten aus ihren Briefen redend. Deren Liebe ist so egoistisch,
daß sie den Jüngling von seinen Feldzugsplänen abhalten will.
Die ist so einkräftig emanzipiert, daß sie die Ehe ablehnt und
sich ohne deren Legitimation hinzugeben bereit ist – was ihren
Untergang bewirkt. Denn der sich da im Finstern der Nacht-
blinden bemächtigt, ist nicht Albano, der Sonnengott (der Titan, mit Betonung auf der ersten Silbe), sondern sein Freund
und Feind, einer der Titanen des Buches (der auf der zweiten
Silbe betonten Himmelsstürmer, die, nach Jean Pauls Worten,
alle ihre Hölle finden), und zwar der Böseste von ihnen, Roquairol, die faszinierendste Gestalt des Buches. An ihm gemessen wirkt Albano blaß: das Dilemma des positiven Helden,
das bis heute Kritikergemüter bewegt. Roquairol handelt, Albano aber hat nichts zu tun, als immer besser zu werden.

Brentano hatte schon recht: Roquairol soll das Schreckens-
bild des Romantikers sein. An ihm sollen die Abgründe gezeigt
werden, in die übersteigerter Ästhetizismus führen kann. Doch
daß aus dem einen Genie des ursprünglichen Romanplans mit
seinen guten und schlechten Seiten später zwei wurden, die
Gut und Böse personifizieren, entsprang sicher auch Jean Pauls
Bestreben nach Objektivierung und Verfremdung eignen We-

sens. Und davon enthalten Roquairol und Schoppe nicht weniger als Albano. Während der Sonnenjüngling das klassische Programm der Harmonie repräsentiert und so mehr Wunschtraum jeanpaulschen Wesens ist, wird Roquairol zum Ausdruck der Gefahren, die im Verfasser selbst angelegt sind, und die er bannt, indem er sie sich – stellvertretend im Bilde des Romans – ausleben läßt: die Zerstörung des Gefühls durch seine Vorwegnahme im Intellekt, die Eitelkeit des Sich-Darstellens. Das kann so genau wissen nur, wer Verführungen dieser Art in der eignen Seele erfahren hat – wie eben Jean Paul: der sein Leben in der Kunst vorwegnimmt, der in Briefen an seine Verehrerinnen mit Leichtigkeit jedes Gefühl parat hat, dem jede durch Briefe vorbereitete persönliche Begegnung Enttäuschung bereitet, weil alle Gefühle schon vorher ausgelebt sind. Daß ihm trotz der Nähe der Gestalt ihre Objektivierung gelingt, daß sie mit allen psychologischen und sozialen Motivierungen bester Bestandteil des Romans wird, gehört zu Jean Pauls größten künstlerischen Leistungen, zu seinen sympathischsten menschlichen aber, die Gefahr des Nur-Künstlertums damit überwunden zu haben. Wenn Albano auf den Trümmern der Antike, die andere zu Kunstgenuß anregen, sich zu Taten entschließt, ist das verbales Programm; wenn aber Roquairol durch seinen Ästhetizismus zugrunde geht, wird das Beweis durch künstlerische Gestaltung.

Roquairols einziges ursprüngliches Gefühl ist seine unerwiderte Liebe zu Linda. Die löscht er durch seine Schandtat an ihr aus. Dann treibt ihn der Ekel an eigner Leere in den Freitod. Aber auch den setzt er noch in Kunst um. Sein Leben, seine Verbrechen, sein Tod werden Inhalt eines Trauerspiels, das er verfaßt und inszeniert und in dem er sich selbst darstellt. Den Ästhetizismus seines Lebens führt er konsequent durch, indem er sich auf offener Bühne erschießt und so Schillers Idee der ästhetischen Erziehung im Sinne der Romantiker an ihr absurdes Ende führt – zum Entzücken des Kunstrats Fraischdörfer, den der Tote kalt läßt, der Theatereffekt aber begeistert und zu neuen Theorien veranlaßt.

Dem Zwang zu klassischer Harmonie bringt Jean Paul aber auch Schoppe zum Opfer, den Freigeist, den kritischen Spötter, der hier als destruktiv denunziert wird und deshalb, der Romanidee unterworfen, als Einkräftiger seine Hölle im Wahnsinn findet. Aber damit tut der Autor sich mehr Gewalt an, als er vertragen kann: An Schoppes Leiche steht schon sein Ebenbild Siebenkäs-Leibgeber bereit, um dem künftigen Herrscher von Hohenfließ und Haarhaar seine satirischen Dienste weiterhin zu erfüllen. Und im »Komischen Anhang« breitet der Autor nicht nur seine mühsam unterdrückten satirischen Späße aus, sondern läßt Schoppe auch wieder auferstehen unter dem Namen Gianozzo, der nun nicht nur von jeglichen menschlichen und sozialen Bindungen, sondern auch von der Erde befreit ist, weil er mit Hilfe der neuesten Errungenschaft der Technik, dem 1873 erfundenen Ballon, sich über diese erhebt und den ersten der drei im »Quintus Fixlein« beschriebenen Wege »glücklicher (nicht glücklich) zu werden« wahr macht: den nämlich, »soweit über das Gewölke des Lebens hinauszudringen, daß man die ganze äußere Welt mit ihren Wolfsgruben, Beinhäusern und Gewitterableitern von weitem unter seinen Füßen nur wie ein eingeschrumpftes Kindergärtchen liegen sieht«.

Es ist der Flug des Genies, das sich selbst genügt, und die Lust, Laune und Kraft, mit der er dargeboten wird, spottet aller Moral des vorangegangenen Romans. Die Einkräftigkeit feiert wieder Triumphe. Freilich: der Luftschiffer kommt im Gewitter um. Aber als seine Leiche zur Erde fällt, steht Freund Leibgeber (der hier Graul heißt) schon bereit, sein Erbe anzutreten. Der Traum von Freiheit ist unsterblich.

30

Heimkehr

*

»Wissen Sie wohl, meine Freundin, daß es eine sehr gefährliche Anmutung ist, die Sie mir da tun? Ich soll Jean Pauls
‚Titan' beurteilen? Der bloße Gedanke, daß man ihn tadeln könne, macht hundert schöne Enthusiastinnen, die bei
Richters Schriften vor dunklen Gefühlen fast in Ohnmacht fallen, erblassen; und ebensoviel schwachsinnige Männer, die gar
nichts sein würden, wenn sie nicht immer – berauscht wären,
fahren grimmig und mit gesträubten Haaren auf und drohen
Krieg, wenn man zu richten wagt, wo sie nur bewundern können.«

Die Furcht, die der Kritiker Garlieb Merkel hier äußert, ist
nach der grenzenlosen Begeisterung für den »Hesperus« verständlich, aber sie ist schon gegenstandslos: die Enttäuschung
über den »Titan« ist nicht nur bei Merkel und August Wilhelm
Schlegel, seinen schärfsten Kritikern, groß, sie ist allgemein.

Vom »Siebenkäs« an hatte Jean Paul immer wieder die Re-
klametrommel für den »Kardinalroman« gerührt und die Lesewelt dann lange warten lassen. Das Interesse am ersten Band
war dementsprechend groß, groß aber auch die Enttäuschung,
die der zweite Band, in dem die undurchschaubare Handlung
nicht recht vorankam, noch vertiefte. Die beiden letzten Bände
wurden, obwohl sie die besseren waren, kaum noch beachtet.

Die Auflage von 3000 Stück verkaufte sich nur schleppend; an eine zweite war zu Jean Pauls Lebzeiten nicht zu denken. Als er starb, lagen Exemplare des dritten und vierten Bandes noch immer beim Verleger. Später hat man versucht, das Riesenwerk durch Kürzung zugänglicher zu machen, dreimal im 19. Jahrhundert, dann 1913 im Insel-Verlag durch Hermann Hesse, der, mit schlechtem Gewissen, ein Viertel herausstrich – und kaum mehr Erfolg damit hatte.

Die enorme Anstrengung Jean Pauls hatte sich, von der Wirkung her gesehen, nicht ausgezahlt. Wohl aber für sein eignes Werk. Das zeigt sich am nächsten, den »Flegeljahren«, wo er wieder zum bürgerlichen Milieu zurückkehrt, aber gereifter. Doch auch dieser Roman bleibt Fragment: Vollendung, Vollkommenheit, Harmonie ist seine Sache nicht. Der Zwiespalt in ihm selbst löst sich nie auf; das Chaos der Welt, das er sieht, vermag er nicht zu ordnen. Das macht die Lektüre seiner Werke so schwierig; das bringt ihn jedem, der ihm durch seine oft verschlungenen Pfade folgen kann, so nahe.

Seine Sehnsucht, wieder zum humoristischen Roman mit bürgerlichem Milieu zu kommen, ist so groß, daß er schon vor Beendigung des »Titan« daran arbeitet. Aber er zwingt sich zur Disziplin, schreibt das Mammutwerk erst fertig, obwohl er dessen Fehler erkannt hat: Die Wahl des vornehmen Standes, des sogenannten Edlen, schreibt er aus Berlin an Otto, sei ein Irrtum, und er spricht dabei von der bedauerlichen Abweichung von seiner »Siebenkäsischen Manier«.

Dem Irrtum, daß er selbst sich unter den sogenannten Edlen wohl fühlen könnte, ist er nie erlegen. Kaum hat er alle für den »Titan« notwendigen Erfahrungen gesammelt und die Frau, die er braucht, bei der Hand, begibt er sich auf den Rückzug, so schnell wie möglich. Als die Berliner am 30. Mai 1801 in der »Vossischen« und der »Haude und Spenerschen Zeitung« folgende Annonce lesen, hat er, um dem »Tantenzeremoniell des Besuchemachens und -annehmens« zu entgehen, die Stadt schon verlassen:

»Unsere Verbindung und unsere Abreise nach Meiningen

machen wir unseren Freunden mit dem Dank für die vorige
Liebe und mit der Bitte um die künftige bekannt.

Jean Paul Fr. Richter   Leopoldine Karoline Richter
Legationsrat   geb. Mayer"

In Wörlitz und Dessau wird noch Station gemacht, in Weimar müssen Wieland und Herder die Erwählte begutachten
(sie sind entzückt von ihr!), dann nimmt Jean Paul schmerzlos
Abschied von der großen Welt.

Am 20. Juni schreibt der »selige« Ehemann seinen ersten
Brief aus Meiningen an Otto: »Die Ehe hat mich so recht tief
ins häusliche feste stille runde Leben hineingesetzt. Gearbeitet
und gelesen soll jetzt werden. Das Verlieben kann ausgesetzt
werden.«

Das ist seine Art von Seligkeit: von den Anstrengungen der
Simultanliebhaberei befreit und gut versorgt arbeiten können,
am »Titan« erst noch, dann an den »Flegeljahren«. Sie aber,
Karoline, lebt ganz für ihn, für Jean Paul, den angebeteten
Dichter. Er ist sich klar darüber und wird nicht müde, ihre
Haltung zu preisen. Ihre Aufopferung geht so weit, daß sie ihm
kurz vor ihrer ersten Niederkunft noch »mitten in den Wehen«
doch sein »Frühstück von Pflaumenkuchen« an den Arbeitstisch bringt. »Gar mit keinem Ich behaftet« zu sein, rühmt er
als ihren größten Vorzug: »die Poesie zieht Zinsen davon.« Er
hat an ihr genau das, was er sich erträumt hat, und sie ist vorerst glücklich dabei. Auch mit der Primitivität der Lebensum-
stände findet sich die Tochter aus wohlhabendem Haus schnell
ab. Sie wohnen in der Unteren Marktgasse, erst in einem licht-
armen Hinterhaus, später besser, zur von Gänsen bevölkerten
Straße hinaus, ein paar Häuser weiter. Das Mobiliar ist seinen
Grundsätzen gemäß so einfach wie möglich. Spiegel und Vor-
hänge gelten dem Gatten schon als unnützer Luxus. (Der Frau
aber billigt er sie zu.) »Ich bleibe so lang' ich lebe, der alte
Möbeln-Verächter, ausgenommen der bequemen Möbel, wie
mein geschmackloses Kanapee ist; in 4 Wochen ist die Augen-
lust am schönsten Möbel vorüber... Ich kenne nur ein ge-

schmackvolles, immer erfrischendes, gut fourniertes Möbel, die sogenannte Natur oder Erde.«

Auf seinem schwarz bezogenen Kanapee sitzt er beim Arbeiten. Sonst gibt es im Zimmer außer dem »Schreib- und Schmiertisch« aus Kiefernholz nur harte Stühle und das altbewährte Regal, aus dem er, ohne aufzustehen, Exzerptensammlungen, Studien- und Briefkopierbücher nehmen kann. Hier sitzt er tagtäglich von früh um halb sieben bis abends um fünf. Schon der Morgenkaffee wird ihm hier serviert, dann das zum Arbeiten nötige Bier. Nur zum Mittagessen geht er in das Zimmer seiner Frau hinüber und liest in der Verdauungspause den »Reichsanzeiger«. Abends werden Besuche gemacht oder empfangen: der Geologe Heim (Bruder des berühmten Berliner Arztes), der auf der anderen Straßenseite wohnt, die Gräfin Schlabrendorf, die nach Meiningen vorausgefahren war, die Wohnung für das Paar gemietet hatte und nun bald wieder heiraten wird, oder Georg I., Herzog von Sachsen-Meiningen, ein Mann mit »Kenntnis und Güte«, aber ohne »Poesie und Philosophie«, mit dem er, wie er Otto gegenüber immer wieder versichert, verkehrt wie mit seinesgleichen. Einladungen aufs Schloß schlägt er oft ab; wenn er zusagt, kommt und geht er, wann er will, und als der Herzog ihm eröffnete, ein Haus für ihn bauen lassen zu wollen, wehrt er entsetzt ab: Ewig will er nicht bleiben. Ihm fehlen die Gespräche mit Freunden. Und auch das Meininger Bier ist schlecht.

Seit acht Jahren ist Jean Paul mit Emanuel Osmund befreundet, einem Bayreuther Juden, der es vom Hausierer zum Handelsmann gebracht hat. Preußische Offiziere mißhandelten ihn so, daß er zeit seines Lebens schwerhörig blieb. Seiner Güte und Menschenliebe hatte das keinen Abbruch getan. Emanuel sei sein »Glaubensgenosse in höherem Sinn, als die Reichsgesetze es nehmen« (die nämlich die Juden nicht als gleichberechtigt anerkannten), hatte Jean Paul an Henriette Herz geschrieben. Auf seinen Reisen nach Bayreuth pflegte Jean Paul bei Emanuel zu wohnen. Der Briefwechsel mit ihm riß in allen Wanderjahren nicht ab. Jetzt, in Meiningen und später in Koburg, wird Emanuel besonders wichtig für ihn: Er schickt ihm Bier. Von den mehr als 60 Briefen, die Jean Paul in diesen Jahren an ihn schreibt, fehlen in wenigen nur Hinweise auf den »Magen-Balsam«, den »Herbst-Trost«, das »Seelenbier«, die »Lethe«, die »vorletzte Ölung«, das »Weihwasser«, (das ihn einmal sogar, in Koburg, mit dem Gesetz in Konflikt bringt, weil er nach seinem reichlichen Genuß das Wasser auf der Straße abschlägt und dafür einen Reichstaler »Pissteuer« zahlen muß.)

Ein Einspänner bringt die Fässer oder Eimer mit Bayreuther, Johanniter oder Kulmbacher Bier von Bayreuth nach Meiningen, und Jean Paul gerät in leichte Panik, wenn die Fässer sich leeren, ehe die neue Sendung angekündigt ist. Wieder und wieder betont er: die Kunst verlangt es; einige ihrer Effekte sind ohne Anregungsmittel nicht zu erzielen; nicht sein Gaumen, sondern sein Gehirn hat Gewinn davon. »Und steigt mir eine Sache nicht in den Kopf, so soll sie auch nicht in die Blase.« Sicher sei er vom Bier abhängig, verteidigt er sich, aber sei das nicht jeder von anderen Dingen auch, zum Beispiel im Winter vom Ofen? »Bei der Einfahrt eines Bierfasses...« schreibt Karoline an Emanuel, »läuft er seliger umher als bei dem Eintritt eines Kindes in die Welt... Mit solcher Ungeduld werden die Stunden gezählt und schon im Voraus mit Trinken gefaßtet. Ist er endlich angekommen, dann wehe ihm [dem Kutscher], wenn er zulange ausruht; gleich muß das Bier ins Haus, um einen frischen Krug mit dem Heber herausziehen zu können.«

Diese Bierseligkeit ist rührend und komisch (Karoline behauptet auch, herzlich über sie zu lachen) – aber sie weist auch auf die Abgründe hin, die hier lauern. Zum Trinker wird niemand ohne Grund. Hier ist es der, daß einer mehr will, als er kann. Mit Aufputschmitteln versucht er, seine Hochform zu halten. Einer, der sich ganz der Kunst verschrieben hat, fürchtet die Leere, die sich hinter ihr auftut, wenn die Kraft nachläßt. Eine lange Verteidigung seines »Trinkunfugs« endet mit dem Satz: »Nur eine Schwelgerei hab' ich, die, daß ich immer in der hohen Flut aller Kräfte schwimmen will und mit Büchern und Menschen füll' ich sehnsüchtig die Ebbe aus.« Aber beides, die wichtigen Bücher und die richtigen Menschen, hat er in Meiningen und Koburg nicht. Die engsten Freunde, Emanuel Osmund und Christian Otto (der eine nur für Privat-Familiäres, der andere nach wie vor für Literatur und Politik zuständig) sitzen in Bayreuth. Unklar bleibt, warum Jean Paul die Übersiedelung dorthin überhaupt noch um diese drei Jahre aufschiebt; schon von Berlin aus erkundigte er sich nach den dortigen Lebenshaltungskosten. Fürchtet er die Endgültigkeit einer Heimkehr? Probiert er aus, ob die Wanderzeit sich noch fortsetzen, die Jugend sich noch verlängern läßt? Zögernd nur bewegt er sich auf seinen Alterssitz zu. Zögernd nur nimmt er zur Kenntnis, daß der Höhepunkt seines Ruhms überschritten ist. Nach mühsam zurückgehaltener Verzweiflung klingen die ständig wiederkehrenden Fragen an Freunde und Bekannte: Warum keine Äußerung zu den letzten Bänden des »Titan«? Wie ist die Meinung zu den »Flegeljahren«?

Letzteren Roman unterbricht er 1803 nach dem dritten Bändchen plötzlich, um den Kritikern seine Vorstellungen von Literatur entgegenzuhalten; nicht wie vor acht Jahren in einer Vorrede, sondern in einem ganzen Buch. Da schon viele Vorarbeiten dazu bereitliegen, entsteht es in der unglaublich kurzen Zeit von neun Monaten: sein literaturtheoretisches Hauptwerk, die »Vorschule der Ästhetik«, die umfangreichste Zusammenfassung, die ein Dichter der klassisch-romantischen Periode von seinen Kunstauffassungen gegeben hat. Zur Herbstmesse 1804 ist das umfangreiche Werk schon auf dem Markt.

»Die Einseitigkeit trägt jetzt die Fahne der Literatur«, hatte er 1802 an Jacobi geschrieben. »Bei Gott, ich folge nie dieser Fahne und möchte sie lieber zerreißen und verbrennen; ich werde daher nirgends in der Poesie (wenn ich einmal darüber schreibe) schonen oder lästern oder angehören.« Und von dieser Position aus, seiner eignen (die sich freilich in manchen Punkten der romantischen nähert) schreibt er seine Gedanken zu ästhetischen Problemen nieder, als eine Art Rechtfertigungsversuch, wobei er nie verhehlt, daß diese seine Dichtungstheorie der Dichtungspraxis entspringt. Ein System der Ästhetik zu schaffen ist dabei sein Ehrgeiz nicht. Das Titelwort Vorschule ist ernst gemeint: er will, so sagt er im Vorwort zur zweiten Auflage, die Schüler nur vorbereiten für die eigentlichen Lehrer, die Philosophen.

Damit freilich geht er in der Bescheidenheit, die sonst seine Sache nicht ist, etwas zu weit. Denn sein eigenständiger Beitrag zur Ästhetik ist nicht unbeträchtlich, besonders, was die Theorie des Romans und des Komischen betrifft, was ja seine Fächer sind, wie die keines anderen. Und was er da zu sagen hat, ist teilweise heute noch so aktuell wie unbekannt, teilweise aber auch sehr einseitig jeanpaulisch und zeitbedingt. Interessant ist es immer, oft aber auch amüsant. Denn auch wenn Jean Paul über Humor theoretisiert, verläßt ihn dieser nicht. Aber schwierig ist es auch, und zum Nachschlagen nicht geeignet. Man muß von vorn zu lesen beginnen, um in seine Begriffswelt eingeführt zu werden. Denn wenn er Termini verwendet, die auch heute üblich sind, haben sie oft eine andere Bedeutung. So ist ihm ein Nihilist einer, der nichts zu sagen hat, ein Materialist das, was man heute als Naturalist bezeichnen würde, und was wir Realismus nennen, umschreibt er mit: Nachahmung (nicht Kopierung oder Nachäffung) der Natur, wobei Natur für Wirklichkeit steht, aus der für ihn alle Dichtung erwächst, aber beseelt und geordnet nach einem höheren Prinzip. Er betont das Subjektive und Individuelle der Kunst, weist auf das Identifizierungsverlangen des Lesers hin und legt, unausgesprochen, der Klassizifierung der Romantypen und der Humoranalyse eine soziale Komponente unter, die über seine Zeit hinausweist.

Da es sich bei der »Vorschule« mehr um eine Gedankensammlung als um den Versuch einer verallgemeinernden Synthese handelt, wäre hier erlaubt, was sich bei allen seinen Werken anbietet, aber sonst verbietet: die Herstellung einer Blütenlese, in der dann, um Beispiele zu nennen, folgendes (mit modernen Überschriften versehen) enthalten sein könnte:

Literatur und Wirklichkeit:

»Die Dichter der Alten waren früher Geschäftsmänner und Krieger als Sänger; und besonders mußten sich die großen Epopöen-Dichter aller Zeiten mit dem Steuerruder in den Wellen des Lebens erst kräftig üben, ehe sie den Pinsel, der die Fahrt abzeichnet, in die Hände bekamen.«

»Bei gleichen Anlagen wird sogar der unterwürfige Nachschreiber der Natur uns mehr geben ... als der regellose Maler, der den Äther in den Äther mit Äther malt. Das Genie unterscheidet sich eben dadurch, daß es die Natur reicher und vollständiger sieht ...; mit jedem Genie wird uns eine neue Natur erschaffen, indem es die alte weiter enthüllt.«

»Die äußere Natur wird in jeder innern eine andere, und diese Brotverwandlung ins Göttliche ist der geistige poetische Stoff ...«

»Allein das ist eben ... die Frage, welche Seele die Natur beseele, ob ein Sklavenkapitän oder ein Homer.«

»Wie wenig Dichtung ein Kopierbuch des Naturbuchs sei, ersieht man am besten an den Jünglingen, die gerade dann die Sprache der Gefühle am schlechtesten reden, wenn diese in ihnen regieren und schreien ... Keine Hand kann den poetischen, lyrischen Pinsel fest halten und führen, in welcher der Fieberpuls der Leidenschaft schlägt. Der bloße Unwille macht zwar Verse, aber nicht die besten.«

Volkstümlichkeit:

»Sonst war die Poesie Gegenstand des Volks, so wie das Volk Gegenstand der Poesie; jetzo singt man aus einer Studierstube in eine andere hinüber, das Interessanteste in beiden betreffend.«

Witz:

»Mit dem alten Kernernst ging den Deutschen ... der Hanswurst verloren. Gleichwohl wärn wir alle noch ernsthaft genug für einen oder den anderen Spaß, wenn wir mehr Staats-Bürger (citoyens) als Spieß-Bürger wären.«

»Da dem Deutschen folglich zum Witze nichts fehlet als die Freiheit: so geb' er sich doch diese!«

»Der Witz... ist von Natur ein Geister- und Götter-Leugner.«

Der Autor und sein Held:

»Jeder Dichter gebiert seinen besonderen Engel und seinen besonderen Teufel; der dazwischenfallende Reichtum von Geschöpfen oder die Armut daran sprechen ihm seine Größe entweder zu oder ab... Aus diesem Grunde gewinnt ein kleiner Autor nichts, der einem großen einen Charakter stiehlt; denn er müßte sich noch ein anderes Ich dazu stehlen.«

»Ein Dichter, der überlegen muß, ob er einen Charakter in einem gegebenen Falle Ja oder Nein sagen zu lassen habe, werf' ihn weg, er ist eine dumme Leiche.«

Der positive Held:

»Schillers Marquis von Posa, hoch und glänzend und leer wie ein Leuchtturm, warne eben den Dichter vor dem Einschiffen zu ihm. Er ist uns mehr Wort als Mensch geworden.«

»Der Menschheit einen sittlich-idealen Charakter, einen Heiligen zu hinterlassen, verdient Heiligsprechung.«

Didaktik:

»Allerdings lehrt und lehre die Poesie..., aber nur wie die Blume durch ihr blühendes Schließen und Öffnen und selber durch ihr Duften das Wetter und die Zeiten des Tags wahrsagt; hingegen nie werde ihr zartes Gewächs zum hölzernen Kanzel- und Lehrstuhl gefället, gezimmert und verschränkt; die Holz-Fassung und wer darin steht, ersetzen nicht den lebendigen Frühlings-Duft.«

Das Böse:

»Es schadet immer, das Laster lange anzuschauen; die Seele zittert vor dem offnen atmenden Schlangen-Rachen, endlich taumelt sie und – hinein.«

Stil:

»Hat jemand etwas zu sagen, so gibt es keine angemessenere Weise als seine eigene; hat er nichts zu sagen, so ist seine noch passender.«

Kritik:

»Keine Rezensionen find ich so leer, so halb wahr, halb par-

teiisch und unnütz als die von Büchern, die ich vor ihnen gelesen; aber wie trefflich sind mir die von solchen Büchern, die
ich nie gekannt, von jeher vorgekommen . . .«

»Je eingeschränkter der Mensch, desto mehr glaubt er Rezensionen.«

Publikum:

»Wenn ein großer Kopf von eurem sich unterscheidet, so
setzt ihr lieber voraus, daß er sich, als daß ihr ihn nicht verstanden.«

»Die gemeinen Geister haben eine häßliche Geschicklichkeit, im tiefsten, reichsten Spruch nichts zu sehen als ihre eigne
alltägliche Meinung, und sie tun dem Autor den Schabernack
an, daß sie ihm beifallen.«

Die »Vorschule« ist also durchaus nicht nur, wie Tieck sagt,
»Rezept, um danach auch jeanpaulsche Bücher zu schreiben«,
sie ist mehr, aber Lehrbuch doch auch, genau wie das nächste,
die »Levana oder Erziehlehre«, die drei Jahre später erscheint.
Wie bei der »Vorschule« dichterische, so fließen hier pädagogische Erfahrungen ein, die seiner Hauslehrer- und Winkelschulmeisterzeit und auch schon die bei der Erziehung der eignen
Kinder gewonnenen. Denn von 1802 bis 1804 ist ihm in schöner Regelmäßigkeit jährlich ein Kind geboren worden: ein Mädchen, ein Knabe, ein Mädchen, in jeder seiner letzten Wohn-
stätten eins.

Am Tage der ersten Geburt schreibt er an Otto einen Brief,
der zu Anfang eine Diskussion über den »Titan« weiterführt,
dann auf des Freundes Absicht, in den Staatsdienst zu treten,
eingeht, und darauf erst zum Ereignis des Tages kommt: »Am
Morgen fand die Hebamme – eine in Jena echt ausgelernte, ein
weises Mann-Weib –, daß nach 2 Stunden die Entbindung sein
werde. Um 11 Uhr erfolgte letztere mit einem göttlichen Töch-
terlein. Himmel! du wirst entzückt auffahren wie ich, als mitten unter oder nach dem Stöhnen mir, der ich dabei blieb, die
Hebamme mein zweites Liebstes wie aus der Wolke gehoben
vorhielt, die blauen Augen offen, mit schöner weiter Stirn,
kußlippig, herzhaft rufend, mit dem Näsgen meiner Frau.«

Das rege Briefeschreiben, das nun beginnt, gilt der Gewinnung von Taufpaten (Gevattern genannt). Neben Verwandten und Freunden sind hochgestellte Personen mit Reichtum und Einfluß die besten. Denn ihre Aufgabe ist, dem Kind später beizustehen in der Not, es zu fördern bei Ausbildung, Beruf und Heirat. Eingebürgert aber hat sich darüber hinaus, dem Kind bei der Taufe ein Geldgeschenk zu machen. Als Ehrenbezeigung für den Paten wiederum erhält das Kind dann dessen Namen. Doch das läßt sich bei der Richterschen Erstgeburt nicht machen. Der Paten sind zu viele; zwar nicht, wie es ein habgieriger Landedelmann in den Satiren der »Teufelspapiere« (und der »Palingenesien«) vorhat, 365, aber doch immerhin 11. So kommt nur der jüdische Freund Emanuel (Emanuela), der Herzog von Meiningen (Georgine) und die Herzogs-Mutter von Weimar (Amalia) zur Namensehrung. Da der Rufname des Kindes Emma sein soll und der Vater ihr (»aus pädagogischer Klugheit«) auch den Namen der positiven Heldin des »Titan«, Idoine, geben will, hat sie trotz dieser Einschränkung noch fünf.

Als Max geboren wird (»er sieht so toll aus wie ein humoristischer Aufsatz von mir, nur aber mager«) ist die Familie schon in Koburg, und obwohl der Dichter immer (von andern und von sich selbst) als fürsorglicher Vater gerühmt wird, beginnt ihn doch schon, wie es nicht anders sein kann, die Familie in seiner Arbeit zu stören; denn wie Siebenkäs ist er sehr geräuschempfindlich. Der briefliche Jubel über sein Eheglück macht schon resignierenden Bemerkungen Platz, und, wie später in Bayreuth, verläßt er (mit Hund) tagsüber sein Familienidyll, um in einem Gartenhaus im Grünen, auf dem Adamiberg, ungestört arbeiten zu können.

Aber der Aufenthalt in Koburg ist von vornherein nicht auf Dauer angelegt. Die Bürgerlichen der Stadt sind zu »öde«, Jean Pauls adliger Umgang aber »zur rechten Gemeinschaft des Lebens und Treibens« wenig geeignet. Ein Unterschlagungsskandal, in den sein Gönner Kretzschmann, Minister des kleinen Ländchens (Sachsen-Koburg-Saalfeld) (56 000 Einwohner) verwickelt wird, läßt den Entschluß, nach Bayreuth zu ziehen, noch schneller reifen. Wie jedem der vielen Umzüge gehen Briefe an Freunde mit Bitten um preiswerte Wohnungs- und Möbelbeschaffung voraus; wobei seine besondere Fürsorge seinem Schreibtisch gehört: »Um Gottes Willen keinen verfluchten zarten Sekretär von Mahagony. Kurz, einen Tisch, dessen sich der schlechteste Kanzlist schämen würde.«

Es ist nicht der letzte Umzug, den er macht (denn noch fünfmal wird er in Bayreuth die Wohnung wechseln), aber doch der letzte, der ihn von einer Stadt in eine andere führt. Als Jüngling von 33 Jahren hat er Hof verlassen, als alter Mann von 41 kommt er in seine Heimat zurück. Aus dem dünnen Dichter ist ein aufgedunsener geworden. Seinen fränkischen Dialekt hat er behalten, aber fast alle Haare verloren. Auf sein Äußeres gibt er immer weniger acht. Der Rock ist verschlissen, die eigentlich weiße Weste grau, die Hose zu kurz. Als Odilie, das dritte Kind, schon in Bayreuth, getauft wird, erscheint er wenig festlich zum Fest, mit Stiefeln und schmutziger Weste, die, nach Emanuels Worten, »nicht so viel Knöpfe als Löcher hatte«. Aber selbst die Besucher, die sich darüber mokieren, versichern, daß er sich Güte, Witz und Schlichtheit bewahrt hat. Und vor allem: er arbeitet. Viel Wichtiges wird noch entstehen, aber die »Flegeljahre« werden in den ihm verbleibenden 20 Jahren nicht mehr vollendet.

31

Doppelseele – Doppelroman

*

Welche Leselust: ein Gipfelwerk der Literatur der klassischen Periode, das ganz frisch und rein genossen werden kann! Weil nie Schulaufsätze darüber geschrieben werden mußten, weil niemand einem gesagt hat, was dies und das bedeutet, beinhaltet, symbolisiert, beweist. Keine Bildungsinstitution war jemals daran interessiert, es Lernenden aufzuzwingen; denn es handelt nicht von hohen Dingen wie Vaterland, Freiheit, Krieg oder Revolution. In ihm geht es vorwiegend um die Probleme kleiner Leute, um das Zusammenleben in einer kleinen Stadt, um Freundschaft, Liebe, Armut, Arbeit, Trauer und Vergnügen. Und es hat Humor. Schon deshalb gilt es als für Bildungszwecke ungeeignet. Man kann es also aufschlagen nur zur eignen Freude.

Die freilich wird sich nur einstellen, wenn man (außer der Hauptvoraussetzung: Sinn für Humor) Ruhe und Geduld mitbringt. Flüchtig darüberhin oder quer lesen kann man das nicht. Möglich ist auch, daß die richtige Freude sich erst bei wiederholtem Lesen einstellt. Obwohl Spannung durchaus nicht fehlt, ist es keine Spannungslektüre. Wie jeder Genuß (z. B. der von Wein), erfordert auch dieser Erfahrung. Vorübungen sind also angebracht. Deshalb sollten Jean-Paul-Kenner, werden sie von solchen, die es werden wollen, gefragt, mit welchen Werken am besten zu beginnen sei, »Wutz«, »Fixlein«, »Siebenkäs« oder »Katzenberger« nennen, aber nicht die »Flegeljahre«. Die sollten am Ende der Anfängerreihe stehen.

Und eine gute Ausgabe sollte empfohlen werden, eine mit Anmerkungen, in denen ab und zu nachzuschlagen und den betreffenden Satz dann noch einmal zu lesen, nicht nur das Verständnis erleichtert, sondern auch den Genuß erhöht, indem witzige Anspielungen und Vergleiche sich erschließen und kunstvolle Feinheit der Ironie erhellt wird. Wenn beispielsweise in des unschuldigen Helden Untermieterzimmer eine Paphose steht, ist es schon wichtig zu wissen (was der Held nicht weiß, und worüber er, wüßte er es, erröten würde), daß es sich dabei um ein Möbel handelt, daß einer Tätigkeit dient, die in der Gedanken- und Gefühlswelt des Jünglings nicht vorkommt: um einen Liebessessel nämlich.

Der Anfang schon ist ein Meisterstück des Humors. In der Kleinstadt Haßlau wird das Testament des reichen Van der Kabel eröffnet. »Sieben noch lebende weitläufige Anverwandte von sieben verstorbenen weitläufigen Anverwandten Kabels« machen sich Hoffnungen und werden enttäuscht. Nur sein Stadthaus fällt einem von ihnen zu, und zwar dem, der eher als die sechs anderen dem Verstorbenen eine Träne nachweinen kann. Jeder entwickelt seine individuelle Methode, sich zum Weinen zu bringen, der Herr Kirchenrat Glanz die bei Leichenpredigten oft geübte, sich durch rührende Reden an andere selbst zu rühren. Fast ist er am Ziel, da wird er vom Frühprediger Flachs ausgestochen. »Dieser hielt sich Kabels Wohltaten und die schlechten Röcke und grauen Haare seiner Zuhörerinnen des Frühgottesdienstes, den Lazarus mit seinen Hunden und seinen eignen langen Sarg in der Eile vor, ferner das Köpfen so mancher Menschen, Werthers Leiden, ein kleines Schlachtfeld und sich selber, wie er sich da so erbärmlich um den Testaments-Artikel in seinen jungen Jahren abquäle und abringe – noch drei Stöße hatt' er zu tun mit dem Pumpenstiefel, so hatte er sein Wasser und sein Haus ... Ich glaube, meine verehrtesten Herren – sagte Flachs, betrübt aufstehend und überfließend umher sehend – ich weine – setzte sich darauf wieder und ließ es vergnügter laufen; er war nun auf dem Trockenen.«

Haupterbe aber ist ein in Haßlau unbekannter Jüngling vom Dorfe, der Schulzensohn Gottwalt Harnisch, kurz Walt genannt, »blutarm, grund-gut, herzlich-froh«, ein naiver Träumer, »der vielleicht unter allen, die je den Menschen geliebt, es am stärksten tut«. Bevor der aber die Erbschaft antreten kann, hat er neun Bedingungen zu erfüllen, die vorwiegend in der Ausübung bürgerlicher Berufe (Gärtner, Notar, Lehrer, Klavierstimmer, Jäger, Buchhändler, Korrektor, Pfarrer) bestehen. Macht er Fehler dabei, fallen bestimmte Teile der Erbschaft den sieben Miterben zu.

Die Absicht ist also klar. Der Träumer soll zu einem allseitig gebildeten Menschen erzogen werden. Neben den Zwang der Testamentsklauseln tritt dazu bald als zweite erziehende Kraft der weltgewandte Zwillingsbruder Vult. Ein humoristischer Entwicklungsroman beginnt – und endet eigentlich auch schon mit dem Anfang. Denn wenn der Humor auch durchgehalten wird, so findet doch Entwicklung kaum statt. Der Ausgangspunkt (das Testament) wird mehr und mehr verdrängt zugunsten der Geschichte der zwei ungleichen Brüder, und am Ende des Fragments aus vier Bändchen steht als Fazit Vults Abschiedswort: »Gehabe dich wohl, du bist nicht zu ändern, ich nicht zu bessern.«

Vollendet ist das also nicht in dem einen, nicht in dem anderen Sinn. Und trotzdem bietet es eine Leselust wie wenige Bücher sonst. Vielleicht gerade wegen seiner Schwäche, die es einem verwandter macht, und die doch oft nur der Schatten ist, den ausgeprägte Stärke wirft. Die Stärke heißt hier: Realitätsabhängigkeit. Und diese siegt über den Plan. Denn was das Ende der Entwicklung hätte sein müssen, die bürgerliche Idealpersönlichkeit, war in Wirklichkeit nicht möglich. Goethe hatte die Utopie einer Klassenharmonie im »Wilhelm Meister« bemühen müssen. Die »Flegeljahre« wirken fast wie ein Gegenentwurf dazu. Die einzige Erkenntnis, die Walt unter

Schmerzen gewinnt, ist die, daß Freundschaft zwischen Bürgerlichen und Adligen nicht möglich ist. Sonst bleibt er, wie er war, und auch die wenigen absolvierten Testamentsstationen können ihn nicht ändern, weil er sich aus den materiellen Verlusten, die er durch Fehler erleidet, gar nichts macht.

Und eigentlich möchte man sich ihn auch gar nicht anders wünschen. Ihn kann die Welt nicht bessern. So wie sie ist, kann sie ihn nur verderben. Anpassung an diese Gesellschaft würde nur Verlust des Besten in ihm bedeuten. So geht er also aus dem Buch heraus, wie er hineingegangen ist: lebensfremd und liebenswert. Er sieht die Welt so frohgemut, wie er in einem Brief (man würde heute sagen: als naiver Maler) den Sommer malt:

»Gott, welche Jahreszeit! Wahrlich, ich weiß oft nicht, bleib' ich in der Stadt, oder geh' ich aufs Feld so sehr ists einerlei und hübsch. Geht man zum Tor hinaus: so erfreuen einen die Bettler, die jetzt nicht frieren, und die Postreiter, die mit vieler Lust die ganze Nacht zu Pferde sitzen können, und die Schäfer schlafen im Freien. ... In Gärten auf Bergen sitzen Gymnasiasten und ziehen im Freien Vokabeln aus Lexizis. Wegen des Jagdverbotes wird nichts geschossen, und alles Leben in Büschen und Furchen und auf Ästen kann sich recht sicher ergötzen. Überall kommen Reisende auf allen Wegen daher, haben die Wagen meist zurückgeschlagen, den Pferden stecken Zweige im Sattel und den Fuhrleuten Rosen im Mund. Die Schatten der Wolken laufen, die Vögel fliegen dazwischen auf und ab, Handwerkspursche wandern leicht mit ihren Bündeln und brauchen keine Arbeit. Sogar im Regenwetter steht man sehr gern draußen und riecht die Erquickung, und es schadet den Viehhirten weiter nichts, die Nässe. Und ists Nacht, so sitzt man nur in einem kühlern Schatten, von wo aus man den Tag deutlich sieht am nördlichen Horizont und an den süßen warmen Himmels-Sternen. Wohin ich nur blicke, so find' ich mein liebes Blau, am Flachs in der Blüte, an den Kornblumen und am göttlichen uenndlichen Himmel, in den ich gleich hineinspringen möchte wie in eine Flut. – Kommt man nun wieder nach Hause, so findet sich in der Tat frische Wonne. Die Gasse ist eine wahre Kinder-Stube, sogar abends nach dem Essen werden die Kleinen, ob sie gleich sehr wenig anhaben, wieder ins Freie gelassen, und nicht wie im Winter unter die Bett-Decke gejagt. Man isset am Tage und weiß kaum, wo der Leuchter steht... Überall liegen Blumen, neben dem Dinten-faß, auf den Akten, auf den Sessions- und Ladentischen. Die Kinder lärmen sehr, und man hört das Rollen der Kegelbah-nen. Die halbe Nacht geht man in den Gassen auf und ab und spricht laut und sieht die Sterne am hohen Himmel schießen. Selber die Fürstin geht noch abends vor dem Essen im Park spazieren. Die fremden Virtuosen, die gegen Mitternacht nach Hause gehen, geigen noch auf der Gasse fort bis in ihr Quar-tier, und die Nachbarschaft fährt an die Fenster. Die Extra-posten kommen später, und die Pferde wiehern. Man liegt im Lärm am Fenster und schläft ein, man erwacht von Posthör-nern, und der ganze gestirnte Himmel hat sich aufgetan. O Gott, welches Freuden-Leben auf dieser kleinen Erde! Und doch ist das erst Deutschland! Denk ich vollends an Welsch-land! –«

Natürlich hat dieser Walt viel vom Victor des »Hesperus«, vom Siebenkäs, vom Fixlein und vom Wutz. Boshaft hatte Do-rothea Schlegel die Buchfiguren Jean Pauls als »immer diesel-ben Narren mit anderen Kappen« bezeichnet und damit etwas ausgesprochen, was der Autor selber wußte und in der »Vor-schule der Ästhetik« mit dem ständigen Kreisen des Dichters um sein eigenes Ich erklärt. »Wie nach Aristoteles sich die Menschen aus ihren Göttern erraten lassen, so der Dichter sich aus seinen Helden«, heißt es da. Der eine Held kehre »als der feine Elementar- und Universalgeist« der Dichterseele immer wieder, nur soweit verändert »wie der Autor selber«.

Und verändert ist der Autor jetzt, als er die reinste Ausprä-gung seines Typs schafft. Er ist nicht mehr der keusche Jüng-ling mit Sehnsüchten und Illusionen. Er ist Ehemann, Fami-lienvater und kennt die Welt. Er ist kein Walt, aber er war es, wenn auch nur mit einer Hälfte seines Wesens. »Die Lebens-

Poesie vor der Ehe«, schreibt er in dieser Zeit an Emanuel, »blüht zwar in der Ehe noch auf dem Papiere nach und vielleicht reicher und wahrer, aber ins Leben ... ist sie schwer mehr zu treiben.« Er ist also weiter als sein Held, was größere Objektivität beim Erzählen ermöglicht. Das macht den Humor reifer und reicher. Das macht es aber auch möglich, den geliebten Helden (ohne die Liebe zu verringern) ironisch zu sehen.

Aber auch in Vult verkörpert sich natürlich etwas vom Autor selbst, von der anderen Seite seines Wesens. Der darf hier seine Satiren auf den Adel machen. Der hat die »Grönländischen Prozesse« geschrieben. Der darf intellektuell sein bis zum Zynismus. Der sieht die Welt eher schwarz als rosig, und er weiß, daß sie es verdient, betrogen zu werden. Der saugt nicht aus der Armut selbst noch Honig, der leidet unter ihr und ist durch sie in seinem Stolz gekränkt. Das Zusammenhängende und zugleich Unvereinbare von Jean Pauls Doppelnatur (in Siebenkäs und Leibgeber, in Albano und Schoppe schon Gestalt geworden) wird hier zu äußerster Konsequenz geführt. Extreme stehen sich als Zwillingsbrüder gegenüber. Sie wollen zusammenkommen und können es nicht. Nicht Vorbild ist der Weltmann Vult für Walt. Er ist sein Gegenpol. Nur die Synthese beider Kräfte könnte Vollkommenes ergeben. Sie müßten sich aufeinanderzu entwickeln. Aber das tun sie so wenig, wie die beiden Seelen in Jean Paul sich jemals zur Einheit runden.

Wie viele jeanpaulsche Gestalten, schreiben die beiden. Um die Tragik ihres Getrenntseins zu überwinden, verfassen sie gemeinsam einen »Doppelroman«, der, wie es nicht anders sein kann, nach Richterscher Manier gerät und dadurch auch noch die Möglichkeit bietet, den »Doppelstil« zu rechtfertigen. Walt liefert die gefühlvollen Passagen, Vult die satirischen und dazu die Theorie: Erstens sei der Wechsel zwischen Scherz und Ernst, zwischen Gefühl und Ironie treues Abbild des Lebens in dieser »närrischen Wechselwelt«, zweitens würde der Eindruck eines jeden von beiden durch das folgende Gegensätzliche nur gesteigert, drittens aber trüge der Wechsel zur »Gesundheit des Herzens« bei, da er sowohl Gefühlsüberschwang wie phlegmatische Erstarrung verhindere und den Leser sowohl zur Leidenschaft fähig mache, als ihm auch beibringe, ihrer mächtig zu sein. Vult führt das Prinzip auch im Leben vor. Die Sentimentalität der Kleinbürger reißt er aus ihrer Trägheit, indem er Walts Vortrag einer rührenden Elegie auf der Flöte mit »närrischen 6/8 Takten« begleitet. »Der Widerstreit preßte den Zuhörern einen gelinden Angstschweiß aus.«

Die Feststellung, daß diese Theorien erst im Nachhinein der inzwischen zur Meisterschaft gediehenen Schreibweise aufgesetzt sind, verhindert nicht ihren Wert. »Ich hasse doch«, hatte Jean Paul aus anderem Anlaß an Oertel geschrieben, ». . . alles Erzählen so sehr, sobald nicht durch die Einmischung von 10 000 Reflexionen und Einfällen die alte Geschichte für den Erzähler selbst eine neue wird.« Er braucht also beim Schreiben den Reiz des Spontanen, die Freiheit auch vom Zwang der Fabel. Und dieses Gefühl der Freiheit teilt sich auch dem Leser mit (wenn er in der richtigen Weise zu lesen versteht, sich also nicht selbst den Zwang reinen Fabel-Lesens auferlegt), besonders in den »Flegeljahren«, wo durch die Gestalt Vults vieles an satirischer Reflexion in die Handlung eingeflossen ist und so keine »Extrablätter« oder »Komische Anhänge« nötig werden.

Wenn der Roman schließt, sind fünf der neun Testamentsbestimmungen, die Walt zur Weltklugheit erziehen sollten, noch nicht begonnen, zwei noch ohne Abschluß – wie auch die Liebesgeschichte. Wenn der Schluß trotzdem wie ein Ende wirkt, so deshalb, weil die Geschichte der Zwillingsbrüder mit Vults Abschied eine Abrundung hat. Im Unterschied zur »Unsichtbaren Loge«, der »geborenen Ruine«, hat Jean Paul den Gedanken an eine Fortsetzung der »Flegeljahre« sein Leben lang nicht aufgegeben, doch nie mehr die Kraft dazu gefunden, obwohl der Fabelplan schon vorlag. Vielleicht hat das Unrealistische des geplanten Happy-ends ihn abgehalten. Vielleicht hat die Depression des Mißerfolgs noch lange nachgewirkt. Den vierten Band wollte Cotta, der die 4000 Exemplare der Bände eins bis drei nicht absetzen konnte, kaum noch drucken. Der

Romancier Jean Paul war in Deutschland nicht mehr gefragt. Sein ästhetisches und noch mehr sein pädagogisches Werk dagegen wurden Erfolge. Die Größe der »Flegeljahre« ist – von Ausnahmen abgesehen – erst den Nachgeborenen bewußt geworden.

Vielleicht liegt das auch daran, daß der Roman, trotz seiner leichteren Lesbarkeit, noch unkonventioneller erzählt ist als die vorhergehenden. Im »Hesperus« und im »Titan« war noch das Schema des Entwicklungs- und Schauerromans beibehalten worden. Siebenkäs war noch, trotz Leibgeber, deutliche Mittelpunktsfigur; die ist jetzt zweigeteilt. Das Schwarzweißschema von Held und Bösewicht fehlt hier ganz. Dazu wird mit einer für die Zeit ungewöhnlichen Genauigkeit die Stadt- und Dorflandschaft gesehen, Arbeit geschildert, die Vielfalt des Stadtlebens analysiert und die Funktion des Geldes aufgedeckt, das Gefühl pervertiert, Ansehen schafft und Lebensläufe bestimmt. Walt und Vult attackieren jeder auf seine Weise die Starrheit und Muffigkeit der Gesellschaft und stellen durch Nichtanerkennung die ständische Hierarchie in Frage. Ein demokratischer und freiheitlicher Geist beherrscht das ganze Buch. Als sein bestes Werk, »worin er recht eigentlich wohne«, hat Jean Paul den Roman bezeichnet, und er hat recht damit.

Der Mann, zu dem er das sagte, Varnhagen, gehörte zu den wenigen Bewunderern der »Flegeljahre«. Durch seine Initiative entstand, in unmittelbarer Nachfolge, ein Kuriosum der deutschen Literatur. Als 1806 die Franzosen Halle besetzt und die Universität geschlossen hatten, vertrieben sich die Studenten Varnhagen und Neumann ihre studienlose Zeit damit, nach dem Vorbild des »Doppelromans« der Zwillingsbrüder einen Roman zu schreiben, der 1808, nachdem auch noch Fouqué und Bernhardi mitgeschrieben hatten, unter dem Titel »Versuche und Hindernisse Karls« anonym erschien. In ihm tritt, neben Wilhelm Meister, auch Jean Paul auf, ein dicker Mann, der viel trinkt und viel redet und einen Steckbrief gegen sich selbst aufsetzt, aus Angst, er könnte sich beim Schreiben entlaufen. Er überschlägt sich in Wortspielen und bringt dabei

»alles in der Welt, es mochte noch so getrennt sein, ... in seiner Rede plötzlich zusammen«. Das ganze ist nicht bissig, sondern komisch, eine Art Dank an den Meister durch Parodie. »Was ich selber darin gesagt, gefällt mir, ohne Eitelkeit zu reden, ausnehmend«, schreibt er 1811 darüber. Aber rezensiert, wie die Verfasser es wollten, hat er das Buch nicht.

32.

Das Freiheitsbäumchen

*

Gegen das, was die Zeit des Vormärz auf dem Gebiet der Zensur geleistet hat, wirkt die Praxis des 18. Jahrhunderts wie Kinderspiel, und das 20. Jahrhundert hat (im faschistischen Deutschland vor allem) eine Perfektion entwickelt, von der die Zensoren des 19. in ihren schönsten Träumen nichts ahnten. Zu hoffen ist, daß auch für kommende Jahrhunderte der Eindruck bleibt, den unseres von der Zensur der vergangenen hat: so lästig und hemmend sie auch auf jeder Gegenwart lastete, blieb sie letzten Endes doch wirkungslos. Die Geschichte der Zensur in Deutschland ist eine ihrer Ohnmacht, die vom Negativen her die Macht des geschriebenen Wortes verdeutlicht. Der Nachwelt erscheint der Zensurbeamte immer als der Narr, der mit bloßen Händen Ströme aufhalten will, und ein Lexikon der Bücherverbote ist eins ihrer Kuriositäten. Was die Zeitgenossen zur Verzweiflung bringt, bringt die Nachgeborenen zum Lachen.

Herrschaftsgefährdende Bücher wurden zu allen Zeiten verboten und verbrannt (und manchmal die Verfasser gleich dazu). Institutionalisiert zu werden brauchte die Zensur erst mit der Erfindung der Buchdruckerei. In der europäischen Christenheit haben damit die Päpste begonnen, um ein überholtes Weltbild zu retten, das nicht mehr zu retten war. Der

Catalogus Librorum Prohibitorum, der Katalog der verbotenen Bücher, der wohl bis heute noch weitergeführt wird, war ihre Erfindung. Jahrhundertelang war dann auch im Heiligen Römischen Reich Deutscher Nation nur der Klerus mit Bücherverboten befaßt: Geist war Sache der Geistlichkeit. Das änderte sich, als das Bürgertum seine politischen Machtansprüche anmeldete und nicht nur seine Ideologie schuf, sondern auch von Jahr zu Jahr mehr Druckpressen in Betrieb setzte, die rasch wachsende Massen von Lesern mit Lektüre versorgten. Jetzt erst begannen die Staaten ernsthaft, sich gegen wirkliche oder eingebildete Literaturgefahr durch Zensur zu schützen. Erst vergab man gegen Besoldung Zensuraufträge an die Fakultäten der Universitäten oder an einzelne Gelehrte. Gegen Ende des 18. Jahrhunderts aber, als das Verlagswesen (und mit diesem der Buchhandel) Entwicklungssprünge machte und die Französische Revolution Panik erzeugte, entdeckte man den Nutzen von Zensurzentralen, worunter aber keine des Reiches, sondern nur solche der Teilstaaten zu verstehen sind, in diesem Fall: zum Glück. Denn wenn sie auch alle dasselbe wollten, nämlich neue Ideen unterdrücken, so taten sie es doch mit unterschiedlichen Mitteln und Maßstäben, so daß es zwischen den vielen Verbotsmäuerchen, die jeder Landesfürst aufrichtete, auch viele Durchlässe gab, selbst in den schlimmsten Zeiten, den Jahren nach der Revolution.

Bis dahin hatten im Wettstreit der deutschen Zensurwütigen die katholischen Länder, Österreich und Bayern besonders, klar in Führung gelegen. Erst in den 90er Jahren rückte Preußen zeitweilig mit an die Spitze, fiel aber nach Aufhebung des Religionsedikts wieder zurück, so daß Jean Paul es für verhältnismäßig literaturfreundlich halten konnte. Er spielte als Muster schlimmer Zensur meist auf die Wiener an, die schon den »Hesperus« verboten hatte. Man war dort von doppelter Angst geplagt: neben der allen Staaten gemeinsamen vor neuen Gesellschaftsideen noch (seit 200 Jahren) von der vor der Reformation.

Bereits 1753 war in Österreich die Zensur der Bischöfe und

der Jesuiten von der zentralstaatlichen »Bücher-Zensur-Kommission« abgelöst worden. 1765 war der erste Katalog verbotener Bücher erschienen, der mit seinen Nachträgen schnell zum unentbehrlichen Nachweis für Sammler erotischer Literatur wurde. Man konnte aber an ihm auch sehr gut verfolgen, was die Aufklärung in Europa Neues bot. Diese nützliche, wenn auch schwer handhabbare Bibliographie (sie war 1780 schon auf 38 Foliobände angeschwollen) hatte vor allem zur Folge, daß der Handel mit verbotenen Büchern sprunghaft anstieg. Sie wurde deshalb später auch nicht mehr gedruckt, sondern nur handschriftlich für die Beamten verbreitet.

Diese bumerangähnliche Wirkung von Verboten hat den Zensoren immer zu schaffen gemacht. Eine 1775 erschienene Broschüre mit dem Titel »Der Zensor« formulierte das Problem so: »Man kann sich gewiß darzu verlassen, daß kein Buch oder Schrift mehr Käufer anlocket, als wenn es in den öffentlichen Blättern bei einer ansehnlichen Geldstrafe zu verkaufen verboten wird: denn man argwöhnt gleich, da muß die Wahrheit stehen, sonst hätte man nicht konfisziert.« Der geschäftstüchtige Verleger Ettinger in Gotha soll deshalb seine Autoren aufgefordert haben, etwas zu schreiben, was verboten wird, und aus Leipzig ist bekannt, daß ein Buchhändler den Zensor zur Schleichwerbung anheuerte: für sechs Dukaten sollte er einen Ladenhüter konfiszieren. Das Würzburger Zensuredikt von 1792 verordnete deshalb: »Wenn ein Werk zum Verbote geeigenschaftet befunden werden sollte, so ist das Verbot nicht öffentlich bekannt zu machen.« Aber auch das half nicht, weil das mündliche Nachrichtensystem unter Literaturfreunden ausgezeichnet funktioniert. Die württembergische Regierung schlug deshalb 1795 vor, eine revolutionäre Broschüre nicht zu verbieten, sondern zu Ladenpreisen aufzukaufen; nur machte da die Finanzverwaltung nicht mit. Die österreichischen Verbotskatalogverfasser aber hatten zur Regulierung der Gedanken einen grandiosen eignen: Sie nahmen den Katalog selber in ihn auf. Und so stand dann (wie auch 1793 in Bayern) dieses Schandmal kultureller Unterdrückung in unverdient guter Gesellschaft. Denn nicht nur die gesamte Aufklärung Englands, Frankreichs, Deutschlands und alle Schriften über die Französische Revolution (einschließlich der revolutionsfeindlichen) waren in ihm vertreten, sondern auch Homer, Vergil, Ovid, Luther, Erasmus, der Eulenspiegel, Goethe, Schiller, Herder, Wieland, Campe, Musäus, die »Allgemeine Deutsche Bibliothek«, die »Berlinische Monatsschrift« und alles, was über das Thema Vaterlandsliebe geschrieben wurde: denn die Begriffe Vaterlandsfreund oder Patriot galten damals als Synonym für: Revolutionär. Nicht einmal die »Xenien« waren vom Verbot verschont worden, obwohl die eine, die sich auf die Wiener Zensur bezog, von Goethe nicht veröffentlicht worden war:

> »Eines wird mich verdrießen für meine lieben Gedichtchen:
> Wenn sie die Wiener Zensur durch ihr Verbot nicht bekränzt.«

Ein anderes Zensurproblem war, daß man mit dem für schädlich gehaltenen Wissen auch das für den Staat nützliche und notwendige aussperrte: Mauern schützen zwar, versperren aber auch die Sicht. Der einzige Ausweg aus diesem Dilemma ist immer der, zu den schon vorhandenen Privilegien ein neues zu schaffen: das der Information. Was dem einen verboten ist (in Bayern wurde allein das Lesen verbotener Bücher mit einer Strafe von 25 bis 100 Reichstalern belegt), ist den anderen erlaubt. Der österreichische Antrag für die Bezugserlaubnis eines verbotenen Buches lautete, im besten k. u. k. Amtsstil etwa so: »Unterzeichneter ersucht eine K. K. Hof-Polizeistelle um Verabfolgung des verbotenen zurückbehaltenen Buches . . . zu seinem alleinigen Gebrauche, als wofür er sich, und daß er gedachtes Buch auf keine Weise weder zum Lesen, noch als Eigentum an andre überlassen wolle, unter Dafürhaftung verbürgt.«

Wenn sich auch im Preußen des zweiten Friedrich die vielgerühmte Preßfreiheit, nach Lessings Worten, darauf beschränkte, daß man über Religion so viele Frechheiten sagen durfte, wie man wollte, so war doch das schon viel im Vergleich mit anderen deutschen Staaten. Die theologische und philosophische Aufklärung konnte sich ziemlich ungestört entwickeln, und es ist verständlich, daß nach Friedrichs Tod, als Friedrich Wilhelm II. sich gleich mit verschärften Zensurbestimmungen einführte, die Forderung der Intelligenz war, zur friderizianischen Praxis zurückzukehren. Das unter der Tarnbezeichnung Religions-Edikt 1788 eingeführte Gesetz diente dazu, alles zu verbieten, was in irgendwelcher Weise fortschrittsverdächtig war. Es galt neun Jahre, wurde (vor allem durch die Ereignisse in Frankreich bedingt) von Jahr zu Jahr verschärft und hatte, da der gut organisierte preußische Staatsapparat dahinter stand, verheerende Folgen. Dem dagegen protestierenden Theologen Bahrdt trug es zwei Jahre Gefängnis ein. Zehn Jahre Festungshaft wurden dem angedroht, der unzensurierte Bücher verlegte oder vertrieb.

Neben Publizisten, Schriftstellern und Lesern waren die Buchhändler und Verleger (die wie zum Hohn die Zensurbeamten für ihre Arbeit auch noch entlohnen mußten) die Hauptleidtragenden. Aus einer Beschwerde Nicolais an den König geht hervor, daß von 81 Druckpressen, die 1788 in Berlin arbeiteten, vier Jahre später nur noch 61 existierten. Aber der König zeigte sich wenig beeindruckt. Wenn die Angst groß ist, siegt kurzsichtige Politik immer über ökonomische Bedenken. Er sei »äußerst verwundert«, war die Antwort, »daß man den Flor des Buchhandels auf den Verkauf unzulässiger Schriften gründen will... Dem Übel muß gesteuert werden, und wenn auch der Buchhandel zu Grunde ginge.« Also wurden die Verleger zu Königreichflüchtigen. Die »Allgemeine Deutsche Bibliothek« siedelte nach Kiel, die »Berlinische Monatsschrift« erst nach Jena, dann nach Dessau über – ins nicht ganz so unfreie Ausland.

Als Jean Paul um die Jahrhundertwende in Berlin war, hatte er einen relativ günstigen Eindruck von preußischer Liberalität. Friedrich Wilhelm III., bestrebt, die üblen Spuren seines berüchtigten Vaters zu verwischen, hatte das Edikt aufgehoben und sich auch sonst anfänglich als recht geistfreundlich erwiesen. Fast als einziger deutscher Fürst hatte er es zum Beispiel abgelehnt, Fichtes »Philosophisches Journal«, das den Atheismusstreit ausgelöst hatte, zu verbieten. Er gewährte Fichte sogar Asyl in Berlin, mit einer seinem berühmten Großonkel nachgemachten Geste: »Ist es wahr, daß er mit dem lieben Gott in Feindseligkeiten begriffen ist, so mag dies der liebe Gott mit ihm abmachen, mir tut das nichts.«

Am wenigsten machte die Zensur in Kursachsen (wo man auf die wichtige Einnahmequelle, die Buchmesse-Stadt Leipzig, Rücksicht nehmen mußte) und in den sächsisch-thüringischen Klein- und Zwergstaaten von sich reden. Daß die geflüchteten Verleger dort ungestörter arbeiten konnten, lag manchmal an der Kunstliebe der Fürsten, häufiger aber daran, daß sie Geld in die chronisch leeren Staatskassen brachten.

Aber eine Zensur gab es dort (wie der Fall, der Jean Paul dazu brachte, sein Buch über sie zu schreiben, zeigt) natürlich auch, selbst wenn sie nicht gesetzlich fixiert war, wie im Land Karl Augusts und Goethes. Dort wurde man auf diesen Mißstand durch den Streit um Fichtes Entlassung aus Jena aufmerksam, und Goethe verfaßte (sechs Jahre vor Jean Pauls Zensur-Buch) eine Denkschrift darüber, in der er sich als ein sehr vernünftiger Staatsmann erwies, der bestrebt war, die vielgepriesene Geistfreundlichkeit Sachsen-Weimars zu bewahren – insofern es sich um Bücher handelte. Denn in bezug auf die Presse hatte er keine so sympathische Meinung, wie sich 1816 erwies, als der Herzog als erster deutscher Fürst eine Verfassung mit garantierter Pressefreiheit eingeführt hatte und ein mutiger Publizist wirklich davon Gebrauch machte: da war Goethe, der das ganze Zeitungswesen nicht leiden konnte, nicht für Pressefreiheit, sondern für »Pressedespotismus«, den der Herzog (allerdings nicht von Goethe, sondern von mächtigeren deutschen Fürsten dazu gedrängt) dann auch ausübte.

In seinem Entwurf für ein Zensurgesetz von 1799 schwebt Goethe so etwas vor wie die »Volkszensur« des Reformkaisers Joseph II., die 1786 in Österreich mal eingeführt und schnell wieder abgeschafft worden war. Der Konflikt zwischen den Autoren, so führt Goethe aus, die unbedingte Freiheit fordern, und dem Staat, der diese nicht gewähren könne, sei so alt wie die Buchdruckerkunst und würde nie enden. Zensur ausüben würde aber immer schwieriger werden, da man in den Wissenschaften nie entscheiden könne, was wahr, was falsch, was fortschrittlich oder rückständig sei. Er schlägt deshalb vor, daß jedes Manuskript vor dem Druck von drei im Staatsdienst stehenden Männern oder namhaften Gelehrten oder Künstlern unterschrieben werden müsse, die der Verleger sich frei wählen könne, so daß der Vorgang eine »freundschaftliche Angelegenheit« sei, »mehr pädagogisch als legislatorisch«. Grundsatz dürfe nur sein, daß nichts gedruckt würde, »was den bestehenden Gesetzen und Ordnungen zuwider« sei. Zur Verantwortung gezogen werden dürften diese freiwilligen Zensoren nicht. »Ich wünsche«, schließt die Denkschrift, die dann zu den Akten gelegt wurde, »daß wir, die wir bisher in dem Ruf der größten Liberalität gestanden, auch diese Liberalität in einer nötigen Einschränkung zeigen mögen.«

Fünf Jahre später also läßt der Hamburger Verleger Perthes im Lande Sachsen-Weimar, in der Universitätsstadt Jena, die »Vorschule der Ästhetik« drucken. Jean Paul hat ihr, immer in der Sorge, seine Honorare könnten zum Unterhalt der Familie nicht ausreichen, eine Widmung vorangestellt, die dem Herzog Emil August von Gotha-Altenburg gilt und diesen zur Aussetzung einer Pension veranlassen soll. Es ist eine Widmung besonderer Art, die die Form einer Anfrage hat: ob der Herzog die Dedikation annehmen würde. Der junge Herrscher von Gotha, ein freisinniger, kunstliebender, aber leider übergeistreicher Mann, hat schon längst geschmeichelt zugesagt (die Widmung anzunehmen, nicht etwa: die Pension zu zahlen, die zahlt er nie) – da sagt der Jenaer Zensor, ein Mathematikprofessor: nein. Der Drucker protestiert, Jean Paul protestiert und droht, er werde die Dedikation und die zusagenden Briefe des Herzogs mitsamt satirischen Bemerkungen über Zensoren anderswo erscheinen lassen. Aber das Zensurkollegium, das aus

Professoren der Universität beteht, bleibt bei der Verweigerung der Druckgenehmigung; denn sie wissen: zu große Schärfe wird Zensoren nie angekreidet, nur Milde.

Die Gutachten, die da geschrieben werden, sehen so aus: »Das Mskpt. ist Pasquill, folglich kann es die Zensur nicht passieren.« (Professor der Logik und Metaphysik). »Ich habe von dem Mskpt. nichts als das skurrilische oder bübische 2 Blätter starke Dedikationsgesuch im Missivkasten gefunden. Wenn das übrige ebenso beschaffen ist, wie diese zwei Blätter, so kann das Ganze nicht passieren. Mir scheint der Verfasser zu rappeln.« (Historiker). »Serenissimus würde eine solche Dedikation gewiß nicht günstig aufnehmen. Auch wird das, was nach der Vorrede aus dem Buch selbst mit der schicklichsten Manier auf Serenissimus angewendet werden soll, höchstwahrscheinlich so beschaffen sein, daß darin außer Lobeserhebungen manches Unartige und Anzügliche vorkommt.« (Latinist). Nur der Orientalist ist für Genehmigung, wird aber überstimmt.

Also erscheint die »Vorschule der Ästhetik« ohne Widmung, die Leser der »Zeitung für die elegante Welt« aber erfahren am 13. Oktober 1804, daß die verbotene Zueignung demnächst broschiert erscheinen werde, vermehrt um Betrachtungen zum Problem der Zensur – das freilich für Jean Paul keins ist. Weit entfernt von Goethes staatsmännischer Weisheit, ist er einfach dagegen.

Als Titel dieser seiner ersten politischen Schrift war anfangs, in Erinnerung an die Freiheitsbäume der Revolutionszeit, »Freiheitsbäumchen« vorgesehen. Als sie acht Wochen später fertig ist, heißt sie: »Jean Pauls Freiheits-Büchlein; oder dessen verbotene Zueignung an den regierenden Herzog August von Sachsen-Gotha; dessen Briefwechsel mit ihm – und die Abhandlung über die Preßfreiheit«, und erscheint, nachdem Perthes in Hamburg sie aus Angst vor der Zensur abgelehnt hat, zur Ostermesse 1805 bei Cotta in Tübingen – ohne daß die dortige Zensur etwas zu beanstanden hat.

Vielleicht ließ sie sich durch den vorangestellten freund-

Census capitum –

Seite aus den Vorarbeiten zum »Freiheitsbüchlein«

schaftlichen Briefwechsel mit Serenissimus bluffen. Denn daß sie nicht begriff, was hier erörtert wird, ist in diesem Fall nicht möglich. Dunkelheit und Schwelgerei in bemühten Bildern gibt es hier nur in den Briefen des Herzogs, die unnötiger Ballast des Buches sind. (Nicht einmal Jean Paul, der darin wirklich Übung hatte, hat sie ganz begriffen.) Die Abhandlung selbst ist zwar teilweise witzig, satirisch und ironisch, aber dabei immer klar und eindeutig: ein Gegner staatlicher Bevormundung weist nach, daß Zensur dumm, verbrecherisch und dazu auch noch nutzlos ist.

Schon in seinen Anfängen, den »Grönländischen Prozessen«, hatte er die Zensur verspottet, auf den Reklamewert von Verboten hingewiesen und die richtige Feststellung gemacht, daß leichte, also unbedeutende Bücher die Waage der Zensur am besten passieren. In den »Palingenesien« hatte er die Bevormundung dafür verantwortlich gemacht, daß die Freiheitsmützen der Deutschen noch immer die Schlafmützen seien. Er hatte Erfahrungen mit Leipziger und Berliner Zensoren gemacht, hatte am harmlosen »Jubelsenior« ändern müssen (zum Beispiel »heiliger Geist« in »guter Geist«), hatte die Leser des »Komischen Anhangs zum Titan« auf den Zensurfrevel aufmerksam gemacht, indem er die Überschrift der verbotenen Satire »Leichenrede auf einen Fürstenmagen« stehengelassen hatte – jetzt faßt er das alles zusammen in einer eindringlichen Argumentation gegen die geistige Knebelung der Autoren.

Er beginnt mit einer Satire, in der den österreichischen Staaten empfohlen wird, die Lesefreiheit dadurch herbeizuführen, daß – man mehr Zensoren beschäftigt. Denn diese genießen doch vollste Freiheit (so wie auf Sklavenschiffen mindestens die Kapitäne und in Gefängnissen die Schließer frei sind), und man brauche doch nur deren Zahl auf die der Leser zu bringen und schon wäre alles zufriedenstellend geregelt. »Nur möchte, wenn man so viele Zensoren anstellte..., von Sachverständigen zu erwägen sein, ob der Umlauf eines Manuskriptes, die Abnutzung, die Verspätung desselben, desgleichen die unleserliche Hand, überhaupt die Schreibzeichen nicht es rätlicher machten, wenn für die Zensoren, d. h. für die hier möglichen Leser – 300 000 deutsche Leser soll es nach Feßlers Zählung geben – der Schnelle wegen die Handschrift vervielfältigt würde, so daß wenigstens 100 Leser ihre besondere und also 300 000 ungefähr 3000 Exemplare hätten; was in unseren Zeiten ja so leicht zu machen ist, durch die Druckpresse, welcher keine Abschreibfeder nachkommt. Solche leserlich gedruckten Manuskripte für sämtliche Zensoren ... könnten alsdann die Buchhändler, als Offizianten der Zensurkollegien, ausgeben, und der Staat hätte keinen Heller Ausgabe; ja anstatt des Zensurgroschens pro Bogen müßte der Leser selber einen Lesegroschen pro Band erlegen.«

Das ist die Einkleidung. Im Hauptteil aber werden, mit einer Systematik, die sonst Jean Pauls Sache nicht ist, alle Argumente für das Verbot von Büchern der verschiedenen Wissensgebiete widerlegt. Nur zwei Ausnahmen läßt er, mit Einschränkungen, als Zensurnotwendigkeiten gelten: das Überhandnehmen von Schund- und Schmutzliteratur und den Krieg, wobei er zu letzterem anmerkt: »Allein, es kann also nur in einer Zeit verboten werden, die selber zu verbieten wäre.«

Sonst aber gilt der Grundsatz: Ein Buch gehört der Menschheit und der Ewigkeit, und kein Zensor kann über seine Existenz richten. In wessen Namen auch? In dem der Wahrheit? Das setzte ja voraus, der Zensor hätte sie. Dann wäre alles Suchen nach ihr, jede Wissenschaft also, unnütz, und man brauchte »bloß beim Zensor einzusprechen und sich bei ihm die nötigen Wahrheiten abzuholen«. Oder fürchtet man den Einfluß von Wahrheiten auf das Volk? »Das arme Volk! Überall wird es in den Schloßhof geladen, wo die größten Lasten des Friedens und des Kriegs wegzutragen sind; überall wirds aus demselben gejagt, wo die größten Güter auszuteilen sind, z. B. Licht, Kunst, Genuß, ja bloße dritte Feiertage. Wenn man nun fragt, wie viel Mann stark das Volk ist: so schwindet gegen seine Volks-Menge die regierende und gelehrte Mannschaft ganz weg ... Mit welchem Rechte fordert irgend ein Stand den ausschließenden Besitz des Lichts – dieser geistigen Luft –, wenn er nicht etwa eines aus dem Unrecht machen will, desto besser aus dem Hellen hinab zu regieren ins Dunkel? Kann ein Staat... die Entwicklung der Menschheit nur einzelnen erlauben...?«

Und wenn man meint, das Volk mißverstehe die Wahrheiten nur, so kann das doch auch den Herrschenden passieren, und die Zensoren müßten auch den Fürsten Bücher zu lesen verbieten, weil deren Möglichkeiten, Unheil zu stiften, viel größer sind. Erkenntnisse sind für alle da, und nur zu gewinnen in Unabhängigkeit: der Erkenntnisbaum wächst nur als Freiheitsbaum.

Und wer Angst vor Umsturz hat, der verbiete nicht Bücher, sondern ändere die Zustände. »Der Geist, der Staaten umwarf, war der Geist der Zeit, nicht der Bücher, die er ja selber erst schuf und säugte. Wird denn der Autor nicht früher als sein Buch gemacht? Werther erschoß sich, ohne noch von Werthers Leiden eine Zeile gelesen zu haben... Warum glaubt man überhaupt, daß verderbliche Bücher so großes Unheil stiften können? Ich wünschte, sie könnten dies stark und schnell; dann brächten gute desto leichter Heil.«

Und wenn in Schriften Regierungsformen kritisch untersucht werden, sollen die Herrschenden doch froh sein, Wahrheiten über sich zu hören. Wem nutzt denn die Freiheit, den Herrscher zu loben, wenn die, ihn zu tadeln, nicht besteht? Am wenigsten ihm selbst, der doch irren kann wie jeder und falsch handeln auch. »Muß ein Staat erst tot sein, ehe man ihn zergliedern darf, und ists nicht besser, durch dessen Krankheitberichte die Sektionsberichte abzuwenden?«

Am Schluß des Büchleins kommt Jean Paul auf die Satire, mit der er begonnen hat (die Aufhebung der Zensur durch Vermehrung der Zensoren auf die Stärke des gesamten Lesepublikums) zurück und bietet sich selbst als Zensor an, und zwar als der seiner eigenen Werke. Er ahnt dabei nicht, wieviel Ernst sich in diesem Spaß verbirgt. Denn mit dem, was er »Selber-Zensierung« nennt, beschreibt er, was zur wirklichen Gefahr für den Wahrheitsgehalt von Literatur werden könnte: den unter Zensurdruck und geistiger Manipulation einsetzenden Vorgang, der aus einem sozialen Hemmnis ein psychisches macht, äußere Grenzen vorverlegt ins Innere des Schreibenden und damit zwar den Zensurbeamten entlastet, die Literatur aber von Wirklichkeit entleert. Doch für Jean Paul ist tatsächlich nur Spaß, was sich heute wie Prophetie liest: »Diesen Posten versieht er ... spielend nebenher unter dem Schreiben der Werke selber, gleichsam mit einem Gesäß zugleich auf dem Richterstuhl und auf dem Geburts- und Arbeitsstuhl das Seinige tuend ... Das Fach, worin der Autor arbeitet, ist gerade sein eigenes, und er ... kundschaftet, was ein fremder Zensor schwerer kann, die feinsten Absichten und Schliche des Verfassers aus von ferne ... und kann ... sich zensieren bis zum Verbieten.« Beschlossen wird diese erste seiner direkt politischen Schriften mit einem Aufruf an die Fürsten zur »Freilassung der freigeborenen Gedanken«, der von gemäßigtem Optimismus ist, und zwar nicht unbegründet. Denn schließlich beginnen ein Jahr später, mit dem Sieg Napoleons über Preußen, die Jahre der Reformen und der Befreiungskriege, die auch Kriege um innerdeutsche Freiheit hätten sein können. Erst nach dem Verrat der Fürsten an ihren Völkern beginnt für Jean Paul die Resignation, die ihn aber nicht daran hindert, seinen Kampf gegen die Zensur fortzusetzen. Als 1820 sein letztes Romanfragment »Der Komet«, erscheint, gilt die Satire schon den Karlsbader Beschlüssen, die eine Zeit schlimmster Literaturunterdrückung einleitet. Was deren Initiatoren als Ideal vorschwebte, formulierte Friedrich von Gentz, Metternichs Staatssekretär, in einem Brief an seinen Freund Adam Müller so: »Es bleibt bei meinem Satz: Es soll zur Verhütung des Mißbrauchs der Presse binnen soundsoviel Jahren gar nichts gedruckt werden. Punktum. Dieser Satz als Regel, mit äußerst wenigen Ausnahmen ... würde uns in kurzer Zeit zu Gott und Wahrheit zurückführen.«

Erreicht wurde zwar nicht dieser Idealzustand, aber doch eine bis dahin nicht für möglich gehaltene Hochform geistiger Unterdrückung. Und trotzdem: Aufgehalten werden konnten selbst die gefährlichsten neuen Ideen, die sozialistischen, dadurch nicht. Sie waren eben »der Geist der Zeit, nicht der Bücher.«

33.

Deutsches Zwielicht

*

Alle Vergleiche hinken, auch geschichtliche. Historische Bege-
benheiten können nie Beispiel für Gegenwärtiges sein, weil
kein Ereignis sich wiederholt. Nicht aus vergangenen Vorgängen selbst, sondern nur aus ihren Abstraktionen können Lehren
gezogen werden. Das ist das Dilemma aller Traditionslinien-
entwerfer. Der Anschaulichkeit wegen brauchen sie Konkretes,
das aber, so wie es ist, nicht paßt. Meist wird dann das Hinken
durch Amputation beseitigt.

Die von Napoleon bestimmte Zeit der europäischen Geschichte bietet treffliche Beispiele dafür, besonders in Deutschland, wo von den gleichen Ereignissen und Personen aus Tra-
ditionslinien in die verschiedensten Richtungen gezogen wurden, immer dem gleichen Schema der Einseitigkeit folgend.
Man zeigt die Seite, die man für die helle hält und unterschlägt
mit der dunklen die Widersprüchlichkeit der Zeit, die wahrhaft verwirrend ist. Die fortgeschrittensten Mächte Europas,
England und Frankreich, sind die erbittertsten Gegner, Revo-
lutionsarmeen dienen der Unterdrückung, der Eroberer ist
Bringer des Fortschritts, bürgerliche Reformer kämpfen unter
den Fahnen finsterster Feudalmächte, Demokratismus und
Chauvinismus vereinigen sich in denselben Personen. Klitternd
hat die Nachwelt sich das nach ihrem Nutzen geordnet. Heine

rühmt Napoleon und erklärt den deutschen Freiheitsenthusiasmus aus preußischer Untertanentreue, Arbeitersportler ehren den Chauvinisten Jahn, Kaiser Wilhelm II. feiert die Leipziger Schlacht, die faschistische Wehrmacht benennt ihre Kriegsschiffe nach Scharnhorst und Gneisenau, Goebbels beruft sich bei der Bildung des Volkssturms auf Arndt, unter dessen Namen der sozialistische Staat einen Orden verleiht.

Natürlich sind Verdrehungen und Entstellungen dabei mit im Spiel, aber diese wären nicht möglich ohne die tatsächlich vorhandenen Gegensätze und Widersprüche, mit denen die Zeitgenossen leben mußten.

Die amerikanische Revolution erst, dann die französische hatten für viele den Anbruch einer neuen Zeit bedeutet. Nicht nur die Freiheit von feudalen Fesseln schien in Sicht, auch der Frieden: denn Despoten führten Krieg miteinander, nicht aber freie Völker, dachte man. Schon die Machtkämpfe der Pariser Revolutionäre untereinander brachten Ernüchterung. Man war moralisch entrüstet oder man sah es so, wie einer der Konservativen, Friedrich von Gentz, es sagte, als wieder führende Revolutionäre als Hochverräter verhaftet wurden: »Entweder es ist wahr, daß die wichtigsten Führer des Landes Verräter waren, oder es ist nicht wahr. Wenn es wahr ist, was soll man von einer Republik denken, in der solche Schurken Führer waren? Wenn es nicht wahr ist, was soll man von einem Staat denken, der seine besten Diener so behandeln darf?«

Ob nun mit Hoffnung oder mit Grauen: Ganz Europa starrte nach Paris, 25 Jahre hindurch, und in der Beurteilung der dortigen Vorgänge schieden sich die Geister. Hatte die Revolution schon Verwirrung gestiftet, so noch mehr Napoleon nach seinem Machtantritt. Dem einen schien er der Mörder der Revolution zu sein, den anderen deren Vollender. Die Wiederherstellung der Monarchie ließ die Demokraten verzweifeln, die Reaktionäre hoffen. Als Genius der Epoche wurde er gepriesen und als deren Teufel verdammt.

Wenige begriffen, daß er beides war. Er sicherte die Ergebnisse der Revolution – für die Großbourgeoisie, und er zerstörte sie – für den vierten Stand. Den eroberten Ländern brachte er die neue Zeit – und er raubte sie aus. Wo seine Armeen marschierten, wurden Privilegien beseitigt, die Juden befreit, das bürgerliche Gesetzbuch eingeführt, mittelalterliche Grenzen zerstört – aber das alles diente vor allem dazu, seine Macht zu erweitern, Geld und Soldaten zu liefern. Auf die leeren Throne setzte er willfährige Leute, zum Teil Angehörige seiner Sippe. Der Führer der Revolutionsarmee umgab sich mit dem Pomp eines Hofstaates, schuf eine neue Aristokratie, betrachtete sich als Erbe Karls des Großen, heiratete eine Habsburgerin, um eine von Monarchen anerkannte Dynastie zu gründen. Vom Erhabenen zum Lächerlichen war es hier wahrhaftig nur ein Schritt, der schon bei der Krönungsrede des zweiten Konsuls getan wurde, die mit den Worten schloß: »Und zum Ruhme und zum Glück der Republik proklamiert der Senat Napoleon zum Kaiser der Franzosen.«

Seitdem die Verteidigungskämpfe der französischen Republik gegen die Intervention der Feudalfürsten unmerklich zu Eroberungskriegen der französischen Bourgeoisie geworden waren, hatten die Kampfhandlungen kaum noch aufgehört, waren die verschiedenen Friedensschlüsse zu kurzfristigen Waffenstillstandsabkommen geworden. Aber die Schlachten waren (nach den damaligen Maßstäben) weit weg, am Rhein, in Ägypten, Italien, Österreich. Das zivile Leben wurde von ihnen wenig berührt, vor allem in Nord- und Mitteldeutschland, das 1795 durch den Separatfrieden von Basel zwischen Preußen und Frankreich neutralisiert worden war. Die deutsche klassische Literatur blühte in ihren 10 wichtigsten Jahren auf einer friedlichen Insel, die von Kriegsstürmen umtost wurde. Während England und Frankreich um die Weltmacht stritten und die kontinentalen Großmächte von Napoleon geschlagen wurden, existierte das deutsche Reich nur noch formell, aber die deutsche Kultur blühte in dieser politischen Ohnmacht, unabhängig, wie Schiller meinte, von dem Schicksal der Nation. Was Heine später verspottete (»Wir aber besitzen

im Luftreich des Traums die Herrschaft unbestritten«!) war
Schiller ernst:

> »In des Herzens heilig stille Räume
> Mußt du fliehen in des Lebens Drang,
> Freiheit ist nur in dem Reich der Träume,
> und das Schöne blüht nur im Gesang.«

Als der Krieg auch die friedliche Insel Weimar erreicht, lebt
Schiller nicht mehr. Goethe bringt die verlorene Schlacht bei
Jena größere Erschütterungen als ein Brief Knebels an Jean
Paul es glauben machen will: »Wie geht es Ihnen? Was machen
Sie in dieser politischen Pestzeit? Wir sind wohl und, Gott sei
Dank! soweit ungeplündert geblieben, außer was wir durch die
allgemeine Not verloren haben. Den mächtigen Kaiser haben
wir mitten in den Flammen gesehen. Goethe schickte mir in
meiner Not ein paar Flaschen Kapwein ... Er selbst war die
ganze Zeit mit seiner Optik beschäftigt. Wir studieren hier
unter seiner Anleitung Osteologie [Knochenlehre], wozu es
passende Zeit ist, da alle Felder mit Präparaten besäet sind.
Wir leben einsam, aber nicht unmutig, noch unglücklich, vielmehr heiter.«

Das kann man von Jean Paul nicht sagen. Er wohnt am äu-
ßersten Südwestzipfel der neutralen Insel (Bayern und Sachsen
sind Napoleons Verbündete), in einem strategisch wichtigen
Grenzgebiet und hat, als die Spannungen zwischen Frankreich
und Preußen zunehmen, vor allem Angst um die Familie.

Von Dezember 1805 bis August 1806 tauchen in seinen
Briefen immer wieder Fluchtgedanken auf. Der Herzog von
Gotha, Jacobi in München und Schwager Mahlmann in Leipzig
werden mehrmals gebeten, Notquartiere bereitzuhalten.

Mit dem unsicheren und ungeschickten Lavieren der preußischen Politik zwischen den kriegsführenden Mächten ändert
sich die Lage von Monat zu Monat. Aus einem Vertrag mit
Rußland und Österreich wird binnen sechs Wochen einer mit
Napoleon, der nämlich inzwischen bei Austerlitz über Russen
und Österreicher gesiegt hat. Als französische Truppen unter
Bruch des Neutralitätsabkommens durch Ansbach-Bayreuth

Königin Luise von Preußen

marschieren, macht Preußen mobil, läßt sich dann aber von Napoleon das englische Hannover schenken und tritt dafür Ansbach an Bayern ab. Als aber Napoleon das von Preußen bereits besetzte Hannover den Engländern wieder anbietet und Friedrich Wilhelm III. sich zum Krieg entschließt, geht alles so schnell, daß an eine Übersiedlung der Richterschen Familie nach Bayern oder Sachsen nicht mehr zu denken ist. Am 14. Oktober 1806 wird die preußische Armee bei Jena und Auerstedt geschlagen. 14 Tage später zieht Napoleon in Berlin ein, was die »Vossische Zeitung« so meldet: »Berlin, den 28sten Oktober. Gestern Nachmittag um 4 Uhr hielten Se. Majestät der Kaiser Napoleon, begleitet von ihren Garden, Ihren Einzug in die Residenz Berlin. Der Donner der Kanonen und das Geläute der Glocken verkündeten die Ankunft. Eine unermeßliche Menge Volks empfing Se. Kaiserl. Majestät mit den lebhaftesten Freudenbezeugungen. Se. Exellenz der Herr General Hülin Kommandant dieser Hauptstadt, stellten Se. Majestät dem Kaiser die Mitglieder des Magistrats, den Adel und die vornehmsten der Stadt vor, welche sich zu diesem Behuf nach dem Brandenburger Tor begeben hatten, durch welches Se. Kaiserl. Königl. Majestät Ihren Einzug hielten. Se. Majestät der Kaiser und König begaben sich nach dem Königl. Schlosse, woselbst Allerhöchst Ihnen kurz nachher die nämliche Deputation von Sr. Exellenz dem Herrn General Hülin aufs neue vorgestellt wurde. Abends war die ganze Stadt auf das prächtigste erleuchtet.«

Weniger aufwendig vollzieht sich die Besetzung des ehemaligen Fürstentums Bayreuth. Sang- und klanglos endet hier die preußische Herrschaft für immer. Das, zum Dank für treue Kriegsdienste, inzwischen zum Königreich erhobene Bayern bekommt das Ländchen von Napoleon 1810 geschenkt (was zur Folge hat, daß die wichtigsten Jean-Paul-Gedenkstätten heute nicht der DDR gehören).

Die Post funktioniert in diesen unruhigen Zeiten ziemlich einwandfrei, selbst über die Fronten hinweg. Christian Otto, der Sekretär beim preußischen Prinzen Wilhelm geworden und mit diesem nach Königsberg und Tilsit geflohen ist, schreibt und empfängt nach wie vor seine Bayreuther Briefe. Jean Pauls Korrespondenz läßt von den historischen Vorgängen wenig ahnen. Mit ein und derselben, nur leicht variierten Metapher werden alle Freunde, Bekannten und Verwandten, fast nebenbei, von der Besetzung unterrichtet: »Über unser Bayreuther Land zog die Kriegs-Hagelwolke nur als eine flüchtige Regenwolke, ohne Schloßen oder Blitze zu werfen.« »Über Bayreuth ist die schwere Sturmwolke mit all ihren Donnern nur als ein leichtes Wölkchen hinweggezogen.« »Über unser Fürstentum ging die Kriegswolke in großer Höhe hinweg, und wir hörten das Gewitter nur von weitem donnern.« »Leicht wie eine Gewitterwolke voll Abendsonne zog die Schlagwolke des Kriegs über das Land hin und traf erst fern von uns.« »Wir sahen den Tod auf seinem Triumphwagen (dem Pulverwagen) nur selten vorüberziehen und hörten erst, daß und wo er seine Wetterwolken angezündet.« »Über uns ging die Kriegswolke glänzend hinüber, und sie schlug erst 10 Stunden von uns ein.«

Auch die Belastungen durch die Besatzungsmacht treffen Jean Paul wenig. Ein witziger Brief an Marschall Bernadotte (den späteren König von Schweden) mit der Bitte um Verschonung von Einquartierung hat anscheinend Erfolg, und den Finanzbehörden, die Kriegskontributionen einzutreiben haben, kann er überzeugend klarmachen, daß er kein »kontributionsfähiger Kapitalist« ist, nur von der Hand in den Mund lebt und deshalb für die Bezahlung von Kriegsschulden nicht in Frage kommt.

Gelogen ist das nicht. Dem berühmten und äußerst produktiven Schriftsteller gelingt es tatsächlich kaum, seine inzwischen auf fünf Köpfe angewachsene Familie satt zu bekommen, obwohl er viel veröffentlicht und seine Honorare wesentlich höher sind als zuvor. Ihm fehlen die Nachauflagen. 33 Werke hat er zu seinen Lebzeiten in Buchform veröffentlicht, 24 davon (also mehr als zwei Drittel) wurden nicht wieder aufgelegt, darunter so umfangreiche wie der »Titan« und die »Flegeljahre«. Acht Bücher brachten es zu einer zweiten und nur eins, der »Hesperus«, zu einer dritten Auflage, wobei zu bedenken ist, daß die Auflagen klein waren: 750 bis 4000 Exemplare – die dann zum Teil noch bei Erscheinen der Reimerschen Gesamtausgabe (nach Jean Pauls Tod) bei den Verlegern lagen und von der Witwe aufgekauft werden mußten. Die Sage, daß Jean Paul der meistgelesene Schriftsteller seiner Zeit war, stimmt leider nicht. Schiller mit seinem »Geisterseher«, Hippel mit seinem Buch »Über die Ehe« und Vulpius mit seinem Räuberroman »Rinaldo Rinaldini« waren ihm da weitaus überlegen. Sie brachten es in kürzerer Zeit auf fünf Auflagen und Knigges »Umgang mit Menschen« sogar auf acht. Diese Bücher wurden darüber hinaus auch noch in Leihbüchereien gelesen, was von denen Jean Pauls nicht anzunehmen ist. Er wird nur die damals dünne Bildungsschicht erreicht haben, die auch die wohlhabende war. Denn Bücher waren teuer. (Er selbst brachte es nie zu einer größeren eigenen Bibliothek.) Seine Bücher kosteten zwischen drei und sieben Talern, also zwischen neun und einundzwanzig Mark – eine Summe, die man, will man vergleichen, mit fünf bis zehn multiplizieren muß, um auf den ungefähren heutigen Wert zu kommen. Daß mit jeanpaulschen Büchern keine guten Geschäfte zu machen waren, beweist aber besser als alle Zahlen das fehlende Interesse der Raubdrucker, die in diesen Wildwest-Zeiten des Verlagswesens, als noch kein Urhebergesetz geistiges und verlegerisches Eigentum schützte, an jedem Bestseller durch unrechtmäßigen Nachdruck mitzuverdienen suchten. Bei Jean Paul zeigten sie sich merkwürdig zurückhaltend: von den größeren Werken wurden nur dem »Siebenkäs« und der »Vorschule der Ästhetik« durch Raub Erfolg bescheinigt. Mehr Ärger als die Nachdrucker bereiteten ihm die fleißigen Anthologisten, die, ohne sein Wissen und ohne ihn finanziell zu beteiligen, nur die Blüten aus seinen Worturwäldern herausschnitten und bessere Geschäfte mit diesen Sträußchen machten als er mit seinen vollständigen Büchern. Sechs Anthologien dieser Art erschienen bis 1825, zum Teil in mehreren Auflagen; und nach seinem Tod machte eine siebenbändige Blütenlese der Gesamtausgabe Konkurrenz.

Er aber bemüht sich weiter um seine Pension; denn er weiß: soviel schreiben wie in diesen Jahren kann er bald nicht mehr. 1804 erinnert er den König von Preußen an sein halbes Versprechen, 1805, als Friedrich Wilhelm und Luise Wunsiedel besuchen und er ihnen vorgestellt wird, erneuert er seine Bitte, wird aber wieder vertröstet. Nach Jena und Auerstedt hat er mit Preußen nichts mehr zu schaffen. Die neue Residenzstadt ist München, wo es eine Akademie gibt, bei der er durch Freunde vorfühlen läßt, ob man ihn haben will. Aber man will nicht. Doch er gibt nicht auf, denn die Zeiten sind schlecht für Verleger und Schreiber: Kriegszeiten. Der Absatz stockt, die Verleger scheuen Experimente. Wie in den schweren Anfangszeiten muß er die Manuskripte von Verlag zu Verlag schicken, man zögert, vertröstet, lehnt ab, bis schließlich Cotta sich seiner annimmt. Jean Paul verzettelt sich im Schreiben von Dutzenden von Zeitschriftenartikeln und Rezensionen. In den vielen Billetten an Freund Emanuel ist oft von Geld die Rede – von geborgtem.

1808 schreibt er an einen Fürsten, der nicht weniger Einfluß hat als der Preußenkönig, bei dem er aber auf mehr Verständnis hoffen kann. Der Fürst ist ein Mann der Wissenschaften und der schönen Künste, Freund Wielands, Schillers, Goethes, Vertreter der kirchlichen Aufklärung, Verfasser von 35 Werken über Staatslehre, Geschichte, Bildende Kunst, Ästhetik, Ethik, Naturwissenschaften, dazu aber auch, und in erster Linie, Staatsmann: ein Philosoph auf dem Thron sozusagen. Er ist hoher kirchlicher Würdenträger, hat in verschiedenen geistlichen Fürstentümern residiert, die Weimarer Dichter unterstützt, Georg Forster die Bibliothekarsstelle in Mainz beschafft, wo sich an seinem Hof die späteren Führer des revolutionären Klubs sammeln konnten, 1810 wird er in Frankfurt die Juden befreien, wodurch Ludwig Börne eine Anstellung im Staatsdienst erhalten kann (die er 1813 wieder aufgeben muß, weil mit der Befreiung von französischer Fremdherrschaft die Juden das Bürgerrecht wieder verlieren) – man kann ihm nichts Böses nachsagen außer dem einen: daß er, in den Augen

Karl Theodor von Dalberg,
Fürst-Primas des Rheinbundes

der preußischen Freiheitshelden jedenfalls, ein Vaterlandsverräter ist.

Denn Karl Theodor Reichsfreiherr von und zu Dalberg, so sein Name, ist ein Vertrauter Napoleons, hat von der Zukunft Deutschlands ähnliche Vorstellungen wie Goethe und Jean Paul und wird vom französischen Kaiser zum Fürst-Primas (eine Art Präsident) des Rheinbundes gemacht, dem seit 1808 alle deutschen Staaten außer Preußen und Österreich angehören. Er ist also formell die höchste Amtsperson des Staatenbundes, in dem Jean Paul, nicht ungern, lebt, wenn er auch wirkliche Macht nur in Frankfurt ausübt. Und dieser Mann antwortet Jean Paul prompt, macht ihn zum Ehrenmitglied der von ihm in Frankfurt gegründeten gelehrten Gesellschaft »Museum« und setzt ihm eine Rente von 1000 Gulden jährlich aus, die er aus seiner Privatschatulle bestreitet.

Als dies geschieht, 1809, ist aber (um keine falsche Vorstellung von Sold-Schreiberei aufkommen zu lassen, sei es gesagt) Jean Pauls politische Schrift: »Friedenspredigt an Deutschland« bereits erschienen. Die Vaterlandsfreunde in Berlin ärgern sich über sie, wie Varnhagen ausplaudert, als er über einen Besuch in Bayreuth berichtet, bei dem er, zu seiner Überraschung, Jean Paul »deutsch bis in die kleinste Faser hinein« findet. Dabei ist das so überraschend nicht: Nationalbewußtsein zeigt die »Friedenspredigt« genug. Was den preußischen Patrioten an ihr fehlt, ist das Anti-Französische, ist der Nationalismus, an dem sie selbst alle mehr oder weniger kranken. Wenn zum Beispiel Fichte in seinen »Reden an die deutsche Nation« dieser ihre angebliche Überlegenheit über alle anderen Nationen der Welt durch die Urtümlichkeit ihrer Sprache zu beweisen versucht, so nennt Jean Paul in seiner Rezension der »Reden« das »dogmatische Schwärmerei« und sagt ihm, daß das reiner Unsinn ist, das mit der Sprache und erst recht das mit der Überlegenheit. »Es wäre eben so schlimm für die Erde, wenn es lauter Deutsche, als wenn es keine gäbe, und kein Volk ersetzt das andere.« Er sagt das sachlich (sogar mit großem Respekt vor Fichtes nationalem Wollen und seinem Mut)

– viel sachlicher, als wir diese chauvinistischen Übersteigerungen heute lesen können. Denn hier, auch bei Fichte, mehr aber noch bei Arndt und vor allem Jahn, hatte der deutsche Faschismus eine seiner geistigen Wurzeln. (Der Satz: »Von jeher lag der Keim des Großen und Guten im germanischen Volke, wie in einigen Völkerschaften der Keim des Gemeinen und Schlechten liegt«, stammt nicht von Adolf Hitler, sondern von Ernst Moritz Arndt.)

Nicht einmal die Niederlage Preußens und den Zusammenbruch des Reiches zu beklagen, ist Jean Paul bereit. Ein Schriftstellerleben lang hat er gegen den Zustand dieses Reiches gekämpft, wie soll er es jetzt betrauern. »Das Alte hatten wir früher verloren als unsere Schlachten«, heißt es in der »Friedenspredigt«, »und das Neue ist mehr Gegengift als Gift.« Preußen und Österreich, nie ganz zum Reichsverband gehörig, hatten sich immer mehr aus ihm entfernt. Das zerrissene Deutschland war zwischen den beiden Großen erdrückt worden. Jetzt kann es, in der Gestalt »eines von Napoleon und einem langen Frieden beschützten Fürstenbundes«, von schlimmster Kleinstaaterei befreit, neu erstehen. Das »Neue« ist also der Rheinbund, und abwegig ist diese Bezeichnung nicht. Denn hier werden unter französischem Druck eingeführt, was sich in Preußen so schwer tut, aber die Geschichtsbücher mit heiligen Namen füllt: die bürgerlichen Reformen – das politische Ziel jeanpaulscher Romane.

Als die »Friedenspredigt« mit ihrem Bekenntnis zur Freundschaft mit Frankreich, mit ihrer Hoffnung auf eine deutsche Zukunft im Rheinbund erscheint, haben fast alle Rheinbundstaaten Verfassungen erhalten, sind die Leibeigenschaft aufgehoben, die Privilegien des Adels beseitigt, die Gewerbefreiheit eingeführt und die Gleichheit aller Bürger vor dem Gesetz verkündet: der Eroberer hat die Segnungen der Revolution nach Deutschland gebracht. Das erfüllt Jean Paul, der allezeit stärker sozial als national engagiert ist, mit Hoffnungen, die ihn zeitweilig sein Mißtrauen gegen Napoleon vergessen lassen. Seine erklärte Absicht, den Deutschen mit der »Friedenspredigt« Mut zu machen, verführt ihn dazu, zu übersehen oder zu verschweigen, daß Napoleon den gesellschaftlichen Fortschritt nicht aus Liebe zu diesem den Deutschen aufzwingt, sondern um sein Kriegspotential militärisch und wirtschaftlich zu stärken. Jean Pauls Optimismus vergeht, sobald die Reformen sich als Kriegsvorbereitungen enthüllen und ihre Vorteile für die Bundesbürger unter den Lasten der Kriege verschwinden. Mit dem Heldentod Zehntausender napoleon-deutscher Sachsen, Bayern, Württemberger und Westfalen in Rußland oder bei Leipzig sind die Reformen zu teuer bezahlt.

Ausgelassenes andeutend, heißt der zweite Satz des Vorworts der »Friedenspredigt«: »Wer indes alles glaubt, was er sagt, der sagt darum nicht alles, was er glaubt.« Doch bezieht sich das kaum auf Napoleon. Alles, was sich über diesen Bösartiges in Jean Pauls Nachlaß findet und was die Zensur (auch zu Rheinbunds Zeiten rege und von Jean Paul bekämpft) gestrichen hätte, stammt aus der Zeit, in der die Eroberungssucht des Kaisers sich jedem durch den Rußlandfeldzug offenbarte. Wenn Jean Paul sich über manches ausschweigt, geschieht es aus Rücksicht auf die andere Seite, die der Patrioten in Preußen, mit denen er in vielem gleich fühlt – jedoch nicht denkt. Was er unterschlägt, sind die weltbürgerlichen Gedanken des Mannes der Aufklärung, der er noch immer ist.

Die »Friedenspredigt« insgesamt ist von ihnen bestimmt, doch scheut er in ihr so unzeitgemäße Präzisierungen seiner Meinungen wie diese: »Sobald Menschenliebe seinen Sinn hat, so hat Patriotismus keinen, außer gegen Feinde; aber alles sollte uns ein Feind sein, was die Menschen angreift, gleichgültig ob uns oder die Amerikaner. Daher der ewige Widerspruch der Moral mit der Politik (ein ewiger Friede heißt ein Universalreich über der Erde); das sagt uns die Vernunft so klar. Sonst gibt's wie je mehr Patriotismus desto mehr Ungerechtigkeit.« Oder: »Wer soll denn siegen? Deutschland? Frankreich? Europa? Nur die Menschheit, und darauf arbeitet alle hin.« Oder: »Was ist daran gelegen, welches Volk herrscht, sobald es nur ein ausgebildetes ist. Das Wort Ich soll ebensowenig bei Völkern gelten als bei Individuen.«

So deutlich steht das in der »Friedenspredigt« nicht, aber unausgesprochen wird sie von diesem Standpunkt aus gehalten. Und auch ein anderer Satz aus den Vorarbeiten wird nicht mitgedruckt, der sehr bezeichnend ist für seine Haltung: die des vielgeschmähten Intellektuellen, der jeden Fanatismus ablehnt, weil der die Urteilskraft verdunkelt. (»Er will kein Liebesblinder sein«, schreibt er in der Fichte-Rezension: »Der Sehende sieht Licht und Schatten.«) Der Satz heißt: »Ich bin weder einseitig noch eingebildet genug, mich mit aller Meinung für eine Partei zu entscheiden.«

34.
Kriegserklärung

*

Den Nationalismus, der nach dem Gesetz von Druck und Ge-
gendruck in der Zeit der napoleonischen Herrschaft vor allem
in Preußen zur führenden Ideologie wird, macht Jean Paul also
nicht mit und erregt dadurch den Zorn des »Maul-Riesen«
Arndt (so Jean Paul im »Fibel«), der in seinem Buch »Briefe
an Freunde« (1810) donnert: »Der erste dieser verbrecheri-
schen Verweichlicher, dieser Nervenausschneider menschlicher
Kraft, dieser Anatomen des innersten Heiligtums des Herzens,
dieser dumpfen Totengräberseelen, ist der berühmte Jean Paul
Richter, der das Schönste durch Unmaß verdirbt und alle
Empfindung und Sehnsucht des menschlichen Gemütes über
die Grenze der Mäßigkeit und Ruhe hinauslockt: ein gefährlicher Mensch durch lebendig Blut und hohe Geistigkeit und
durch viele echte Götterblitze; aber ein verderblicher Verführer und Vergifter, durch welchen alles Gestaltvolle und Männliche untergehen muß in dem, der sich ihm ergibt.«

Die eigne Nation über andere stellen kann Jean Paul so
wenig wie Goethe, der 1830, von Eckermann danach gefragt,
warum er damals keine patriotischen Lieder geschrieben habe,
antwortet: »Wie hätte ich nun Lieder des Hasses schreiben
können ohne Haß! Und, unter uns, ich haßte die Franzosen
nicht, wiewohl ich Gott dankte, als wir sie los waren. Wie

289

hätte auch ich, dem nur Kultur und Barbarei Dinge von Bedeutung sind, eine Nation hassen können, die zu den kultiviertesten der Erde gehört und der ich einen so großen Teil meiner eignen Bildung verdankte! Überhaupt ist es mit dem Nationalhaß ein eignes Ding. Auf den untersten Stufen der Kultur werden Sie ihn am stärksten und am heftigsten finden. Es gibt aber eine Stufe, wo er ganz verschwindet und wo man gewissermaßen über den Nationen steht; und wo man ein Glück oder ein Wehe seines Nachbarvolkes empfindet, als wäre es dem eignen begegnet. Diese Kulturstufe war meiner Natur gemäß, und ich hatte mich lange darin befestigt, ehe ich mein sechzigstes Jahr erreicht hatte.«

So ähnlich hätte das auch Jean Paul sagen können, der sich entschieden für das Wohl der Deutschen einsetzt, dem aber die neue Lehre von der Nationalstaatlichkeit wenig gilt. Menschlichkeit und Kultur sind ihm höhere Werte. Deren Feind aber ist vor allem der Krieg. Gegen den ergreift Jean Paul sehr eindeutig Partei. In seiner nächsten politischen Schrift, den »Dämmerungen für Deutschland« (1809), ist das wichtigste Kapitel nur seiner Bekämpfung gewidmet. »Kriegserklärung gegen den Krieg« heißt es.

Schon in der »Levana« mahnte er, im Kapitel über Fürstenerziehung, zum Frieden, und machte seinen umfassenden, nicht an die Nation, sondern an die Menschheit gebundenen Ausgangspunkt deutlich, indem er »jeden Erdenkrieg einen Bürgerkrieg« nannte. Jetzt geht er systematischer und genauer vor. Er weiß, daß Friedenspredigten keinen Frieden machen können, aber er hält sie trotzdem, weil die Lobredner des Krieges auch nicht schweigen.

Wie Arndt zum Beispiel, der im Jahre der »Friedenspredigt« eine »Friedensrede« hält, in der er den Deutschen (dem »Nabel« und »Herzen« Europas) einreden will, daß Kriege sein müssen, »weil wir sonst in Nichtigkeit, Weichlichkeit und Faulheit einschlafen würden«. Er erinnert an die große Zeit der Germanen, dieser »edlen Barbaren«, deren Kriegstugenden leider verspielt wurden, unter anderem durch die Schuld der klassischen Literatur: »Wir haben uns durch eine schlechte Lehre einer empfindelnden Humanität und eines philanthropischen Kosmopolitismus (wie man mit vornehmen, fremden Worten das Elendige benennt) einwiegen und betören lassen, daß Kriegsruhm wenig, daß Tapferkeit zu kühn, daß Männlichkeit trotzig und Festigkeit beschwerlich sei; halbe Faulheiten und weibische Tugenden sind von uns als die höchsten Lebensbilder ausgestellt: deswegen sehen wir nach jenen ersten vergebens aus.«

Jean Paul bestreitet heftig, daß sie der Menschheit notwendig sind, die Kriege und ihre Helden. Die Gefahr der Verweichlichung kann auch durch gemeinsame nützliche Arbeit abgewendet werden, und Zivilcourage gilt ihm mehr als mordender Kriegsmut. Den Wissenschaftler stellt er höher als den Feldherrn, und Rüstungskosten sind ihm unnütz vergeudetes Geld: »Wollte ein großer Staat nur die Hälfte seines Kriegs-Brennholzes zum Bauholz des Friedens verbrauchen; wollt' er nur halb so viel Kosten aufwenden, um Menschen als um Unmenschen zu bilden, und halb so viel, sich zu entwickeln als zu verwickeln: wie ständen die Völker ganz anders und stärker da.«

Die Argumente, die er für seine Friedenspropaganda hat (besonders die historischen), sind nicht immer stichhaltig; oft vertraut er zu sehr der Beweiskraft von Metaphern – aber der feste moralische Standpunkt, der überall deutlich wird, überzeugt doch. Geistesgeschichtlich gesehen ist es die Moral der Aufklärung, die er vertritt, soziologisch die des kleinen Mannes, der in die Armee gepreßt wird, diese ertragen und ernähren muß, und der jeden Krieg verliert, auf welcher Seite er sich auch befindet. Denn Kriege werden »nur wider, nicht für die Menge«, aber von ihr »geführt und erduldet«, und Fürsten haben kein Recht, das Blut ihrer Völker für ihre Interessen zu vergießen. »Das Unglück der Erde war bisher, daß zwei den Krieg beschlossen und Millionen ihn ausführten und ausstanden, indes es besser, wenn auch nicht gut, gewesen wäre, daß Millionen hätten beschlossen und zwei gestritten.«

Die Möglichkeit zu einem ewigen Frieden sieht er (mit

Kant) nur in einem Universalstaat – für dessen Führung Napoleon aber nicht in Frage kommt; denn wenn demokratisch über Krieg und Frieden abgestimmt werden soll, darf die Staatsform natürlich nur republikanisch sein. Dann erst würde der »häßliche Widerstreit zwischen Moral und Politik, zwischen Menschenliebe und Landesliebe« zum Erliegen kommen. Jean Paul hat die Hoffnung, daß der Zwang zum Rüstungswettlauf diese Entwicklung herbeiführen wird. Die »Staatskörper werden unter der Strafe des Gewehrtragens erliegen und gemeinschaftlich ihre schwere Rüstung auszuziehen«. Wenn das aber nicht geschieht, ahnt er die Todesschwelle voraus, an der die Menschheit unserer Tage steht: »Der Mechanikus Henri in Paris erfand ... Flinten, welche nach einer Ladung 14 Schüsse hintereinander geben; – welche Zeit wird hier dem Morden erspart und dem Leben genommen! – Und wer bürgt unter den unermeßlichen Entwicklungen der Chemie und Physik dagegen, daß nicht endlich eine Mordmaschine erfunden werde, welche wie eine Mine mit einem Schusse eine Schlacht liefert und schließt, so daß der Feind nur den zweiten tut, und so gegen Abend der Feldzug abgetan ist?«

Den romantischen Patrioten damals, die in ihren Liedern nach Franzosenblut dürsteten, schien diese menschheitsorientierte Haltung nicht nur schändlich, sondern auch altmodisch. Rationalismus des 18. Jahrhunderts war das, der, nach Arndt zum Beispiel, an allem Bösen schuld war, auch am Bösesten: der Französischen Revolution, der Hölle, die den Teufel Napoleon gebar. Uns aber, die blutigen Erfahrungen des Nationalismus im bürgerlichen Zeitalter Europas vor Augen, will diese Haltung wieder modern erscheinen; vorbildhaft für ein Denken, das sich moralische Prinzipien nicht wegmanipulieren läßt. In einer Zeit, die blinden Fanatismus fordert, predigt Jean Paul Vernunft. Barbarische Rachegefühle versucht er in gesittete Bahnen zu lenken. Unter all dem Haßgeschrei spricht er mit normaler Stimme – nicht ungehört, doch bald vergessen. Heine und vor allem Börne und das Junge Deutschland halten das Andenken an den politischen Schriftsteller Jean Paul noch in Ehren, dann will man nichts mehr von ihm wissen. Daß er den bürgerlichen Ideologen, die ihren Nationalismus am Feuer der Erbfeindschaft gegen Frankreich warmhalten, nichts Nützliches bieten kann, ist verständlich. Daß aber der auf Internationalismus und Humanismus orientierte Marxismus sich seiner nicht annimmt, ist im 19. Jahrhundert nur dadurch zu entschuldigen, daß man genug damit zu tun hat, die von der Bourgeoisie anerkannten Größen von Verfälschungen zu reinigen, im 20. durch nichts.

1809 ist diese »Kriegs-Erklärung« geschrieben und erschienen; an wen sie gerichtet ist, wird zwar nicht gesagt, aber deutlich: an beide Seiten nämlich. Die Leute, die alles loben, was hart macht, den Krieg also (»das höchste Heil, das letzte, liegt im Schwerte«, Körner, 1813), und die das »Franzosenungeziefer« (Arndt, 1808) vertilgen wollen (»Dämmt den Rhein mit ihren Leichen«, Kleist, 1809), sitzen vornehmlich in Preußen. Sie haben ein Argument für sich: das vom »gerechten Krieg«, mit dem Arndt, der den Begriff benutzt, es sich leicht macht: Denn gegen die Franzosen, so lehrt er in dem 1813 geschriebenen »Katechismus für den deutschen Kriegs- und Wehrmann, worin gelehret wird, wie ein christlicher Wehrmann sein und mit Gott in den Streit gehen soll« (1942 in einer Feldpostausgabe wiedergedruckt), müßt ihr Deutschen nicht nur kämpfen, weil Gott es so will, und »nicht allein, weil sie eures Landes und eurer Leiber und Geister Herren sein wollen, sondern weil sie geizig, wollüstig, räuberisch und grausam sind, weil sie nicht für Recht und Freiheit, sondern für Raub und Gewinn in den Streit ziehen.« Jean Paul umgeht dieses diffizilste Problem jedes Kriegsgegners nicht. Daß es gerechte Kriege, das heißt Verteidigungs- oder Befreiungskriege gibt, erkennt er an, will nur nicht einsehen, daß die Freiheit eines Volkes darin bestehen soll, daß es von eignen, statt von ausländischen Fürsten geknechtet wird. Als Beispiele für gerechte Kriege läßt er deshalb auch nur gelten, »sobald eine freie Schweiz [die Arndt, wie auch die Niederlande, für sein Groß- Deutschland annektieren will] oder von Tartaren das gesittete Europa überfallen würden« und macht sofort (allen patriotischen Vereinfachern zum Trotz) Anmerkungen zum möglichen Mißbrauch, der schwer nachweisbar ist: Angriff ist die beste Verteidigung.

Der anderen Seite aber, Napoleon, gelten die mahnenden Worte an die Eroberer, deren »fast göttliche Rechte« (Schelling) auch die Straßenräuber für sich beanspruchen könnten, und deren »von Blut-Katarakten zusammengeschwemmte oder -geleimte Länder« stets bald wieder auseinanderfallen. Alexander und Karl den Großen (in dieser Zeit oft als Deckname für Napoleon benutzt), die für ihre Ideen Länder und Völker opferten, stellt er Sokrates gegenüber, der an seine Idee nur eignes Leben setzte, »denn fremdes darf ich nicht«.

Das ist sehr deutlich adressiert und wird verstanden. Und Jean Paul bleibt in seinem Abscheu vor Länderräubern konsequent. Als sich (was lange dauert) auch für ihn herausstellt, daß der Kaiser einer ist (als er nämlich 1812 in Rußland einfällt), wird sein jahrelanges Schwanken zwischen Anerkennung und Mißtrauen zu klarer Gegnerschaft. Da macht er wahr, was er schon 1806 an Jacobi geschrieben hatte: »Für die Menschheit gebe ich gern die Deutschheit hin; sobald aber beide den einen und selben Gesamtfeind haben, so wende ich mein Auge von diesem.«

Wie er das tut, ist so unsympathisch nicht. Weder stimmt er in die Haßgesänge mit ein, noch schleudert er dem Geschlagenen wütende Satiren nach. Die nach dem Sieg über Napoleon geschriebene, 1814 erschienene Schrift »Mars' und Phöbus' Thronwechsel« nennt sich »scherzhafte Flugschrift« und ist auch nicht mehr als das. Der »wackere Landsturmmann« Fichte wird darin genauso geehrt wie der Napoleonanhänger Johannes von Müller (beide waren inzwischen gestorben), und von Hoffnung beseelt ist dieses Traktat genauso wie die beiden ersten: nur gilt sie jetzt nicht mehr dem napoleonischen Rheinbund, sondern dem neuen Fürstenbund, der Heiligen Allianz.

Darauf, den Deutschen immer Hoffnung auf Frieden und Geistesfreiheit gepredigt zu haben, hält sich Jean Paul viel zugute. Schade, daß sie immer vergeblich war.

35.

Heldentod

*

Als 1813 die Welle nationaler Begeisterung ganz Deutschland überflutet, wird auch Jean Paul von ihr erfaßt. Bei aller Distanz, die er gegen die preußische Kriegspartei wahrt, tritt er doch auf ihre Seite. Das einfach als Anpassung an die neuen Machtverhältnisse zu werten, ist aber nicht möglich.

Schon beim Einmarsch Napoleons in Rußland, nicht erst bei dessen Niederlage, wendet er sein »Auge von diesem«. Wenn der vermeintliche Friedensbringer sich als Räuber erweist, wird der Kampf gegen ihn zum Befreiungskampf, den der Kriegsgegner Jean Paul als gerecht anerkennt. Den Aufsatz, um den es hier geht, schreibt er, bevor die Kriegsentscheidung gefallen ist. Und das Preußen, das den Krieg führt, ist nicht mehr das alte, sondern das (wenn auch nur der napoleonischen Not gehorchend und dazu halbherzig) reformierte. Jean Paul selbst findet sein Verhalten nie als opportunistisch: Seine Zeitschriftenbeiträge aus der Zeit Napoleons läßt er nach dessen Sturz unverändert, nur mit leichten Entschuldigungs-Anmerkungen versehen, wieder erscheinen. Allerdings scheut er sich auch nicht, nach dem Sieg sämtliche Sieger um die Pension anzugehen, die der gestürzte Rheinbund-Primas nicht mehr zahlen kann.

Der erwähnte Aufsatz ist eine Kleinigkeit, die Literaturhistorikern der Beachtung nur wert sein kann, um zu beweisen, daß kein Autor sein Ziel erreicht, wenn er sich selbst Gewalt antun muß dabei. Er ist aber ein Ärgernis, das nicht verschwiegen werden darf, wenn man den Kriegsgegner Jean Paul so ausführlich rühmt. Denn hier rühmt Jean Paul den Heldentod. Zum Friedensprediger paßt dieser Aufsatz: »Die Schönheit des Sterbens in der Blüte des Lebens; und ein Traum von einem Schlachtfelde« wenig – oder genauer: nur in Teilen. Bezeichnenderweise nahm Jean Paul ihn auch nicht in seine Sammlung politischer Aufsätze (»Politische Fastenpredigten während Deutschlands Marterwoche«, 1816) auf, sondern in den dritten Band des Sammelsuriums »Herbstblumine«, der erst 1820 erschien. Von Franzosenhaß oder Rache ist auch hier die Rede nicht. Der Feind kommt überhaupt nicht vor. (Die Schrift ist also international verwendbar.) Von Kleists patriotischem Sadismus oder den frisch-fröhlichen Wort-Unmenschlichkeiten der Lützower (dem Intellektuellen-Freikorps in schwarzen Uniformen mit Totenköpfen – auch eine Tradition!) trennen ihn Welten. Um das deutlich zu machen, sei der noch immer gelobte, aber glücklicherweise wenig gelesene Theodor Körner hier zitiert, und zwar mit einem Gedicht, das in den gleichen Tagen wie Richters Aufsatz geschrieben wurde:

»Lied von der Rache.

Heran, heran! – Die Kriegstrompeten schmettern!
Heran! Der Donner braust! –
Die Rache ruft in zack'gen Flammenwettern
Der deutschen Rächerfaust!

Heran, heran zum wilden Furientanze!
Noch lebt und glüht der Molch!
Drauf, Bruder, drauf mit Büchse, Schwert und Lanze,
Drauf, drauf mit Gift und Dolch!

Was Völkerrecht! – Was sich der Nacht verpfändet,

Ist reife Höllensaat.
Wo ist das Recht, das nicht der Hund geschändet
Mit Mord und mit Verrat?

Sühnt Blut mit Blut! – Was Waffen trägt, schlagt nieder!
's ist alles Schurkenbrut!
Denkt unsres Schwurs, denkt der verratenen Brüder
Und sauft euch satt in Blut!

Und wenn sie winselnd auf den Knien liegen
Und zitternd Gnade schrein,
Laßt nicht des Mitleids feige Stimme siegen,
Stoßt ohn' Erbarmen drein!

Und rühmten sie, daß Blut von deutschen Helden
In ihren Adern rinnt:
Die können nicht des Landes Söhne gelten,
Die seine Teufel sind.

Ha, welche Lust, wenn an dem Lanzenkopfe
Ein Schurkenherz zerbebt,
Und das Gehirn aus dem gespaltnen Kopfe
Am blutgen Schwerte klebt!

Welch' Ohrenschmaus, wenn wir beim Siegesrufen,
Vom Pulverdampf umqualmt,
Sie winseln hören, von der Rosse Hufen
Auf deutschem Grund zermalmt!

Gott ist mit uns! – Der Hölle Nebel weichen;
Hinauf, du Stern, hinauf!
Wir türmen dir die Hügel ihrer Leichen
Zur Pyramide auf.

Dann brennt sie an! – und streut es in die Lüfte,
Was nicht die Flamme fraß,

Damit kein Grab das deutsche Land vergifte
Mit überrhein'schem Aas!«

Es war ein Rausch von Haß und Rache, der sich hier austobte,
vorwiegend in Preußen, das Napoleon in besonderem Maße erniedrigt und ausgeraubt hatte. Vielleicht waren die schlechten
Gedichte nötig, um die preußischen Landwehrmänner anzu-
treiben; genauso nötig aber wäre gewesen, sie danach wieder
schnell zu vergessen. Das aber geschah nicht. Als Folge der
späteren Entwicklung in Deutschland wurde zur Tradition
nicht der Freiheitsrausch, der das Volk beseelte, sondern
schlechter Geschmack, Rohheit und die gefährliche Verbindung von Preußentum und Nationalismus – der übrigens auch
schon ein bißchen Rassismus nicht fehlte.

Jean Paul, der, wie viele damals, zeitweilig auch von dem
Wahn besessen ist, man könnte unter russischen, österreichischen und preußischen Fahnen für Volksfreiheit und nationale
Einigung kämpfen, erfüllt seine vaterländische Pflicht in anderer Weise. Cotta gegenüber, in dessen »Damenkalender« auf
das Jahr 1814 der Aufsatz zuerst erscheint, weist er mehrmals
auf seinen Tröstungscharakter hin. Und tatsächlich hat der
Aufsatz viel von dem pathetischen Schwulst der Todesanzei-
gen, der damals Mode wird und dann in allen deutschen Kriegen, bis zum letzten, die Schmerzen der Hinterbliebenen ver-
golden hilft. »Für Vaterland, deutsche Freiheit, National-Ehre
und unseren geliebten König« wird da gestorben, wenn man
den preußischen Zeitungen der Zeit glauben darf. Und dann
heißt es beispielsweise: »Ein so schneller Verlust ist hart. Aber
es ist tröstend, daß auch wir einen Sohn geben konnten zu dem
großen heiligen Zweck. Wir fühlen tief die Notwendigkeit solcher Opfer.« Auch Jean Paul setzt einmal für eine Bekannte
eine solche Todesanzeige auf, die mit den Worten schließt:
»Ich begehre kein Beileid, denn er starb seiner und seines Va-
terlandes und des hohen Freiheits-Krieges würdig, und in meinem Herzen stirbt er nie.«

Auch zu ihm eigentlich ungemäßen Zwecken kann sich ein

Das Hallische Tor in Leipzig am 20. Oktober 1813
Kolorierte Radierung von C. G. H. Geißler

Autor nur dessen bedienen, was er parat hat. Auch Jean Paul muß Eignes geben, wenn er sich vornimmt, den Heldentod zu verherrlichen. Er preist also die Jugendzeit als die schönste, höchste, wertvollste des Lebens: die erste Freundschaft, die erste Liebe, die ersten Studien, den politischen Optimismus, die Zukunfthoffnungen, Ideale, Träume – es ist, als rede er von sich selbst, von der Zeit, von der dichterisch auch sein Alterswerk noch teilweise zehren wird. Dann aber kommt der Sprung in die sich aufgezwungene Tendenz, mit einer Frage: »Wäre auf solchen Lenzauen... sterben nicht schön und leicht?« Ja, wäre »ein solches Sterben nicht das schönste?«

Ist die Frage schon überraschend, so wird es die Antwort noch mehr. Denn sie lautet: »Nein; denn es gibt im Blüten-Alter noch einen schöneren Tod, den des Jünglings auf dem Schlachtfelde!«

Und der sieht dann so aus: »Vater, Mutter, schaue deinen Jüngling vor dem Niedersinken an; noch nicht vom dumpfen Kerkerfieber des Lebens zum Zittern entkräftet, von den Seinigen fortgezogen mit einem frohen Abschiednehmen voll Kraft und Hoffnung, ohne die matte satte Betrübnis eines Sterbenden, stürzt er in den feurigen Schlachttod, wie in eine Sonne, mit einem kecken Herzen, das Höllen ertragen will – von hohen Hoffnungen umflattert – vom gemeinschaftlichen Feuersturm der Ehre umbrauset und getragen – im Auge den Feind, im Herzen das Vaterland – fallende Feinde, fallende Freunde entflammen zugleich zum Tod, und die rauschenden Todes-Katarakte überdecken die stürmende Welt mit Nebel und Glanz und Regenbogen. Alles was nur groß ist im Menschen, steht göttlich glanzreich in seiner Brust als in einem Göttersaal, die Pflicht, das Vaterland, die Freiheit, der Ruhm. Nun kommt auf seine Brust die letzte Wunde der Erde geflogen: kann er die fühlen, die alle Gefühle wegreißt, da er im tauben Kampfe sogar keine fortschmerzende empfindet? Nein, zwischen sein Sterben und seine Unsterblichkeit drängt sich kein Schmerz, und die flammende Seele ist jetzo zu groß für einen großen, und sein letzter, schnellster Gedanke ist nur der frohe, gefallen zu sein für das Vaterland.«

Und wenn er dann anschließend den Eltern und Bräuten empfiehlt, zwar zu weinen, aber nur »Freudentränen über die Kraft der Menschheit«, dann wird auch der glühendste Verehrer Jean Pauls an ihm irre – falls er nicht weiterliest, über die drei Sternchen hinweg, die das voneinander trennen, was im Titel durch ein Semikolon getrennt wird: das schöne Sterben vom Schlachtfeldtraum.

Der ist dann gemacht nach dem Muster der »Rede des toten Christus«: eine grauenhafte Vision von Tod und Vernichtung, die die vorher behauptete Schönheit des Heldentodes zur Farce macht, trotz des verklärenden Traumschlusses auf den Inseln der Seligen, wo die Heldenjünglinge in steter Wonne die Ewigkeit verbringen.

Während auf einem brennenden Turm der Stundenhammer an eine schmelzende Glocke schlägt und ein roter Komet über den Himmel rast, führt ein Ungeheuer den Träumenden der Schlacht entgegen. Kinder schießen sich beim Soldatenspiel mit hölzernen Weihnachtsflinten tot. Blutschnee fällt. Wagenladungen von Händen und Augen werden abgefahren. Ein Sarg enthält die Asche eines ganzen Heeres. Ameisen wimmeln auf Menschengerippen. Durstige öffnen Fässer, aus denen giftige Vipern quillen. Und das Ungeheuer singt dazu ein Tedeum nach der Melodie eines Gassenhauers: »Töten ist mein Leben, Te Deum! – Altes Schlachtfeld ist ein langes Stilleben, Te Deum! – Unten bei dem Untertanenpack und Fußvolk wird begonnen, Te Deum! – Und alle Tränen sind für mich Freudentränen, Te Deum!«

Als der Träumende dann aber endlich das eigentliche Schlachtfeld erreicht, sinkt er bewußtlos nieder. »Was ich sah, war zu gräßlich für den Menschenblick, und hatte keinen Raum in einem Menschengedächtnis.«

Das ist geschrieben im Juni, unter dem Eindruck von Berichten über die Schlacht bei Lützen. Erst im Oktober fällt bei Leipzig die Entscheidung: 90 774 Tote und Verwundete bluten da für ihre diversen Vaterländer und geliebten Könige und Kaiser. 90 774mal wird da die von Jean Paul nachgebetete Legende von der Schönheit des Heldentodes widerlegt. Die »entsetzliche Welt« des Schlachtfeldes, vor deren Anblick der Dichter in Bewußtlosigkeit flieht, beschreibt kunstvoll ein Augenzeuge und erschüttert mehr als alle Traumvisionen, durch die Jean Paul nachträglich zum Stammvater der Surrealisten gemacht wurde.

Johann Christian Reil, Professor der Medizin an der Berliner Universität, der vier Wochen später an dem in den Lazaretts grassierenden Typhus stirbt, schreibt zehn Tage nach der »Völkerschlacht« (in der auch die deutschen Völker Preußens und Österreichs gegen die Sachsens, Württembergs, Hessens usw. kämpften) an den Freiherrn von Stein: »In Leipzig fand ich ungefähr 20 000 verwundete und kranke Krieger von allen Nationen... Sie liegen entweder in dumpfen Spelunken, in welchen selbst das Amphibienleben nicht Sauerstoffgas genug finden würde, oder in scheibenleeren Schulen und wölbischen Kirchen, in welchen die Kälte der Atmosphäre in dem Maße wächst, als ihre Verderbnis abnimmt, bis endlich einzelne Franzosen noch ganz ins Freie hinausgeschoben sind, wo der Himmel das Dach macht und Heulen und Zähneklappern herrscht. An dem einen Pol der Reihe tötet die Stickluft, an dem anderen reibt der Frost die Kranken auf. – Bei dem Mangel öffentlicher Gebäude hat man dennoch auch nicht ein einziges Bürgerhaus den gemeinen Soldaten zum Spitale eingeräumt. An jenen Orten liegen sie geschichtet wie die Heringe in ihren Tonnen, alle noch in den blutigen Gewändern, in welchen sie aus der heißen Schlacht hereingetragen sind. Unter 20 000 Verwundeten hat auch nicht ein einziger ein Hemd, Bettuch, Decke, Strohsack oder Bettstelle erhalten... Keiner Nation ist ein Vorzug eingeräumt, alle sind gleich elend beraten, und dies ist das einzige, worüber die Soldaten sich nicht zu beklagen haben. Sie haben nicht einmal Lagerstroh, sondern die Stuben sind mit Häckerling aus den Biwaks ausgestreut, das nur für den Schein gelten kann. Alle Kranken mit zerbrochenen Armen und Beinen, und deren sind viele, denen man auf der nackten Erde keine Lage hat geben können, sind für die verbündeten Armeen verloren. Ein Teil derselben ist schon tot, der andere wird noch sterben. Ihre Glieder sind, wie nach Vergiftungen, furchtbar aufgelaufen, brandig und liegen in allen Richtungen neben den Rümpfen. Daher der Kinnbackenkrampf in allen Ecken und Winkeln, der um so mehr wuchert, als Hunger und Kälte seiner Hauptursache zu Hilfe kommen... Viele sind noch gar nicht, andere werden nicht alle Tage verbunden. Die Binden sind zum Teil aus grauer Leinwand, aus Dürneberger Salzsäcken geschnitten, die die Haut mitnehmen, wo sie noch ganz ist... Viele Amputationen sind versäumt, andere werden von unberufenen Menschen gemacht, die kaum das Barbiermesser führen können... Einer Amputation sah ich mit zu, die mit stumpfen Messern gemacht wurde. Die braunrote Farbe der durchgesägten Muskeln, die schon fast zu atmen aufgehört hatten, des Operierten nachmalige Lage und Pflege gaben mir wenig Hoffnung auf seine Erhaltung... Verwundete, die nicht aufstehen können, müssen Kot und Urin unter sich gehen lassen und faulen in ihrem eignen Unrat an. Für die gangbaren sind zwar offene Bütten ausgesetzt, die aber nach allen Seiten überströmen, weil sie nicht ausgetragen werden. In der Petrikirche stand eine solche Bütte neben einer andern, ihr gleichen, die eben mit der Mittagssuppe hereingebracht war... Das Scheußlichste dieser Art gab das Gewandhaus. Der Perron war mit einer Reihe solcher überströmenden Bütten besetzt, deren träger Inhalt sich langsam über die Treppen herabwälzte... Auf dem offenen Hofe der Bürgerschule fand ich einen Berg, der aus Kehricht und Leichen meiner Landsleute bestand, die nackend lagen und von Hunden und Raben angefressen wurden, als wenn sie Missetäter und Mordbrenner gewesen wären. So entheiligt man die Überreste der Helden, die dem Vaterlande gefallen sind!«

Soweit Professor Reils Beschreibung von der »Schönheit des Sterbens in der Blüte des Lebens«. Wenn es um Heiligstes geht, vertraut sich der um Wahrheit Besorgte also lieber dem Mediziner an als dem Dichter. Das bestätigt sich auch, wenn man in dieser Sache bei Arndt nachschlägt, der in seinem kräftigen Lutherdeutsch die Frage einfacher, aber nicht anders beantwortet: »Der Krieg zeigt in jedem Augenblick Wunden, Verstümmelungen, den Tod: Schmerzen und Qualen, vor welchen die menschliche Natur oft erschrickt und erblasset; der Christ erschrickt und erblasset davor nicht... Der Christ weiß: dieses Leben, auch wenn es am besten war, ist nur ein flüchtiger Traum, kaum ein Schatten des Glückes; er kennt keine Angst, er zittert vor keinem Tode, denn er hat die Zuversicht eines besseren Daseins... Der Christ ist fröhlich im Leben, fröhlich im Tode.«

36

Pikante Süßigkeiten

*

Im Mai 1808 geht nach längerem Schweigen ein Brief Jean
Pauls an Christian Otto nach Königsberg, in dem von innerer
Starrheit und Kälte die Rede ist. Nicht einmal »der Frühling
und alle seine Sternenhimmel« können diese Gefühllosigkeit
beheben. Dem seit jeher für Politisches zuständigen Freund
wird als Grund dafür einzig die verworrene Weltlage angegeben, die Jean Paul andererseits aber auch ansporne, zum »All-
Besten« beizutragen. Denn wen »die Zeit niederschlägt, der
richte zuerst diese wieder auf und dann sich mit«.

Das ist ehrenwert gedacht und zitatenreif gesagt, aber nur
die halbe Wahrheit. Nicht nur die historische Lage trägt zu seiner Niedergeschlagenheit bei: auch seine individuelle! Alter
und Krankheit künden sich an. Bayreuth ist eine Enttäuschung
und die Ehe auch. Die poetische und politische Schwärmerei
des überalterten Jünglings weicht Resignation. Ohne daß die
Arbeit jemals stockt, geht sie durch eine Krise in eine neue
Etappe hinüber. »Ideen- und kräfte-arm« nennt er im selben
Brief seine letzten Jahre. Seiner Dichtung schädlich aber wird
diese Armut nicht. Was sie an Optimismus einbüßt, gewinnt
sie an Realität. Jeder Verehrer, der den Meister in Bayreuth
besucht, hat erst einmal einen kleinen Schock zu überwinden.
Das Bild, das er bietet, paßt nicht zu dem, was man sich vom

»Hesperus«-Dichter gemacht hat. Auch den Autor des »Freiheitsbüchleins« und der »Friedenspredigt« stellt man sich anders vor. Der Mann ist dick und wirkt älter, als er ist. Er spricht schnell, etwas stolpernd, in fränkisch-sächsischem Dialekt, neigt zu Unordnung und Unsauberkeit und entsetzt oder belustigt jeden Besucher durch Skurrilitäten, von denen er unerträglich viele hat. Zuerst fallen die Tiere auf, die ihn umgeben. Den Spitz (später den Pudel), der ihn überall begleitet, kann man noch entzückend finden; hält man ihn doch oft für den literarhistorischen der »Hundsposttage«. Aber außerdem gibt es noch Vögel und Mäuse und Eichhörnchen und sogar Fliegen, die der Dichter in einem mit Tüll bespannten Vogelbauer mästet. Die braucht er nämlich für den Laubfrosch, den er, wie zeitweilig auch Spinnen, der Wetterprophezeiungen wegen hält. Denn Jean Paul ist nicht nur ein großer Schriftsteller und Biertrinker, sondern auch ein Hobby-Meteorologe, der alle Bekannten mit Voraussagen belästigt und auch die Leser nicht damit verschont. Einmal, 1823, erscheint eine jeanpaulsche Wetterprophezeiung für sechs Monate in der Zeitung, und der mehr als 20 Seiten lange Aufsatz »Der allzeit fertige oder geschwinde Wetterprophet« von 1816 ist zwar nicht ohne Selbstironie, doch auch nicht ohne Stolz auf seine Fähigkeiten, die er in seinem letzten Werk, der »Selina«, noch ausführlich dokumentiert, um dann so zu schließen: »Man verzeihe diese Ausführlichkeit, durch die ich nichts bezwecke als bloß einem und dem andern Wetterlaien und Donnerscheuen einige wissenschaftliche Brosamen und Gerstenbrote zuzuwerfen, wovon mir noch immer Brotkörbe genug übrig bleiben.«

Ernsthafter noch widmet er sich dem »tierischen Magnetismus«, nach seinem Entdecker auch Mesmerismus genannt, der nach seiner Hochblüte um 1780 und seiner zeitweiligen Vergessenheit gerade wieder Mode geworden ist. Begierig studiert und exzerpiert Jean Paul alle, zum Teil sehr umfangreichen Werke darüber, zeigt sich 1807 in der Vorrede zum »Ergänzblatt zur Levana« (das nichts ist als ein selbständig publiziertes Druckfehlerverzeichnis) schon wohlvertraut mit den heilkräftigen Handstreichbewegungen eines Magnetiseurs, ergänzt seinen Fundus an Metaphern durch viele aus diesem Bereich, reicht 1813 dem Frankfurter »Museum« die lange Abhandlung »Mutmaßungen über einige Wunder des organischen Magnetismus« ein, beglückt später auch die Lesewelt damit und hält sich selbst für mit magnetischen Kräften begabt. Als der junge Mediziner Karl Bursy ihn 1816 besucht und von den Fortschritten des Mesmerismus in Berlin erzählt, wird Jean Paul lebhaft. »Selten ließ er mich zu Ende reden«, berichtet Bursy, »mit jedem Wort, das ich sprach, drängten sich ihm neue Fragen zu, und sein Auge funkelte und glühte, als wollte er jeden Dintenflecken seiner schmutzigen Stubendiele zum magnetischen Reverberierspiegel potenzieren ... Er hat selbst schon manchmal bei Zahn- und Kopfschmerzen seiner Freunde mit Wirkung magnetisiert und wollte von mir wissen, ob er die Manipulation richtig vornehme. Ich mußte mich hinsetzen, und nun manipulierte er an mir in seinem Feuer so starken Drukkes, daß es fast schmerzte.«

Auch die Medizin wird dem vielseitigen Autodidakten zum Hobby. Durch lebenslanges Studium einschlägiger Literatur glaubt er sich zum Arzt befähigt, kuriert die Kinder, die Mägde und auch sich selbst, was sich, nach dem Urteil von Freunden, in den letzten Lebensjahren verhängnisvoll auswirkt. Ständig beobachtet er aufmerksam seine Körperfunktionen, und als er sich einmal (1817) den berühmten Berliner Ärzten Heim und Hufeland anvertraut, geschieht es schriftlich, in Form eines Aufsatzes unter dem Titel »Vorbericht zu dem Kranken- und Sektions-Berichte von meinem künftigen Arzte«. (Krampfhafte Affektion der Lungen- und Herznerven, lautete die Diagnose, Jean Pauls eigne Annahme bestätigend.)

Bursys Tagebuch weiß von dieser übersteigerten Selbstbeobachtung zu berichten: »Er war früher Hypochonder und scheint's mir noch zu sein, denn seinen Körper hat er mit solcher Kleinlichkeit studiert, daß er auf jeden Puls- und Herzschlag mit größter Genauigkeit achtet. Alles, was er tut, geschieht nach vorgesetzter Regel, die freilich fremdartig genug ist. Am meisten hütet er sich vor Übermäßigkeit im Essen; das mache den Menschen dumm. ›Schlafen muß ich viel‹, sagt er, ›damit meine Leser nicht schlafen. Unmittelbar nach dem Abendessen lege ich mich zu Bette, und mit Hülfe meiner in Katzenbergers Badereise gerühmten Mittel bringe ich's schnell zum Einschlafen. Ich habe jetzt noch viel mehr solcher Mittel erfunden und durch Selbsterfahrung geprüft. Da ich nachts wohl zwanzigmal aufwache, um Wasser zu trinken, so mußte ich mir untrügliche Mittel ausfinden, und ich habe sie gefunden. Ich schlafe gewöhnlich acht Stunden und· trinke morgens, sobald ich aufgestanden, ein Glas ganz kaltes Wasser. Eine gute Stunde danach reinen, leichten französischen Wein.‹«

Daß diese reizbare Selbstbeobachtung nicht nur Körperlichem gilt, versteht sich von selbst, und daß sie zur Selbstdarstellung drängt, ebenso. Besonders das als Gefährdung erkannte Eigne will objektiviert werden. Denn im psychischen Bereich ist Eigendiagnose oft schon Therapie. Hinzu kommt freilich, daß Kunst nach Selbstbeobachtung verlangt: Die tiefste Menschenkenntnis liefert der Autor sich selbst.

Wieder und wieder gab Jean Paul Teildarstellungen seines Ichs seinen Gestalten mit. Als er 1807 den »Schmelzle« schreibt, ist das wieder so – und doch ganz anders. Bei Wutz und Fixlein war neben ironischer Distanzierung doch immer ein Rest von Identifizierung deutlich geworden, und Siebenkäs hatte sich klar als Jean Paul zu erkennen gegeben. Jetzt aber, in seinem »regelrichtigsten Spaß«, wird sein Ich nicht weniger benutzt, doch völlig preisgegeben.

Einen psychischen (nicht etwa künstlerischen!) Tiefpunkt, scheint dieses kleine Werk zu markieren. Skepsis an allem bisher Produzierten führt hier die Feder. Hatte die gesellschaftliche Wirklichkeit sich doch ganz anders entwickelt, als Jean Paul sie im Werk entworfen hatte. Weder zu Revolution noch zu Reform war Deutschland von sich aus fähig gewesen. Nicht Menschenliebe, sondern Haß und Krieg beherrschen das Geschehen. Jean Pauls »hohe Menschen« sind vergeblich entworfen worden. Einkräftigkeit macht sich mit zunehmender kapitalistischer Entwicklung breit. Jean Paul ist ernüchert, sieht auch die Wirklichkeit nüchterner. So wie ihm Deutschland nach dem Sieg Napoleons neu zu beginnen scheint, beginnt auch er neu. In den »Flegeljahren« steckte er sich noch hohe Ziele, kapitulierte aber vor der Wirklichkeit. Jetzt hat er die Ziele nicht mehr. Aber ein anderes Leben und andere Erfahrungen hat er nicht. Er muß also mit dem alten Vorrat arbeiten, den er nun anders sieht und verwendet. Das führt zu einer klareren Sicht der Realität – und zur Parodie.

»Des Feldpredigers Schmelzle Reise nach Flätz«, die erste der späten erzählenden Schriften, benutzt die Personage der frühen Idyllen, kehrt aber die Wirkung um. Die Familienähnlichkeit des Militärgeistlichen Schmelzle mit dem Quintus Fixlein fällt ins Auge. Jener wurde lächelnd bemitleidet, dieser aber wird unbarmherzig ausgelacht. Als Porträt eines Angsthasen in napoleonischer, also gegenwärtig-kriegerischen Zeit, wird der Spaß (von der Titelfigur selbst mit Heldenpose erzählt) ausgegeben, ist aber eigentlich der Krankenbericht eines Psychopathen, der zumindest den Vornamen seines Autors führen müßte.

Daß Feigheit vor dem Feind nur zum Aufhänger, nicht zum Gegenstand der Geschichte gemacht wird, kann nur den mit dieser Art Heiterkeit versöhnen, der bereit ist, Symptome einer Zwangsneurose komisch zu finden. Denn beschrieben werden, nur durch eine der bei Jean Paul häufigen Reisefabeln verbunden, alle Arten von Angstvorstellungen (die der Psychiater Phobien nennt) und ihre Abwehrmechanismen. Attila Schmelzle fürchtet sich nicht nur ständig vor Gewalt, Gewitter, Feuer, Diebstahl, sondern auch davor, daß seine Unterschrift unlesbar sein könnte. Badeseen muß er meiden aus Angst, einen Ertrinkenden retten zu müssen und dabei selbst zu ertrinken. Furcht vor künftiger Furcht plagt ihn, und quälend sind die Kontrastideen, wie: beim Abendmahl lachen oder während der Predigt zur Kanzel hinauf schreien zu müssen: »Ich bin auch da, Herr Pfarrer!« Wenn er verreist, übergibt er der Frau eine Liste von Verhaltensregeln für Unglücksfälle, und beim Rasieren steht er Todesängste aus, weil er den Gedanken nicht los wird, der Barbier könnte ihm das Messer an die Gurgel führen.

Das wird geschrieben nach den überstandenen Kriegsängsten von 1806. Manches davon ist als jeanpaulsche Phobie erkennbar. Aber auch ohne Belege merkt man, daß das nur schreiben kann, der es an sich selbst kennt. Jean Paul behauptet, sehr gelacht zu haben darüber. Möglich, daß das befreiend auf ihn wirkte. Mitlachen aber kann man kaum in unserer Zeit, wo Neurosen zu Volkskrankheiten zu werden drohen.

Dazu ist sein nächster Roman, »Doktor Katzenbergers Badereise«, schon eher geeignet, obwohl auch da mancher Scherz einen schaudern läßt. Die Fabel, kompositorisch geschlossen wie sonst nie bei Jean Paul, ist die einer Verwechslungskomödie: Der Anatom Dr. Katzenberger reist nach Bad Maulbronn, um einen bösartigen Rezensenten seiner Abhandlung über Mißgeburten zu verprügeln. Er wird begleitet von seiner Tochter Theoda. Die verehrt den erfolgreichen Theaterdichter Theudobach, der inkognito mit ihnen fährt, sich in sie verliebt, aber einen Korb bekommt, da Theoda dem eitlen Galanten einen jungen einfachen Mann vorzieht, den sie der Namensgleichheit wegen zuerst für den Dichter hielt.

Die Geschichte ist also läppisch. Keine Ideale streben nach Verwirklichung, keine existenziellen Probleme stehen zur Debatte. Was den Roman über die Trivialität seiner Fabel erhebt, sind die Charaktere seiner beiden Widersacher: des Arztes und des Dichters. In Vorarbeiten notierte sich Jean Paul das Thema: »Wissenschaft und Poesie – oder Logik und Blumik.« Wieder, wie vorher in Siebenkäs und Leibgeber, in Walt und Vult, macht er sein Ich zu zweien; das Ergebnis aber zeigt die Tiefe der Resignation: es wird zur Selbstverspottung, zur Selbstparodie. Keine Freundschaft herrscht mehr zwischen den beiden ins komische Extrem getriebenen Gestalten. Nicht einmal Feindschaft schafft Spannung. Der Dichter ist dem Doktor nur Objekt der Belustigung, der Doktor dem Dichter nur Modell für künftige Stücke.

»Und liefert das Leben von unseren idealen Hoffnungen und Vorsätzen etwas anderes als eine prosaische, unmetrische, ungereimte Übersetzung?« fragt Jean Paul in einer der Fußnoten des »Schmelzle«. Im »Katzenberger« aber gibt er eine komische. Der Spott, mit dem der Dichter bedacht wird, lebt von dem, was dem jungen Jean Paul ideal schien. Alle Gegenstände früherer Gefühlsschwelgerei (Landschaft, Friedhof, Wetter, Sonne, Mond und Sterne) werden nur parodistisch verwendet. Nicht edles Wollen, nicht überströmendes Gefühl führen Theudobach die Feder: nur bloße Eitelkeit.

Gegen diesen gespreizten Geck ist Katzenberger ein Riese. In ihm feiert die Einkräftigkeit Triumphe. Er beherrscht die Szene. Brächte man, was verlockend wäre, dieses Lustspiel heute aufs Theater, könnte man den Katzenberger spielen als die verkörperte Deformierung des Menschen durch Arbeitsteilung, als die Vorahnung unmenschlich gewordenen Spezialistentums, als Vorläufer der Ärzte, denen Konzentrationslager Laboratorien werden, und der Atomphysiker, die ihre Bomben mehr als die Menschen lieben.

Jean Paul kennt diese Gefahren. Schon in einem Satiren-Fragment von 1790 (»Personalien vom philosophischen Professor Zebedäus...«) ist vom berufsbedingten Zynismus der Ärzte, Juristen und Offiziere die Rede; das Ideal der Allkräftigkeit des »Titan« wird von dieser Gefahr bestimmt, und der einkräftige Schoppe muß untergehen. Jetzt aber bleibt Katzenberger Sieger, und es wird alles getan, um ihn menschlich und moralisch aufzuwerten. Über seine skurrile Jagd nach Monstren kann man lachen, seine zynische Kälte verdeckt nur das warme Herz. Er liebt seine Tochter, behandelt Arme kostenlos und zeigt überall Bürgerstolz. Sein Geiz, der die Fabel in Gang setzt, ist belustigend, nicht abstoßend; er ist nur die Kehrseite seiner Liebe zur Wissenschaft. Durch diese wird er nicht nur der Mann der Realität, sondern auch der der Ideale. Sein Zynismus schockiert nur die feine Badegesellschaft, nicht die Leser; erfrischend hebt er sich von der süßlichen Gefühlsseligkeit des Dichters ab. Und wenn Katzenberger einmal pathetisch wird, widerspricht ihm der Autor nicht: »Die Wissenschaft ist etwas so Großes als die Religion – für jene sollte man ebensogut Mut und Blut daransetzen als für diese.«

Das Buch wird, schreibt Jean Paul an Otto, »in dir den kleinen Sprech-Zynismus deines alten Freundes, der so oft mit dir über den Ekel scherzte, etwas wieder (hoff' ich) auffrischen«, und der kleine Roman zeigt deutlich die Freude, mit der Jean Paul diese Seite seines Wesens, die sich schon im Briefwechsel mit dem Jugendfreund Hermann dokumentierte, zum Zuge kommen läßt. Und da die Komposition geschlossen und jede Pointe sicher gesetzt ist, teilt sich die Freude dem Leser mit. Nur manchmal bleibt einem das Lachen im Halse stecken; wenn nämlich der Sprech-Zynismus zum Gefühls-Zynismus wird und hinter dem sympathischen Wissenschaftsenthusiasten der spezialisierte Unmensch des nächsten Jahrhunderts durchscheint. So würde Katzenberger gern eine weibliche Mißgeburt heiraten, »wenn sie sonst durchaus nicht wohlfeiler zu haben wäre«. In der Hoffnung auf die Geburt eines menschlichen Monstrums, erschreckt er seine schwangere Frau mit mißgebildeten Tieren. Die Aussicht, die Hinrichtung eines Posträubers mit ansehen zu können, versetzt ihn in heiterste Laune, und die Racheprügel (zu der es dann nicht kommt) wird nicht ohne sadistische Phantasie geplant.

Aber bewußt als Warnung vor derlei Typen angelegt ist das nicht. Jean Paul sieht sie, akzeptiert sie, lacht über sie und läßt sie aller Welt überlegen sein, von den Fürsten bis zu den Dichtern. Als er erläutert, warum Ärzte sich Grobheiten gegen Fürsten leisten können (weil sie denen nämlich so wichtig sind), schließt er den Absatz: »Etwas anderes sind Dichter, Weltweise und Moralisten, ja Prediger (in unseren Tagen); diese können nie höflich genug sein, weil sie nie unentbehrlich genug sind.«

Die Badereise des Doktors ist seine Triumphreise, und es ist durchaus kein Mißverständnis, wenn einer der bedeutendsten Anatomen der Zeit, Johann Friedrich Meckel aus Halle, 1815 sein Werk über Mißgeburten »De duplicitate monstrosa« Jean

Paul widmet und ihm ausdrücklich für die Gestalt des Dr. Katzenberger dankt.

Die Logik siegt also über die Blumik, die Wissenschaft über die Poesie. Der ernüchterte Autor verrät den Zauber der Phantasie an die Realität. Nur einmal triumphiert der frühere Jean Paul noch über den neuen: Als die Liebenden sich kriegen, werden Mond und Sommernacht, Nachtigallen und selige Träume wieder in ihre alten Rechte eingesetzt: Ein kleiner Stilbruch, der den großen des nächsten Buches ankündigt.

Das heißt »Das Leben Fibels, des Verfassers der Bienrodischen Fibel«, wird schon vor dem »Schmelzle« begonnen, erst nach dem »Katzenberger« beendet, deutet in manchem schon auf die spätere Autobiographie hin und ist großartig in Einzelheiten, großartig in der Absicht, aber im Ganzen mißlungen: Parodie und Idylle zugleich, die sich gegenseitig ihrer Wirkung berauben.

Die nach Kants Tod (1804) mit lächerlicher Akribie geschriebenen Kant-Biographien sind nur parodistischer Anlaß. Thema Jean Pauls aber ist wieder Jean Paul. (»Ein verkleinertes Ich« wird Fibel einmal genannt.) Der von der Ahnung der Sinnlosigkeit seines Werkes gequälte Autor will seinen Ruhm und Erfolg parodieren – aber er kann es nicht. Die geplante Abrechnung mit sich selbst wird zur halben Rechtfertigung.

Der Plan ist für parodistische Komik glänzend geeignet: die gelehrte Biographie wird lächerlich durch ihren geringfügigen Gegenstand: den Verfasser der 24 ABC-Buch-Verse. Aber das Material, das Jean Paul seinen Ich-Erzähler finden läßt, ist ihm für Parodie viel zu heilig: die Geschichte von Kindheit und Jugend. Die gerät ihm zu einer seiner schönsten Idyllen, der (wie schon den frühen) die soziale Komponente nicht fehlt. Aber wenn dann (und das ist bezeichnend für die Skepsis des Autors) das Glück des unverfälschten Lebens da endet, wo der Erfolgswahn des künftigen Literaten beginnt, geht Jean Paul der Stoff aus, und die parodistischen Töne, die, dem Plan gehorchend, immer wiederkommen, treffen ins Leere und werden zu Mißtönen.

Als 1811 das Vorwort geschrieben wird, ist von satirischer Absicht nicht mehr die Rede, nur vom Ruhm der »Stillen im Lande« und von einem Leben, in dem eigentlich nichts geschieht. »Ich für meine Person bekenne gern, daß ein solches Werkchen, wie ich eben hier der Welt darreiche, mir, wenn ichs von einem dritten bekäme, ein gefundenes Essen wäre und Leben in mich brächte; denn ich würd' es auf die rechte Weise lesen, nämlich Ende Novembers ... oder auch sonst bei starkem Schneegestöber und Windspfeifen – ich würde an einem solchen Abend mehr Holz nachlegen lassen und die Stiefel ausziehen, ferner die politischen Zeitungen einen Tag zu lange liegen oder sie ungelesen fortlaufen lassen – ich würde Mitleid mit jeder Kutsche haben, die zum Tee führe, und mir bloß ein Glas und ein vernünftiges Abendbrot aus der Kindheit bestellen und für den Morgen ein halbes Lot Kaffee Überschuß, weil ich schon im Voraus wüßte, wie sehr ich durch ein so treffliches, ruhiges Buch (wofür dem Verfasser ewiger Dank sei!) zur Anspannung für ein eignes glänzendes ausgeholet hätte ... So würd' ich das Werkchen lesen; aber leider hab' ich es selber vorher gemacht.«

Und zu dieser Absage an die Welt (die dem Gesamt-»Fibel« gar nicht gerecht wird), paßt dann aber auch der Schluß der einmal parodistisch geplanten Biographie. Da findet der Erzähler nämlich den verschollenen Fibel wieder in der Waldeinsamkeit, umgeben von Pudeln, Eichhörnchen und Vögeln, unschuldig und glücklich wie in Kindertagen, einen 125jährigen Greis mit frischen Zähnen und blonden Locken; die sind ihm wiedergewachsen bei seiner zweiten Geburt: Als er nämlich seiner Literatureneitelkeit abgeschworen und sich wieder der Natur anvertraut hat. Einkehr und Buße ist das für den Helden, Wunschtraum für den Autor: Flucht vor dem Fluch des Ehrgeizes durch Rückkehr in die Zeit vor dem Sündenfall.

»Es ist mir jetzo vieles auf der Erde gleichgültig, ausgenommen der Himmel darüber; und ich sehe jetzunder nur gar zu deutlich ein, wie eitel ich sonst von meinen Gaben gedacht.« So zieht der Greis das Fazit seines erfolgreichen Schriftstellerlebens, und sicher wünscht sein Verfasser sich, es zum eignen machen zu können. Groß und rührend wäre das als Schlußpunkt gewesen; aber, so heißt es im »Katzenberger« entschuldigend über den Dichter: »Kann er denn so viel dafür, daß seine Phantasie stärker als sein Charakter ist und Höheres ihm abfordert und andern vormalt, als dieser ausführen kann?«

48 Jahre alt ist der Dichter Jean Paul, als er die Uraltersweisheit des Dichters Fibel formuliert. Mit 38 aber hatte er (in einem Brief an den Freund Thieriot) schon gesagt, was von all der Selbstentlarvung der Dichter zu halten ist: »Ich kenne aus eigner Erfahrung die pikante Süßigkeit dieser Doppelrolle, worin man sein Leben zugleich spielt, lebt und parodiert.«

Tat aber folgt diesen weisen Bekenntnissen nicht. Weder von Welt- noch von Werkflucht kann bei Jean Paul die Rede sein – zum Glück für die Nachwelt; denn neben vielem Überflüssigen kommt noch ein wichtiger Roman. Und auch im »Fibel« ist die Weltfluchtsentenz nicht das Ende, sondern er schließt mit dem Satz: »Dann zog ich meine Straße langsam weiter.«

37

Das häusliche Schaltier

*

Das späte Werk, das manche Hoffnungen des frühen als Illusion entlarvt, kann freilich noch von einem anderen Aspekt her gesehen werden. Wie Don Quijote (dem der »Fibel« und der »Komet« viele Anregungen verdanken) ein erfülltes Leben lebt, weil sein Wahn sich ihm erst in der Sterbestunde als solcher enthüllt, so sind auch die jeanpaulschen Narren mit ihren Illusionen glücklich: Schmelzle glaubt unbeirrt an seinen Mut, Katzenberger an die Wissenschaft, Fibel (vom Schluß abgesehen) an seine Dichtergröße, Nikolaus Marggraf (aus dem »Komet«) an sein Fürstentum. Ein tragisches Ende, das keins seiner Werke hat, müßte eigentlich darin bestehen, die vom Wahn Besessenen von ihm zu heilen. Denn die Welt ist leider so, daß nur Narren in ihr glücklich sein können.

Den Verfasser, dem Schreiben stets Glück bedeutet, hindert das nicht daran, es weiterhin zu betreiben. Die bittere Erkenntnis, daß Glück der Illusion bedarf, lädt er in Bücher ab, befreit sich von ihr und arbeitet weiter, unverdrossen fleißig, nicht weniger produktiv als in seiner Jugend – was die Masse betrifft. Neben den politischen Schriften, den Romanen, Erzählungen, großen Satiren (»Mein Aufenthalt in der Nepomuks-Kirche ...« und »Die Doppelheerschau ...«), vielen Zeitschriftenbeiträgen, die mehrere Bände füllen, verwendet er viel Zeit für Umarbeitungen alter Werke, die in zweiter Auflage erscheinen. So wie die philosophische Wahrheitssuche seiner Jugend da endet, wo sie lebensbedrohend für ihn wird (beim Verlust des Glaubens an die Unsterblichkeit), so weicht er jetzt der Erkenntnis von der Sinnlosigkeit seiner Bemühungen aus. Er kann nicht anders. Denn nur schreibend realisiert sich sein Leben.

Alles andere darin ist nur Zugabe, auch die Ehe. Die aber ist teilweise auch störend. Also lebt er, so gut es geht, wie ein Junggeselle. Aber zu seiner Art Arbeit gehört auch ihre Resonanz. Also empfängt er viele Besucher, die ihm seine Bedeutung bestätigen. In seiner großen Zeit des »Titan« war er viel unterwegs. Also begibt er sich oft auf Reisen, jetzt allerdings weniger, um Neues, Verwendbares kennenzulernen, als um sich feiern zu lassen.

Solange die Kinder noch klein waren, hat er sich als guter Vater bewährt. Emma, die Älteste, kann sich an wunderbare Stunden mit ihm erinnern: »In der Dämmerstunde erzählte er uns früher Märchen oder sprach von Gott, von der Welt, dem Großvater und vielen herrlichen Dingen. Wir liefen um die Wette hinüber, ein jedes wollte das erste neben ihm auf dem langen Kanapee sein; der alte Geldkoffer mit Eisenreifen und einem Loch oben im Deckel ... wurde in der ängstlichen Eile die Treppenstufe, von der man über die Kanapeelehne stieg. Denn vorn zwischen Tisch und Repositorium sich durchzuwinden, war mühselig. Wir drängten uns alle drei zwischen die Sofawand und des liegenden Vaters Beine; oben über ihm lag der schlafende Hund. Hatten wir endlich unsere Glieder zusammengeschoben und in die unbequemste Stellung gebracht, so ging das Erzählen an.«

Später aber zieht er sich mehr und mehr von der Familie zurück. Die Abende verbrachte er schon lange im Klub »Harmonie«, in dem er Zeitung liest (daraus natürlich auch exzerpiert) und biertrinkend gesellig ist. Dann aber verlegt er auch seinen Arbeitsplatz aus dem Kreis der Familie hinaus. Er flieht die Häuslichkeit, die er nach Aussage der Autobiographie so sehr schätzt. Doch denkt er da wohl, wenn er von seiner Vorliebe für »geistiges Nestmachen« spricht und sich als »häusliches Schaltier«, das sich »recht behaglich in die engsten Windungen des Gehäuses zurückschiebt und verliebt«, bezeichnet, auch mehr an das Arbeits- als an das Familiengehäuse. Jedenfalls wird sein Schneckenhaus nun ein Zimmer in einem Landgasthof, auf halbem Wege zwischen Bayreuth und dem markgräflichen Lustschloß Eremitage gelegen, von dem aus er einen Prachtblick auf das Fichtelgebirge und den ihm vorgelagerten Rauhen Kulm hat (auf dem angeblich sein Großvater, der Hungerrektor, eine Höhle besaß, um in Einsamkeit darin zu beten).

Das Gasthaus ist die durch ihn berühmt gewordene »Rollwenzelei«, so genannt nach der Wirtin Anna Dorothea Rollwenzel, eine geborene Beyerlein aus Hutschendorf bei Kulmbach. Einen Ehemann hat sie überlebt, der zweite, eben Herr Rollwenzel, hat in der Wirtschaft nichts zu sagen. Sie ist sieben Jahre älter als Jean Paul (also Schillers Jahrgang) resolut und redselig und ganz erfüllt von ihrer Sendung: den berühmten Mann zu betreuen. Nicht gerade »wegen der Feinheit ihres Betragens« sei sie zu loben, schreibt Karoline Richter 1818 an Ernestine Voß, »wohl aber wegen der Originalität ihrer Gesinnungen und der derben Kraft ihres Geistes. Sie liebt meinen Mann aus wahrem Gefühl seines Wertes, und sie wird mit ihm zur Unsterblichkeit gelangen«.

Natürlich entsteht das innige Verhältnis zwischen dem Schriftsteller und der bilderbuchhaften Volksgestalt nicht von heute auf morgen. Brieflich zum erstenmal erwähnt wird sie in einem Billett an Otto: »Ich aß gestern mit Weib und Kind bei der Rollwenzel, d. h. vortrefflich.« Es werden Familienfeste bei ihr gefeiert, Gäste dorthin eingeladen und Gespräche mit Otto, »bei Bier und Eierkuchen«, dort geführt. Sogar ein Verb wird aus dem Namen gebildet, das sich zwischen den Freunden einbürgert: »Heute könnte gerollwenzelt werden.« Nach Jahren erst ist es soweit, daß der dicke Dichter, mit Knotenstock, Ranzen und Hund, jeden Morgen früh sein Haus verläßt und in seine halbe Einsiedelei hinauswandert: in die Illusion einer Junggesellenbude mit Frau Rollwenzel als Ersatz-Mutter, die ihn zwar nicht versteht, aber um so mehr verehrt.

Als »zarten Seelenzug« bezeichnet es Jean Paul, als einer seiner Besucher später brieflich auch Frau Rollwenzel grüßen läßt. Wilhelm Häring heißt der junge Mann. Als Willibald Alexis wird er später berühmt, und von der originellen Wirtin ist er so beeindruckt, daß er sie, nach Jean Pauls Tod, in einem Bericht über den Besuch selbst zu Worte kommen läßt: »Sehen Sie ... es vergeht fast kein Morgen, daß nicht der einzige Mann, dieser Jean Paul, zu mir herauskommt mit seiner botanischen Kapsel; er grüßt mich, und dann geht er oben in sein Eckzimmer, das ich den Herren zeigen werde, und schreibt, oder draußen ins Freie. Ach, und wie einfach ist sein Leben, das ist alles nach der Regel! Plötzlich wenn er schreibt, fällt ihm ein, daß er essen muß; dann verlangt er schnell nach seinem Lieblingsgericht. Und was ist das? Denken Sie sich – Kartoffeln. Dieser einzige Mann ißt Kartoffeln! Wir kochen sie ihm schnell – wir wissen es ja. Ich bringe sie ihm, er sieht, wie ich sie hinstelle, er starrt mit der Feder in der Hand draufhin, sehen Sie, und wenn ich nach ein paar Stunden wiederkomme, stehen sie noch unberührt neben ihm. Nun will er essen, aber es ist kalt, das kann ich nicht zugeben, und ich koche ihm von neuem. Das weiß er auch wohl, und dem lieben einzigen Herrn tut es leid, daß ich so viel Mühe hätte – Gott, was tut man nicht für ihn! – und deshalb fordert er schon des Morgens früh sein Mittagsbrot, daß wir beide den Tag über Ruhe haben. Aber, du lieber Himmel, dadurch leidet denn auch sein Körper, wenn das nicht seine Zeit und Ordnung hat. Nun sitzt er noch dazu im Freien und arbeitet, daß dich –, und das geht in die kalten Monate hinein. Er fühlt's nicht, wenn er im nassen Garten sitzt, daß unten die Füße kalt werden, denn oben ist er in Begeisterung und weiß nicht, was vorgeht. Er läßt sich auch wohl ein Brett bringen, geradezu auf den Schnee, – aber das alles bringt ihn noch zu Tode ... Sehen Sie, keiner hat den Witz, den er hat. Die kommen ihm niemals gleich, denn woran

Oben: Die Rollwenzelei bei Bayreuth
Unten: Jean Pauls Arbeitsstube in der Rollwenzelei

ein anderer eine Stunde schreibt, das fliegt bei ihm in einer Minute. Er schreibt Ihnen so schnell, daß es erstaunlich ist... Ach, wenn ich ihn so sehe, den lieben Herrn, aus seiner Studierstube herauskommen mit dem roten Gesichte, so aufgelaufen, und wenn die Augen hervortreten und wild umhersehen, da denke ich immer: Ach, du lieber Gott, erhalte mir doch den herrlichen Mann, der meinem Hause so viel Glück und Ehre und Reputation gebracht hat... Aber sehen Sie, ob er nun gleich ein so großer Mann geworden, daß er mit Kaisern und Fürsten umgeht, doch bleibt er freundlich mit jedermann. Sehen Sie, mein Mann der versteht ihn nicht. Aber gerade sonntags, wenn wir Gäste aus der Stadt kriegen, setzt er sich hier zu uns in die Schenkstube herunter und redet mit den Bürgern das und jenes, daß sie erstaunt sind und nicht wissen, was er will, und doch weiß er sie alle kirr zu machen, daß sie ihn auf den Händen tragen möchten, und dann sagt der liebe Herr: er finde immer weit mehr Verstand bei ihnen, als man glaubte.«

Diese Frau nun ist die eigentliche Gefährtin seines letzten Jahrzehnts. Bei ihr lebt er sein ausschließlich der Arbeit gewidmetes Pseudo-Junggesellenleben, fern von störender Verantwortung als Vater und Ehemann.

Karoline, die Frau, hat es nicht leicht. Glücklich war diese Ehe, wenn überhaupt, nur kurze Zeit. Zwar liebt einer den anderen, doch jeder nach seiner Art. Karolines Liebe ist die der Dichter-Anbetung. Daß die dem Ehealltag nicht immer standhält, ist verständlich. Dann wird sie heftig, zu den Kindern, den Mägden, zu ihm. Er beschwert sich beim Schwiegervater in Berlin darüber. Der ermahnt die Tochter, erinnert sie an ihre Pflichten: »Denn daß du in Beziehung auf deinen Mann selbst nie vergessen wirst, was du ihm als demjenigen, der dir Schutz und Ehre verleihet, und der dein und der deinigen Versorger ist, schuldig bist, verstehet sich von selbst; auch kann dir die ihm als Schriftsteller erforderliche Unbefangenheit des Gemüts nicht gleichgültig sein, die sich mit häuslichem Unfrieden nicht verträgt. Deinem Mann macht es übrigens Ehre, daß er sein

Benehmen gegen dich bei dem Ausbruch Eures Streites über Emma selbst nicht in Schutz nimmt.«

Das tut Jean Paul freilich nie. Er ist selbstkritisch. Nur der Erfolg der Kritik ist fraglich. Wie für die Arbeit, gibt er sich auch für die Ehe schriftliche Selbstgebote. »Setze dich im Zürnen mehr in die fremde Stelle als in die eigne. – Gib nach, so wird nachgegeben. – Versuche einmal mitten im Arbeiten gegen alle äußeren Stör-Klänge gleichgültig zu sein. – Man sollte sich weit ernstlicher die Liebe seiner Frau und seiner Kinder zu erwerben oder zu versichern und zu erhöhen trachten als irgend eine fremde andere, die etwa halb soviel dem Glück des Lebens dienen kann.«

Das deutet schon allerhand von seinen Schwierigkeiten an, nur die nicht, die daraus entspringt, daß er sich (mit allen seinen Zeitgenossen) im Recht glaubt, alleinige Befehlsgewalt im Hause zu haben, selbst in hauswirtschaftlichen Fragen (in denen der Kindererziehung, als Fachmann, sowieso). Die Brautwünsche seiner Junggesellenzeit deuten ja schon daraufhin, und was sein Werk an Frauenrechtlichem enthält, bezieht sich vorwiegend auf das, was man Emanzipation des Herzens genannt hat: Sie sollen nicht wie Sklaven gehalten werden, nicht nur waschen, kochen, stricken, sie sollen auch lesen, musizieren, ihre Gefühle ausbilden. Die »Levana« trennt (wie schon das große Vorbild Rousseau und alle Pädagogen der Zeit) die Erziehung der Geschlechter völlig und betont, daß die der Mädchen in der Ehe weitergeht. »Die Erziehung der Töchter bleibt den Müttern die erste und wichtigste, weil sie unvermischt und so lange dauern kann, daß die Hand der Tochter aus der mütterlichen unmittelbar in die mit Eheringen gleitet. Den Knaben erzieht eine vieltönige Welt ...« Denn die Natur der Geschlechter ist die: die männliche »mehr episch und Reflexion, die weibliche mehr lyrisch und Empfindung«.

Daher seine immer wieder komisch vorgebrachten Klagen über Leserinnen, die Vorreden nicht lesen, Satiren nicht vertragen, Witze und Wissenschaften nicht verstehen. Der von ihm lebenslang verehrte Preußenkönig Friedrich drückte das einmal, kürzer als Jean Paul das konnte, aus, als er der von ihm geschätzten Landgräfin von Hessen-Darmstadt aufs Grabmal schreiben ließ: »An Geschlecht ein Weib – an Geist ein Mann.« Und die Bürgermoral der Zeit trifft Goethe genau in »Hermann und Dorothea«: »Dienen lerne beizeiten das Weib nach ihrer Bestimmung.«

Dagegen hat nun freilich Karoline im Prinzip nichts. Sie ist schließlich keine Charlotte von Kalb. Ihren Willen zur Aufopferung betont sie oft. Sie wird nur nicht glücklich dabei, weil sie bei aller Opferfreudigkeit doch »den großen Lohn fordern will, wieder erkannt und geliebt zu werden«. Doch daran läßt der ständig in Büchern mit Liebe Beschäftigte es fehlen, und sie wirft es ihm vor, und er schreibt die »Trümmer eines Ehespiegels« mit aphoristisch verarbeiteten Erfahrungen, deren letzte lautet: »Männer, zeigt mehr Liebe! Weiber, zeigt mehr Vernunft!« Vielleicht ist auch folgender Gedanke der selbsterfahrene eines Mannes, der erst mit 38 geheiratet hat: »Je später die Ehe, desto schwieriger. Einen Hagestolzen zu ehelichen, ist fast gefährlicher als eine Witwe. Denn diese erwartet Männer, wie sie sind, und fühlt weniger Furcht, als sie vielleicht gibt. Jener hingegen verlangt alle seine vorigen Liebschaften in seiner letzten konzentriert, falls er nämlich bescheiden ist; – denn ein Unbescheidener fordert, daß die letzte alle übertreffe, und seine vorigen Untreuen und seine jetzige Wahl rechtfertige. Aber freilich, da man in Flüssen täglich fischt, in Teichen nur im Herbst einmal, so muß sich der ältliche Mann nachher sehr verwundern, und er sagt: Ei verdammt! so hab' ich mich doch noch zu früh verplempert!«

So lustig kann Karoline ihrem Kummer nicht Ausdruck geben. Ihre Bekundungen von Liebe und Leid in den Briefen an ihn (wenn er auf Reisen ist), bewegen sich in den romantisierenden Schablonen der Zeit, von »Mein geliebter süßer Gott! ... Wenig Nächte hindurch habe ich verschlafen ohne nicht bis zu oder nach Mitternacht mein Kopfkissen mit glühenden Tränen zu durchnässen«, bis »Könnte ich meine Seele zu Deinen Füßen aushauchen!«

Viel faßbarer wird da ihr Schmerz, wenn sie versucht, der Mutter des neuen Freundes Heinrich Voß ein objektives Bild ihres Lebens zu geben, und dabei mehr enthüllt, als sie eigentlich will. »Wenn er dann wohl mitunter seine Hand auf meine Stirn oder Schulter legt, so bin ich selig und möchte ihm zu Füßen fallen – im Gegenteil aber pressen Tränen meine Brust ... Sonst durfte ich meines Mannes Arbeiten, ehe sie zum Drucke kamen, abschreiben, und er hörte gern mein Gefühl über manche Stelle darin. Jetzt besorgt Emma dieses Geschäft, und ich lese alle Sachen erst nach dem Druck. Niemals liest mein Mann etwas vor, auch liebt er nicht, vorlesen zu hören, weil er zu lebhaft ist. Sein alles überflügelnder Geist läßt es nicht zu, daß ich mich ohne Schüchternheit äußere, und es erscheint mir alles überflüssig und einfältig, was ich sagen könnte.«

Das schreibt sie nach fast 18 Ehejahren, und die Adressatin, Ernestine Voß, selbst Frau eines Dichters, weiß nur den Trost, den man bis heute für unglückliche Frauen bedeutender Männer hat: »Die Lebensgefährtin eines berühmten Mannes hat einen hohen Beruf! Wenn sie sich in seine Eigentümlichkeiten hineinstudiert hat, so hat sie auch für die Welt und Nachwelt gewirkt, denn sie ist ein Mittel geworden, ihm seinen Weg zu ebnen ... Unser Lohn, an den hebenden und stärkenden Gefühlen unserer Männer teilzunehmen, hebt uns ja auch mächtig über unser Ich hinaus, wenn es bei uns Stunden gibt, wo es uns scheinen will, als wären wir glücklicher, wenn wir mehr bemerkt und anerkannt würden.«

38.

Immergrün

*

Wenn eine Frau liebe, heißt es in einem Bonmot Jean Pauls, liebe sie in einem fort, ein Mann aber habe dazwischen zu tun. Auf seine Ehe ist das nicht gemünzt, paßt aber auf sie. Nicht vor anderen Frauen hat Karoline sich zu fürchten; ihre Nebenbuhlerin ist seine Arbeit. Herder hatte schon recht: Liebe beschreiben kann Jean Paul besser als lieben.

Einmal freilich, nach 16 Jahren der Ehe, droht dieser unvermutet Gefahr durch eine Frau, bei deren erster brieflicher Erwähnung über sie berichtet wird: ihre Lektüre bestehe nur aus den Büchern Jean Pauls und der Bibel. Das schreibt Jean Paul im Juli 1817 an Karoline. Denn er ist auf Reisen, wie fast jedes Jahr einmal.

1810 beginnen diese zeitweiligen Ausbrüche aus der Bayreuther Enge mit einer Fahrt nach Bamberg, dann folgen Erlangen, Nürnberg, Heidelberg, Frankfurt, Stuttgart, Löbichau, München und Dresden. Verehrerinnen und Verehrer werden besucht, neue Freundschaften geschlossen, alte erneuert. Gespräche werden geführt und Eindrücke gesammelt. Mit bedeutenden Schriftstellerkollegen kommt er nur zweimal zusammen. Die erste Begegnung ist der Anfang einer Antipathie, die zweite das Ende einer Brieffreundschaft.

1810 trifft Jean Paul E. T. A. Hoffmann in Bamberg. Karl

Heinrich Kunz, Verleger und Weinhändler, bringt sie zusammen. Wahrscheinlich kannten die beiden sich schon von Berlin her. Denn Karoline war eng befreundet mit Minna Doerffer, Hoffmanns Cousine, die zu dieser Zeit auch seine Verlobte war. Von seinem ersten Berlin-Aufenthalt nahm Jean Paul Hoffmanns musikalische Bearbeitung von Goethes Singspiel »List, Scherz und Rache« nach Weimar mit, um sie Goethe zu übergeben. Als Hoffmann bald darauf die »arme Doerffer« plötzlich sitzenließ, war Karoline empört und auch ihr Mann mit Verurteilung schnell bei der Hand.

Zehn Jahre später also sehen sie sich an Kunzens Mittagstisch wieder. Jean Paul ist 47, Hoffmann 34 Jahre alt. Vieles Verbindende müßte zwischen ihnen sein. Sie haben gleiche literarische Ahnen: Rousseau, Sterne, Hippel. Mit der »Unsichtbaren Loge« und dem »Hesperus« ist Hoffmann aufgewachsen. Jean Paul ist Musikliebhaber, Hoffmann Komponist und Kapellmeister. Beide sind große Trinker. Und doch finden sie keine Freude aneinander. Dem Alten mißfällt am Jungen der boshafte Witz, dem Jungen am Alten die Sentimentalität. Trotzdem macht Hoffmann im nächsten Jahr einen Besuch in Bayreuth und schreibt in sein Tagebuch: Karoline erinnere sich glücklicherweise an seine Trennung von ihrer Freundin Minna nicht mehr. Aber da irrt er. Als nämlich 1813 der bücherverlegende Weinhändler Jean Paul bittet, eine Vorrede zu Hoffmanns erstem Novellenband »Fantasiestücke in Callots Manier« zu schreiben, lehnt dieser ab mit dem Hinweis auf jene vergangene Geschichte in Berlin, über die er durch seine Frau Bescheid wisse. Nachdem er aber das Manuskript gelesen hat und es vortrefflich findet, schreibt er die Vorrede doch (und kassiert als Honorar edle Weine). Doch sie fällt reichlich kühl aus und durch Kritik etwas aus dem Rahmen einer Vorrede, die eigentlich doch nur zu loben hat. Was er tadelt, gilt nicht nur Hoffmann, sondern dem ganzen »jetzigen Kunstpantheon«, das deshalb so blinkt und blitzt, weil es aus dem Eis der Gefühlskälte gebaut ist. »Ein Künstler kann leicht genug ... aus Kunstliebe in Menschenhaß geraten und die Rosenkränze der Kunst als Dornenkronen und Stachelgürtel zum Züchtigen verbrauchen. Inzwischen bedenk' er doch sich und die Sache! Die durch Kunstliebe einbüßende Menschenliebe rächt sich stark durch Erkältung der Kunst selber ... Liebe und Kunst leben gegenseitig ineinander, wie Gehirn und Herz, beide einander zur Wechsel-Stärkung eingeimpft.«

Hoffmann, der der Bevormundung durch einen Arrivierten sowieso nur widerwillig zustimmte, ist verärgert. Sein Verlangen, in späteren Auflagen die Vorrede wegzulassen, wird aber nicht erfüllt; denn der Verleger weiß sehr gut, daß Jean Pauls Name zum Erfolg der Novellen beitrug. Dann haben die beiden großen Prosaisten sich nichts mehr zu sagen. Hoffmanns rascher Aufstieg zu literarischem Ruhm findet beim alternden Jean Paul kaum noch Interesse. Erst in seinem letzten Lebensjahr äußert er sich wieder über ihn – verdammend. In seiner Auseinandersetzung mit dem neuen Mystizismus distanziert er sich von Hoffmann scharf und verständnislos und spricht von »ordentlichem Widerwillen« gegen ihn. Wenn er dann über Hoffmanns wunderbaren »Klein-Zaches« schimpft, so hoffentlich nicht deshalb, weil Hoffmann darin beiläufig auch die Liane des »Titan« verspottet, die nicht nur in »somnambüles Entzücken« gerät und »ohnmächtelt«, sondern auch manchmal erblindet »als höchste Stufe der weiblichsten Weiblichkeit«.

Die andere Begegnung mit einer Berühmtheit findet 1812 in Nürnberg statt. Sie ist nicht zufällig, wie die mit E. T. A. Hoffmann, sie war seit Jahren geplant, jetzt kommt sie endlich zustande. 14 Jahre vorher schickte der philosophierende Schriftsteller Jean Paul dem schriftstellernden Philosophen Jacobi seinen ersten Brief nach Eutin. »Verehrtester Lehrer meines Innersten!« begann der und leitete einen für die Philosophiegeschichte bedeutenden Briefwechsel ein. Man ging zum freundschaftlichen Du über und erörterte gemeinsame Projekte, aus denen dann nichts wurde. Jetzt sind die Erwartungen groß, jedenfalls bei dem Jungen, Jean Paul. Jacobi, seit einigen Jahren Professor in München, ist schon ein Greis, sechs

Jahre älter als Goethe, mit dem er eng befreundet war, als Jean Paul noch in Hof das Gymnasium besuchte.

Im Juni 1812 ist es soweit. Logier- und Bierfragen sind brieflich geregelt. Jean Paul schreibt (wie Schmelzle) die Anweisungen für Karoline (»Täglich durchzulesen« steht darüber, und der zweite von 15 Punkten lautet: »Bei Feuer sind die schwarzeingebundenen Experte zuerst zu retten . . .«) und besteigt die Mietkutsche. Der erste Brief an Otto läßt Enttäuschung nur ahnen durch Abwesenheit jenes Enthusiasmus. Es sei unmöglich, heißt es da nur, den alten Mann nicht zu lieben, und sogar sein philosophischer Feind Hegel liebe ihn jetzt. Sechs Tage später aber, wieder im Brief an den Freund (in denen an die Frau ist hauptsächlich vom letzten Ehekrach und von Nürnberger Lebensmittelpreisen die Rede) wird die Zerstörung des Freundschaftstraums offenbar. Daß Jacobi weder nach Persönlichem fragt, noch Fragen über seine Person zuläßt, kann noch durch die »ewigen Gespräche über Philosophie« und das unausgesetzte Suchen des Greises nach Wahrheit entschuldigt werden. Schlimmer ist schon, daß Jacobi keinen Scherz versteht (deshalb den »Katzenberger« und den »Fibel« nicht lesen mag), daß er so konventionell ist und so ängstlich darauf bedacht, sich keine Feinde zu machen. Außerdem ist er auch noch eitel, zieht sich neumodisch an, redet dauernd von seinen Werken und trägt sämtliche Rezensionen des letzten Buches »in einzelne Blätter sauber eingewickelt« immer mit sich herum. »Er sollte meinem erdigen Herzball einen neuen Stoß zur Bewegung um die höhere Sonne geben und mich heiligen und mir soviel sein wie Herder, ja mehr als Herder – er war beides nicht und meine frömmsten Wünsche für mich können leider nun von niemand weiter erfüllt werden als von mir selber. – Hab' ich nur ihn gesehen, hatt' ich bisher gedacht, so werd' ich ein neuer Mensch und begehre weiter keinen edelberühmten Mann mehr zu sehen. Ach!«

Von Hegel, in dieser Zeit Rektor des Nürnberger Gymnasiums, ist kaum die Rede, mehr schon von dessen Frau, die dem hohen Gast (der natürlich mit Hund reist) beim Einkaufen

Einer der Merkzettel, die Jean Paul für seine Frau schrieb,
wenn er verreiste

hilft: ein Kleid für Karoline, drei Sack Mehl, Nürnberger Bratwürste, holländischen Käse, ein Gurkenfäßchen; denn Lebensmittel sind in Nürnberg billiger als in Bayreuth. Und als Jean Paul 1817 in Heidelberg größte Ehrungen erfährt, wird in den Briefen der Name Hegel zwar oft erwähnt, weil der ihm das Ehrendoktordiplom überreicht, ihn einlädt, mit ihm Spazierfahrten zu machen, aber zu einer Annäherung oder gar zu einem Briefwechsel mit dem großen Philosophen kommt es nicht. Jean Pauls spätere Äußerungen sind anerkennend, offenbaren aber auch, wie fremd er dem hegelschen Denken gegenübersteht. »Hegel ist der scharfsinnigste unter allen jetzigen Philosophen«, schreibt er an seinen Sohn Max, als der in Heidelberg studiert, »bleibt aber doch ein dialektischer Vampyr des innern Menschen.« Und später: »Hegels Phänomenologie habe ich mir selber gekauft; an Scharfsinn ist er jetzo fast der Erste. Das Wahre such' ich bei den jetzigen Philosophen gar nicht.«

Leichter fällt es Jean Paul, mit jemandem Freundschaft zu schließen, der ihn verehrt. Das tut in den letzten Lebensjahren in überreichem Maße der 16 Jahre jüngere Professor der Philologie Heinrich Voß, der 1806 seinem berühmten Vater Johann Heinrich nach Heidelberg gefolgt war und mit ihm und seinem jüngeren Bruder Abraham zusammen Shakespeares Werk übersetzt. Einen Band davon schickte Heinrich Voß an Jean Paul, dieser antwortete lobend und leitete damit einen Briefwechsel ein, der bis zu Voß' Tod (1822) nicht mehr abreißt.

Voß ist es dann auch, bei dem sich Jean Paul, wie in alten Zeiten, für seinen Heidelberger Aufenthalt ein Zimmer bestellt, »ein Stübchen zur Miete (nicht einmal ein Kämmerchen dazu) – ferner eine Bette – ein schlechtes Kanapee, weil ich nur auf einem lese und schreibe – jemand zum Kaffee- und Bettmachen und Getränkeholen – gar keine Möbeln außer den allerunentbehrlichsten.«

Am 2. Juli 1817 (es ist ein Mittwoch) steigt er früh um fünf Uhr in den gemieteten Einspänner, übernachtet in Bamberg und Würzburg und ist am Sonntag in Heidelberg, wo er sich bei Professor Voß als unterstützungsbedürftiger Student melden läßt. Nach der stürmischen Begrüßung erlebt Voß mit, wie Jean Paul den Kutscher entlohnt und ihm doppelt so viel Trinkgeld gibt, als ausgemacht war. »Erstlich«, sagt er ihm (nach Voß), »weil du ein guter Kerl bist; zweitens, weil du ein armer Teufel bist, ich zwar nicht übermäßig viel, aber doch mehr habe als du; drittens, damit du der lieben Frau und den lieben Kindern all die schönen Sachen genau wiedersagst, die ich dir unterwegs vorgesagt und hundertmal eingetrichtert habe.«

Zuerst sichert Jean Paul sich einen Arbeitsplatz im Freien. »Dorthin gedenkt er oft zu kommen und zu arbeiten; und wir haben ausgemacht, wenn es vor sieben Uhr des Abends ist, kümmert keiner sich um den andern, sondern jeder studiert für sich. Da hab' ich ihm schon die Bank zum Sofa einrichten lassen und ein viereckig Tischchen (die runden sind ihm zuwider) davorgestellt, und auf diesem soll immer ein Krug Bier parat stehen.«

Und er kommt tatsächlich zum Arbeiten in diesen sieben Wochen, trotz aller Geselligkeiten, Ausflüge und Ehrungen, deren Höhepunkt ein Fackelzug der Burschenschafter ist, die ein speziell für ihn gedichtetes Lied: »Heil großer Mann, Dir! Heil!« auf die Melodie von »God save the king« singen und den Dichter und »den deutschen Mann« hochleben lassen. (»Ich glaube man rief aus Deutschtümelei Johann anstatt Jean«, berichtet Theodor von Kobbe in seinen »Erinnerungen«.) Gerührt kommt Jean Paul auf die Straße, schüttelt viele Hände und zieht mit den Studenten im Regen bis auf die Neckarbrücke, wo man ihn beredet, wieder umzukehren und nicht noch mit zum Bier zu gehen.

Seliger noch als über diese Studentenehrung ist er über die durch die Professoren. Wie vorher den Legationsrat, läßt er von nun an den Doktor selten unerwähnt, wenn er seinen Namen schreibt. Nach der Darstellung von Voß kam der Gedanke, Jean Paul zum Ehrendoktor zu machen, von dem nicht mehr ganz nüchternen Hegel.

Heinrich Voß gibt einen Punschabend. Nach der dritten Bowle fordert ein Pfarrer Hegel auf, ihm eine Philosophie für junge Mädchen zu schreiben, die im Unterricht zu verwenden sei. Hegel lehnt ab: mit der leichten Faßlichkeit seiner Sprache hapere es. Dann müsse Jean Paul eben, meint der Pfarrer, Hegels Gedanken in die entsprechende Form bringen. Andere setzen die Scherze fort, und zum Schluß ruft Hegel, auf Jean Paul deutend: »Der muß Doktor der Philosophie werden!« Drei Tage später beruft Voß eine Fakultätssitzung ein und die Sache wird beschlossen. Das Diplom ist dann (in Latein natürlich) so hochtrabend verfaßt, daß man meinen könnte, auch das sei einer Punschlaune entsprungen: ». . . haben wir, Dekan, Senior und übrige Professoren der philosophischen Fakultät der Ruprecht-Karl-Universität, dem berühmten, edlen, hochsinnigen Jean Paul Friedrich Richter aus Hof, herzoglich hildburghäusischen Legationsrat, dem unsterblichen Dichter, Licht und Zierde des Jahrhunderts, Muster der Tugend, dem Fürsten der Genies, der Wissenschaft und Weisheit, dem feurigen Verteidiger deutscher Freiheit, dem schärfsten Bekämpfer aller Verderbtheit, Mittelmäßigkeit und Anmaßung, dem lautersten Manne, den je die Erde getragen, um seinen durch allgemeinen Beifall ausgezeichneten hohen Gaben unserer Liebe, Dankbarkeit und Hochachtung zu erweisen, den Titel, die Privilegien und Rechte eines Doktors der Philosophie und der freien Künste feierlich und ehrenhalber zuerkannt und solches durch dieses mit dem Siegel unserer Fakultät versehene Diplom öffentlich bekanntgegeben.«

Was Berlin ihm in seiner ersten Lebenshälfte an Ehrung einbrachte, gibt ihm jetzt Heidelberg. Und so wie damals öffnet auch diesmal die Seligkeit des Anerkanntwerdens sein Herz für ein Mädchen: Sophie Paulus, 26 Jahre alt, Tochter einer Schriftstellerin und eines bekannten rationalistischen Theologieprofessors. Mutter und Tochter sind seit Jahren Jean-Paul-Schwärmerinnen. Schon 1811 schrieben sie ihm gemeinsam einen Brief, der damals keine Beachtung fand. (Später schreibt er darunter: »Dieser vor Jahren erhaltene Brief erfreuet jetzo.«) Nun trifft er fast täglich mit der Mutter (die vier Jahre jünger ist als er) und der Tochter zusammen, zieht aber die Tochter offensichtlich vor. Voß, der in Briefen jede Einzelheit dieser Wochen treulich registriert, schildert zwar die Verliebtheit der Mamsell Paulus, redet auch von Zärtlichkeiten und Küssen, aber nicht anders als von den Küssen im Mädchenpensionat und bei Pfänderspielen mit Frau Hegel. Er macht sich nur Sorgen um das Mädchen, nicht aber um Jean Paul, der seiner Meinung nach ihre Zuneigung nicht ernst nimmt. Nach einer Fahrt an die Bergstraße glaubte Voß, ihn auf Sophies Liebe aufmerksam machen zu müssen, »mit der dringenden Warnung, nichts zu tun, zu reden, was eine Leidenschaft, vielleicht zum Unglück für das Mädchen, nähren könnte«.

Aber die Warnung ist vergeblich. Nach einer gemeinsamen Rheinreise, schreibt Jean Paul ihr (er ist allein noch nach Mainz gefahren) sofort am nächsten Morgen: »Meine Sophie! Das erste hier geschriebene Wort ist an Sie. In Mannheim konnt' ich mich aus dem Zimmer, worin so viel Liebes gewesen, nicht herausbringen ... Sie und der Rhein gehören nun in meinem Herzen zusammen, und wo ich ihm auch begegne, wird Ihr Bild wie das eines Gestirns auf ihm schwimmen.«

Mit der Heimreise ist für ihn eigentlich diese Liebe, die letzte, schon zu Ende. Für Sophie ist es der Anfang einer Katastrophe. Für Karoline aber beginnt ein Jahr quälender Eifersucht.

Acht Tage ist Jean Paul schon wieder in Bayreuth, als er, zusammen mit den anderen Dankbriefen nach Heidelberg, auch einen an Sophie schreibt und ihn mit dem Postskriptum verziert: »Uns scheidet nichts; kein körperlicher Abschied, auch das höchste Glück nicht, das ich Dir so innig wünsche,« – was doch nur bedeuten kann: Hoffe auf kein Glück mit mir!

An eine Trennung von der Familie denkt er ernsthaft nie. Selbst in den glücklichsten Tagen ist die Sehnsucht nach der Häuslichkeit und auch die Sorge um den Haushalt und die Kinder groß. Selbst was er mitbringen soll, vergißt er nicht. (»Appelsinen gibt's hier nicht.«) Und wenn er in den Tagen

vor der Rheinreise Karoline Hoffnungen auf ein besseres Ehe-
leben macht, da er in der Fremde seine eigenen Fehler besser
erkannt habe, so ist das sicher mehr als nur Ausdruck schlechten Gewissens. »In meiner Schlafstube ist doch alles ordentlich
eingerichtet?« fragt er im letzten Brief aus Heidelberg und
fährt dann fort: »Ich weiß entschieden, daß mein häuslicher
Himmel nichts sein wird und kann als die Wiederholung des
jetzigen außerhäuslichen; noch dazu wird er ihn an Dauer
übertreffen, und dies soll dir wohltun, meine Treue und
Gute!«
Aber aus dem Wohltun wird erst einmal nichts. Denn er
beichtet, und sie ängstigt sich ein qualvolles Jahr, weil klar ist,
daß er 1818 wieder nach Heidelberg will. Und er fährt wirklich, und die Briefe, die Karoline ihm schreibt, zeigen die
Schmerzen, die sie um ihn leidet. Mal fleht sie ihn um seine
Liebe an, mal schlägt sie ihm vor, gleich bei Sophie zu bleiben
– seine Sachen will sie ihm nachschicken. »Daß Rücksicht auf
mich Dich davon abhalten könnte, ist nicht anzunehmen; was
bin ich Dir, und welche Ansprüche kann ich nach den Erfahrungen an Dich machen! – Mein Glaube ist dahin, und der
Zauber des Lebens unwiederbringlich für mich erloschen.« Er
reagiert nicht gerade liebevoll darauf; er ist beleidigt, fühlt
sich zu Unrecht verdächtigt. »Denn ich muß zürnen, wenn ich
eine beschworene Behauptung wiederholen soll, daß meinem
Herzen Sophie nicht mehr ist als jede gute weibliche Seele, die
ich als Autor kenne ... Hier haben wir beide nicht einmal den
kleinsten Briefwechsel gehabt; kein Blättchen schrieb sie an
mich.« Er aber an sie, zum Beispiel aus Frankfurt folgendes
Billett: »Meine Sophie! Dienstag drück ich dich an mein Herz.«
Aber was dieses Briefchen zu versprechen scheint, geschieht
dann nicht. Die Süßigkeiten des Vorjahrs lassen sich nicht wiederholen, weder die der Liebe noch die des Ruhms. Heidelberg
verfällt nicht noch einmal in Begeisterungstaumel über den berühmten Besuch, und ärgerlicherweise muß Jean Paul das bißchen Ehrung auch noch mit dem gehaßten August Wilhelm
Schlegel teilen, der im gleichen Gasthof wohnt und der glei-

chen Sophie Paulus den Hof macht. Aber letzteres stört ihn wohl weniger, denn er hält sich von Mutter und Tochter möglichst fern. Er hat überhaupt zu »fast nichts Lust als zur – Abreise«. Er kränkelt viel und hat Heimweh. Sophie wird in den Briefen nur spärlich erwähnt. Von ihrem »Abblühen« ist die Rede. Und dann heißt es in einem der Briefe an Karoline: »Ich gehe dieses mal ganz anders von Heidelberg fort als das vorige mal, wiewohl auch da nichts in mir war, was dir unlieb hätte sein sollen. Fast gar zu prosaisch seh' ich jetzo alles an und die poetische Blumenliebe des vorigen Jahrs ist leider (denn sie war so unschuldig) ganz und gar verflogen, eben weil sie ihrer Natur nach keine Dauer und Wiederholung kennt. Was ich mir aber immer wärmer ausmale, sind unsere Abendmahlzeiten. Ach, wahrlich, wir sollten diese Freuden eines noch unzerbrochenen Kreises höher halten und genießen. Wie lange währt es, so zieht Max fort! Allmählich ziehen ihm die anderen nach, und dann sitzen wir beide allein da und zuletzt du ganz allein! Ach, laß uns lieben, so lange noch Zeit zu lieben ist. Ewig der Deinige.«

So kehrt er traurigen, aber reinen Herzens an den Familientisch zurück, für immer. Falls er, was unwahrscheinlich ist, kurzzeitig die Illusion eines Neubeginns an Sophies Seite gehabt haben sollte, ist sie zerstoben. Der kleine Aufsatz, der unmittelbar durch das Heidelberg-Erlebnis angeregt wurde, zeigt von solcher Illusion keine Spur. Der ist so etwas wie die Marienbader »Elegie« des Prosaisten. Doch während Goethes letzte Liebe dem jugendlichen Greis von 74 Jahren wilde Verzweiflung bringt, die im Gedicht sich löst, spricht der alte Mann von 54 Jahren über die sanften Freuden, die auch das Alter noch parat hat. Er will ja keine Wirklichkeit der Liebe mehr. Ihm genügt es, die Ahnung eines Traums von ihr noch empfinden zu können. Nikolaus Marggraf, der Held des Altersromans, der glückliche Narr, liebt am reinsten in Jean Pauls Stil: die Illusion eines Mädchens, das ihn durch keinerlei Realität belästigt, das er als Puppe mit sich führt, im verschlossenen Schrank, den er öffnen kann, wann immer es ihn nach schönen Gefühlen verlangt. Seine Liebe begnügt sich mit Anbetung. Sehnsucht nach ihr beglückt. Erfüllung wäre nur enttäuschend.

»Über das Immergrün unserer Gefühle« heißt der Aufsatz, dessen gemütvoll-resignativer Ton ihn zur Lieblingslektüre des Biedermeier hat werden lassen. In diesem Freudenprodukt der ersten Heidelberg-Reise (»in Heidelberg gezeugt und in Bayreuth geboren«) wird erst die Kunst gerühmt, die allein imstande ist, den flüchtigen Freuden Ewigkeit zu verleihen, und dann die Liebe beschworen, die auch in alten Herzen nicht stirbt. Von Lebensumbruch ist da die Rede nicht, nur von leisem Nachklang der Gefühle, die man in der Jugend mal hatte: »Und darf denn keine alte Hand eine junge drücken, wenn sie damit kein anderes Zeichen geben will als dies: auch ich war in Arkadien, und auch Arkadien blieb in mir.« Eine Sehnsucht spricht sich da aus, wieder so platonisch und konsequenzlos lieben zu können wie in frühester Jugend. »Die letzte Liebe ist vielleicht so verschämt wie die erste.«

Mamsell Paulus (oder wenigstens ihre Mutter) hätte das herauslesen können, aber sie glaubte natürlich lieber den vielversprechenden Briefen und fällt dann in Verzweiflung, als der heimwehkranke Mann abfährt. Zurück bleibt (der nur vier Jahre jüngere) August Wilhelm Schlegel.

Der ist Jean Paul wohl der unsympathischste unter den Geistesgrößen seiner Zeit. Im Gegensatz zu seinem jüngeren Bruder Friedrich verriß der intellektuelle Weltmann in seiner kritischen Glanzzeit den naiven Provinzler Jean Paul verständnislos und oberflächlich. »Ein Geschöpf der Mode ... dem die Romane unter den Händen wie Pilze hervorschießen«, nannte er ihn 1802 in seinen Berliner Vorlesungen, einen ungebildeten Sonderling mit »fast gichterischer Reizbarkeit der Einbildungskraft«. »Man liest ihn«, hieß es dann, »und glaubt tiefere Beziehung zwischen Ernst und Scherz in seinen Kompositionen zu finden als an die er selbst gedacht hat. Er wird gelobt, hervorgezogen, kommt in größere Städte, in bessere, wenigstens weitläufigere Gesellschaften, wird von den Frauen umschmeichelt, lernt Männer kennen, die mit künstlerischen Absichten bei Schriften zu Werke gehen, und will es ihnen gleichtun, da er bei aller Belesenheit in Scharteken die großen Meisterwerke nicht kennt und nicht fähig ist, sie in ihrer Reinheit zu fassen.«

Als »klein und recht häßlich« (Madame de Staël), als »unbegreiflich eitel« (Chamisso) wird Schlegel von den Zeitgenossen geschildert. Heine, der bei ihm in Bonn studiert, nennt ihn »einen Mann von Welt«, der stets parfümiert und nach neuester Pariser Mode gekleidet ist. »Er war die Zierlichkeit und Eleganz selbst, und wenn er vom Großkanzler von England sprach, setzte er hinzu ‚mein Freund‘, und neben ihm stand sein Bedienter in der freiherrlichst Schlegelschen Hauslivree und putzte die Wachslichter, die auf silbernen Armleuchtern brannten und nebst einem Glase Zuckerwasser vor dem Wundermann auf dem Katheder standen ... Auf seinem dünnen Köpfchen glänzten nur noch wenige silberne Härchen, und sein Leib war so dünn, so abgezehrt, so durchsichtig, daß er ganz Geist zu sein schien, daß er fast aussah, wie ein Sinnbild des Spiritualismus.«

Der Klatsch in den Intellektuellenkreisen Europas will von Schlegels Impotenz wissen. In seiner ersten Ehe mit Caroline Böhmer hatte er seinen Bruder als Rivalen geduldet; mit der Madame de Staël hatte er jahrelang nicht als Geliebter, wie er es glauben machen wollte, sondern als bezahlter Hofmeister ihrer Kinder gelebt; nun hat er überraschenderweise Erfolg bei dem verlassenen Fräulein Paulus. Kaum ist Jean Paul in seine Häuslichkeit zurückgekehrt, ist Sophie schon mit seinem Feind verlobt: aus Trotz gewiß. Vier Wochen später wird aus Mamsell Paulus Madame Schlegel.

Falls es eine Rache war, ist sie gelungen. Jean Paul ärgert sich, als sei er der Sitzengebliebene. Er entdeckt plötzlich viele schlechte Züge an ihr: Sie kann nicht gut reden, nicht gut schreiben, ihr fehlt Menschenliebe. »Der Vermählring beider ist Glanzsucht; er in seinem Alter will mit einem schönen Klavier-Mädchen, sie mit einem durch Europa als Staëlscher Kebsmann berühmten Ehemännlein prunken. Hätte sie viel warmes

Gemüt, so würde seine Armut daran sie sehr bestrafen. So aber können sie vielleicht eine leidliche Ehe voll paralleler Lobjagden führen ... Indes meine Bücher bringt er ihr ... nicht aus Kopf und Herz zugleich.«

Was die Ehe betrifft, irrt der Prophet sich gewaltig. Sie wird nicht leidlich – sie wird zwar amtlich geschlossen, aber nicht vollzogen. Jean Pauls Brief (an Voß) wird am Tag der Eheschließung geschrieben; als er in Heidelberg ankommt, ist der Ehemann schon wieder nach Bonn abgereist, die Frau aber ist geblieben und verlangt die Scheidung. Der Klatsch hatte wohl doch recht. Heine jedenfalls erzählt in der »Romantischen Schule« die Geschichte dieser nur symbolisch geschlossenen Ehe, umständlich aber deutlich, in diesem Sinne, und auch Jean Paul kommentiert sie so: Sophie sei »nun weder Jungfrau noch Ehefrau, noch Witwe, noch Liebende, nicht einmal Geliebte«, und sie habe »nichts Neues in ihrer Ehe erlebt ... als Masern, das Sinnbild des Mannes selber«. Und auf Schlegels dichterische Impotenz anspielend fügt er noch hinzu: »Im Unglücklichmachen war er zum ersten Mal ein kühner Dichter.«

Ein Jahr später sieht Jean Paul Mutter und Tochter Paulus in Stuttgart wieder, ohne daß sich Ehegefährdendes in ihm regt. Was von Heidelberg bleibt, ist, neben dem Dr. h. c., die Freundschaft mit Heinrich Voß, die schnell so innig wird, daß Jean Paul ihn 1818 schon, unter Umgehung seiner alten Freunde und seines Sohnes zum »unumschränkten Ordner, Chorizonten und Herausgeber« seines literarischen Nachlasses ernennt (was aber ohne Wirkung bleibt, da Voß schon vor ihm stirbt).

»Eine Freundin büßt man leichter ein als einen Freund.«

39.

Deutschmann Wolke

*

Jean Paul dilettierte auf vielen Gebieten; in der Philosophie, der Ästhetik und der Theologie so erfolgreich, daß jede Geschichte dieser Wissenschaften ihn mehr oder weniger beachten muß. Sich in Probleme der anderen Wissenschaften, die ihn beschäftigten, ernsthaft einzumischen, versuchte er nie, mit einer Ausnahme: der Sprachwissenschaft. Hier engagierte er sich und scheiterte. Sein Eifer, die deutsche Sprache zu verbessern, könnte lachen machen, gelänge es, die Zeit zu vergessen, die er so Wichtigerem entzog.

Harmlos war es noch in der Jugend, als er sich zum Hausgebrauch eine eigne Rechtschreibung erfand, nicht aus Besserungs-, sondern aus Originalitätssucht. Das schwächte sich langsam ab und hörte schließlich ganz auf. 1819 aber schreibt er folgende Sätze: »Es gehört vielleicht unter die wenigen großen Entdeckungen, die in diesem noch jungen Jahrhundert gemacht worden, und zwar von mir selber, daß ich die feste Regel herausgefunden, nach welcher sich die verschiedenen Bestimmwörter den Grundwörtern anknüpfen und die verschiedenen Klassen von Doppelwörtern bilden. Auch erfährt jeder unter dem Zusammenbauen eines Doppelworts die Hülfe einer ungekannt verwebenden Regel; denn Logik ist der Instinkt der Sprache.«

Auf der Suche nach Sprachlogik verbeißt sich der große Sprachmeister in seinen letzten Lebensjahren mit einer Instinktlosigkeit ohnegleichen in ein Randproblem der Sprachverbesserung. Wie Don Quijote, dem Ahnherrn seines Alterswerks ähnlich, führt er einen hoffnungslosen Kampf gegen das Fugen-s in Komposita (die er Doppelwörter nennt) und schreibt ein ganzes Buch darüber: »Über die deutschen Doppelwörter; eine grammatische Untersuchung in zwölf alten Briefen und zwölf neuen Postskripten.«

Leider richtet Jean Paul sich selbst nach den Ergebnissen seiner Untersuchungen. Man schlage den »Siebenkäs« auf, den er in dieser Zeit bearbeitete, und erschrecke über den Zeit- und Kraftaufwand, mit dem er die Lektüre dieses schönen Romans erschwerte, indem er aus jedem Ratsherrn einen Ratherrn, aus jedem Hilfsmittel ein Hilfmittel machte. Im neuen Vorwort rühmt er sich dessen, nennt es Bereicherung und sorgt sich nur darum, daß die Nachwelt die »ungemein beschwerliche« Arbeit nicht werde schätzen können; der Gedanke, daß sie sie verfluchen könnte, kommt ihm nicht. Goethe, der die »Levana« sehr gepriesen und in den Noten und Abhandlungen zum »Westöstlichen Diwan« lobende Worte über Jean Pauls Sprachkunst gefunden hatte, urteilte (nach Holtei) scharf: »Weil ihm die Phantasie ausging, und ihm nichts Großes mehr einfallen wollte, quälte er sich um Kleinigkeiten ab und trieb Wortklauberei. So hatte er seine ewige Angst und seinen Ärger wegen des s des Genetivs.«

Es sind die Geburtsjahre der Germanistik. Beschäftigung mit deutscher Sprache gehört zur ideologischen Bewußtwerdung der Nation. Jean Paul bewegt sich durchaus im Zuge der Zeit; als Außenseiter natürlich wieder, diesmal als komischer. Nicht von den Großen, wie Jakob Grimm, holt er sich seine Anregungen, sondern von einem der Scharlatane, die im Strom mitschwimmen, einem gewissen Christian Hinrich Wolke, dessen Wunderlichkeiten ihn anziehen, auch wenn er sie zum größten Teil nicht mitmacht. Dieser Halbnarr, der eigentlich Pädagoge ist, in Basedows Dessauer Philantropin tätig war, in Petersburg kaiserlicher Hofrat wurde und nun in Leipzig, Dresden und später in Berlin privatisiert, will aus der »hochdeutschen Mundart« eine »deutsche Gesamtsprache« machen, und zu den Tausenden von Verbesserungsvorschlägen, die er hat, gehört auch die Tilgung des Fugen-s in den »Samwörtern«. Schon in der Vorrede des ersten Bandes der »Herbst-Blumine« (1810) kommt Jean Paul auf den »ehrwürdigen, tiefen Sprachforscher« zu sprechen, weil er dem seinen dunklen Titel verdankt: die Blumine, die nichts ist als die griechische Göttin Flora in deutschem Sprachgewande, in das der »reife edle Deutschmann« Wolke die ganze klassische Mythologie kleiden will: aus Pomona wird Obstine, aus Dryade Bergette, aus Venus Huldine, aus Vulkan Feueran, aus Zeus Donneran, und der Faun wird zum Waldan.

Aber nicht der deutschtümelnde Purismus interessiert Jean Paul in erster Linie an Wolke. Ihm imponiert, daß der Mann der Sprache die Unlogik und Unregelmäßigkeit austreiben will, daß er zum Beispiel prachtig und machtig schreibt, weil es ja auch rosig und artig heißt. Er möchte das gern nachmachen, fürchtet aber doch das Gelächter der Leser. So lobt und unterstützt er Wolke, ohne sich aber seine »Gesamtsprache« anzueignen. Als 1812 Wolkes Hauptwerk erscheint, gehört Jean Paul zu seinen »Beforderern«.

Das Werk führt den Titel »Anleit zur deutschen Gesamtsprache oder zur Erkennung und Berichtigung einiger (zu wenigst 20) tausend Sprachfehler in der hochdeutschen Mundart; nebst dem Mittel, die zahllosen, – in jedem Jahre den Deutschschreibenden 10 000 Jahre Arbeit oder die Unkosten von 500 000 verursachenden – Schreibfehler zu vermeiden und zu ersparen«, hat fast 500 Seiten und ist eine schwierige, aber erheiternde Lektüre. So hat Wolkes Sprachlogik zum Beispiel entdeckt, daß die Schauspielerin oder Näherin nur die Frau des Schauspielers oder Nähers ist, die, die selbst schauspielert oder näht, aber »Schauspilin« (besser: »Bünin«) oder »Nehin« heißt.

Von allem Überflüssigen hat er die Orthographie, von allem Fremden die Grammatik gereinigt, so daß man etwas verwundert einen gesamtsprachlichen Text wie diesen liest: »Durch di Bevornung und durch di Behintung der Wurtseln und Stamworter mit gants verschidenen Staben und Wortstukken wird der scheinbare Unterschid der Sprache sehr vermehrt, wi di Leser aus vilen Beispilen schon wissen.«

Die größte Entdeckung aber gelingt Wolke mit dem Nachweis, daß Adam und Eva im Paradies schon deutsch gesprochen haben, wenn auch nur ein Wort, nämlich »Wunderhalm«, aus dem nicht nur Deutsch, sondern alle anderen Sprachen der Erde entstanden sind. In dem 70 Seiten langen Lehrgedicht, das das wissenschaftliche Werk beschließt, erläutert er diesen historischen Vorgang so: »In Deutschvolks Anen«, die Germanen (oder »Krigsmanner«) also, die »treuen, bidern«, die den »Romern« später so heldenhaft widerstanden, senkte das »Himmelkind«, die Vernunft, den Sprachgeist, so daß sie auserwählt waren, die erste »Sinheitsprache« zu erfinden.

> »Di ersten Laute, di den Grund von eurer Sprache
> Und jeder andern machten, findet ihr
> Vestekt in Einem Worte: Wunderhalm;
> Und nicht belachlig ist der Glaube, das
> Der Urmensch, der mit seines Gleichen lebte,
> Im schonen Garten, den der Gotheid Hand
> Zwar kunstlos ihm, doch wundervol erbaute,
> Di selben Tone wortlich schon benutste,
> Di, deutsches Volk, du jetzt di deinen nenst,
> Obwohl von dir zur Sprache nur entwikkelt.«

Als der Hofrat den Dichter 1811 brieflich auffordert, mit der Einführung seiner von allen Regelwidrigkeiten befreiten Sprache voranzugehen, gibt Jean Paul ihm eine klare Absage: »Nichts auf der Erde ist regel-beständig... Danken wir alte Landes-Formen, Philosophien, Fürsten und 10 000 Dinge ab: so mögen alte Sprach-Gleichmäßigkeiten auch darankommen.« Sein Interesse hakt sich nur an der Bildung der zusammengesetzten Wörter fest, was nicht abwegig ist für ihn, da er sie, aus Abneigung gegen adjektivische Beiwörter, mehr als andere gebraucht, zum Teil selber neu bildet und dabei oft unsicher ist.

Die Inkonsequenz, die dabei waltet (Nachttraum – Sommernachtstraum, Kaiserkrone – Königskrone – Fürstenkrone) beunruhigt ihn. Er mischt sich in den Streit, den Wolke öffentlich mit ernsthaften Philologen führt, sammelt über Jahre hin Doppelwörter, versucht sie zu klassifizieren, schreibt Aufsätze darüber und macht schließlich ein Buch daraus, das dann sogar Jakob Grimm veranlaßt, gegen den Unsinn aufzutreten.

Komisch an diesem Buch ist nicht der gewollte Witz, der die trockne Materie etwas verflüssigen soll, sondern der ungewollte: daß nämlich, um eine Regel für das Binde-s zu finden, die Doppelwörter in mühsamer Kleinarbeit klassifiziert werden, das Ergebnis der Mühe aber in der Erkenntnis besteht, daß die Klassifizierung auf die Einfügung oder Tilgung des s keinen Einfluß hat.

Die Fortsetzung zum »Siebenkäs« aber wird nicht geschrieben, die »Selberlebensbeschreibung« nicht beendet, und auch der »Komet« bleibt Fragment.

40.

Tode

*

Manch einem kommt die Zeitgenossenschaft schon zu Lebzeiten abhanden. Gesellschaftliche Umbrüche besonders fördern das geistige Sterben Lebender. Was einen prägte, was einem vielleicht auch Größe gab, ist schnell Geschichte. Der Rückzug der Alten, auch wenn er freiwillig scheint, ist meist erzwungen. Unproduktivität des Alters ist selten nur biologisch bedingt.

Oft wundert man sich, daß Berühmtheiten noch zu Zeiten gelebt haben, in die sie nicht mehr gehörten. Goethes Leben ist die Ausnahme in dieser Zeit: es büßt durch Länge an Größe nicht ein. Schiller, Novalis, Kleist, Hölderlin haben früher Tod oder Wahnsinn davor bewahrt, vielleicht ihre eigne Bedeutung zu überleben. Wer aber vermutet den Dichter des Göttinger Hain und der »Luise«, Johann Heinrich Voß, in der Epoche der Restauration? Er starb erst 1826, der Sturm-und-Drang-Klinger erst 1831, und der eiserne Arndt der Befreiungskriege hat die 48er Revolution erlebt und hätte noch Raabe, Fontane, Keller und Stifter lesen können. Als August Wilhelm Schlegels letztes Buch (die Übersetzung des indischen »Ramayana«) herauskam, war Marx' und Engels' »Deutsche Ideologie« schon geschrieben. Fleißig gearbeitet haben sie alle, die alten Männer, und sicher zu vergessen versucht, daß ihre Zeit schon vorbei war.

Auch Jean Paul wäre das vielleicht nicht erspart geblieben, hätte er länger gelebt. Politisch engagiert bleibt er bis in seine letzten Tage, aber die Impulse für sein künstlerisches Werk kommen aus seiner langen Jugend her. »Schmelzle«, »Katzenberger« und »Fibel« leben, parodistisch verkehrt, von dem, was er vorher gemacht hat.

Dann kommt lange Zeit nichts Neues und Großes, und die Handlung des »Komet« wird verlegt in die Zeit vor dem »Hesperus«.

Dabei schreibt er unentwegt, nicht aus finanziellen Gründen (die Dalbergsche Pension zahlt, nach langem Hin und Her und vielen Bittgesuchen, der Bayrische Staat weiter), Aufsätze über Aufsätze, belanglose oft, Wiederholungen manchmal, auch Bearbeitung alter Ideen. Dann werden (und das verlangt viel Zeit) allen alten Werken, die in Neuauflagen erscheinen, Neufassungen gegeben, die sie verändern, um ganze Passagen vermehren. (So stammt zum Beispiel die köstliche Szene über das Lichtputzen im »Siebenkäs« schon aus eigner Eheerfahrung.)

Er ist also fleißig, der Stachel des Schreibenmüssens quält weiter; aber es ist in Teilen ein fast leerlaufender Fleiß. Und auch wenn zwischendurch, mühsam und langsam, der »Komet« entsteht, ist, trotz der Satiren auf die Restauration, der Blick zurückgerichtet.

Bei Marggrafs Kindheit ist die eigne gegenwärtig, und wenn der närrische Held die große Reise beginnt, stößt bald der Kandidat Richter zu ihm, der gerade die »Auswahl aus des Teufels Papieren« herausgegeben hat.

Je älter Jean Paul wird, desto mehr verklärt sich ihm die eigne Vergangenheit. Nie distanziert er sich von Jugendwerken, nimmt vielmehr jede Gelegenheit wahr, sie zu verbessern. Seltsam wird das besonders dann, wenn nicht Poesie, sondern politische Meinung der Jugend restauriert wird, wie in dem Aufsatz »Über Charlotte Corday« von 1799, der in völlig neuer Form, zusammen mit anderen »verbesserten Werkchen«, im »Katzenberger« wiedererscheint. Bei ihrem Erstdruck fand die Heiligsprechung der Mörderin Marats (und damit Jean

Pauls Parteinahme für die Girondisten) in literarischen und politischen Kreisen ein positives Echo. Jetzt verstrickt der Aufsatz seinen Verfasser unerwartet in zwei Todesfälle junger Menschen.

Im Mai 1813 erreicht ihn der anonyme Brief eines Mädchens aus Mainz: sie verehre ihn, den »Teuersten Menschenfreund«, liebe ihn, möchte als Magd bei ihm dienen; in ihren Augen sei er ein Heiliger, ja ein Christus. Ihren Vater habe sie früh verloren, aber sie verschweige, »wie er starb, denn sonst erraten Sie, der Sie sein Leben kennen, alles«. Er errät es trotz des Verschweigens, und auch Otto weiß sofort Bescheid.

Das Mädchen mit der »Feuerseele« ist Marianne (eigentlich Maria Anna), die Tochter des Mainzer Revolutionärs Adam Lux, der mit Georg Forster nach Paris ging, um den Anschluß der ersten deutschen Republik an die französische anzubieten, dort anläßlich der Hinrichtung der Charlotte Corday mit Flugschriften gegen den Terror der Jakobiner auftrat und im Oktober 1793 selber die Guillotine bestieg. Jean Paul hatte den »edlen Mainzer«, den »herrlichen Mann« mit der »Römer-Seele« im Aufsatz über die Corday mit dieser zusammen hoch geehrt. »Er starb rein und groß zugleich ... Und kein Deutscher vergesse ihn!« Die Ehrung ihres Vaters ist es wahrscheinlich, die Marianne zu der hysterischen Fernliebe veranlaßt.

Vier ihrer »Liebesbriefe« wartet Jean Paul ab, zeigt sie Otto und Emanuel, nennt sie »köstlich«, meint, Emanuel werde sich laben daran, und antwortet schließlich, nun doch erschreckt von der Heftigkeit dieser Gefühle: beruhigend, begütigend, zu Vernunft und Einsicht mahnend. Es ist ein väterlicher Brief, der mit der Aufforderung schließt, ihn, Jean Paul, als Vater-Ersatz anzunehmen. Auch sie von seiner Frau zu grüßen, vergißt er nicht.

Aber noch ehe dieser Brief bei ihr ist, kommt schon wieder einer von ihr, ein verzweifelter: Da er nichts von ihr wissen wolle, habe sie versucht, sich das Leben zu nehmen, ihre Schwester habe sie daran gehindert. Er ist erschüttert und nimmt sich vor, nun jeden ihrer Briefe zu beantworten. Er versucht weiterhin, sie in die Tochterrolle zu drängen, ihre und seine Familie mit ins Spiel zu bringen, ihr Illusionen über ihn zu nehmen: »Sie denken viel zu gut von mir als Menschen; kein Schriftsteller kann so moralisch sein wie seine Werke, so wie kein Prediger so fromm wie seine Predigten.«

Doch er müht sich vergebens. Sie liest aus allem nur heraus, daß er sie liebt, sich nach ihr sehnt. »Marianne ist halb unsinnig«, schreibt er an Otto, und an Emanuel: »Wenn ich gar nicht schriebe, sondern sie dem Sterben überließe: so hätt' ich recht. Doch schreib' ich an sie, und auch an ihre Mutter, damit diese sie, wenn nicht heile, doch bewache.« Er ermahnt sie also wieder, und sie bereut, will wieder brave Tochter sein. Doch sind nun ihre Gewissensqualen auch wieder erschreckend.

So geht das ein Jahr lang. Mariannes Mutter stirbt. Ihre Schwester verlobt sich. Da kommt ein Abschiedsbrief von ihr: Sie eile, »von einer Welt endlich wegzukommen, wo ich so unglaublich fehlen mußte«, dazu die Nachricht: Sie habe sich in den Rhein gestürzt, sei zwar lebend geborgen worden, am nächsten Tag aber gestorben, mit 27, genau in dem Alter, in dem ihr Vater den Tod fand. Das bißchen Geld, das sie besaß, schickt sie Jean Pauls Kindern als Geschenk.

»Nun ist es vorbei, sie starb höher als andere lebten ... Es ist ein Trost, wenn man ganz unschuldig in Absicht und in Mitteln handelte – aber der Schmerz bleibt doch.«

Als Mariannes Brief mit dem Bericht über ihren ersten Selbstmordversuch Jean Paul erreicht, schreibt er gerade an seinem Heldentod-Aufsatz, der erst erscheint, als das Schlachten auf deutschem Boden schon mit Napoleons Niederlage beendet ist. Ihr Tod im Rhein fällt ziemlich genau zusammen mit der Abdankung des Kaisers. Statt der Trikolore der Revolution weht nun über Paris wieder das Lilienbanner der Bourbonen. In Wien kommen die Diplomaten zusammen, um die neuen Staatengrenzen Europas auszuhandeln. Was man in Deutschland Befreiungskriege nennt, endet siegreich, aber nicht mit Befreiung. Spätestens auf dem Wiener Kongreß wird klar, wer gesiegt hat: die Reaktion. Man ist bemüht, vorrevolutionäre Zustände wiederherzustellen. Aber überall ist das nicht so leicht möglich, wie zum Beispiel in Hessen, wo der zurückkehrende Kurfürst alles so haben will, wie er es 1806 verließ, und sogar die Zopf-Pflicht wieder einführt. Unter der liberalen Verfassung des Königreichs Westfalen hatte man viel freier gelebt als nach der Befreiung. So beginnen denn nachträglich die Napoleon-Legenden zu blühen, bei Heine, bei Hebel, bei Gaudy.

Aber die Völker haben in Revolution und Krieg ihre Kraft erkannt. Frankreich können auch die Bourbonen nicht in vorrevolutionäre Zeiten zurückführen, und als Napoleon für 100 Tage wiederkommt, muß er eine Verfassung akzeptieren, die ihm seine Selbstherrlichkeit nicht mehr läßt. Die süddeutschen Staaten führen Verfassungen ein, der preußische König gibt ein Verfassungsversprechen (das er freilich nicht hält), und auch in der auf dem Wiener Kongreß verabschiedeten Akte des Deutschen Bundes ist von Volksvertretung und Pressefreiheit die Rede.

Der immer von Hoffnung beseelte Jean Paul macht sich wieder welche. Daß man an Frankreich nicht durch Raub Rache nimmt, ist in seinem Sinne. Ein europäisches, übernationales Denken glaubt er bei den Staatsmännern zu finden. Die Verfassungs- und Geistesfreiheitsversprechen nimmt er so ernst wie die christlichen Töne des Zaren Alexander, die diesem von Jean Pauls alter Freundin Frau von Krüdener eingeblasen werden. In Wien hält sie Betstunden mit dem Zaren und setzt damit die anderen Monarchen in Verlegenheit. Ihre Idee einer »Heiligen Allianz« (die Gentz, Metternichs Staatssekretär, der es schließlich wissen muß, »eine politische Nullität... eine Theaterdekoration« nennt), hält Jean Paul, kurzfristig, für eine gute. In »Mars' und Phöbus' Thronwechsel« kommt das zum Ausdruck. In den »Fastenpredigten« wird schon Enttäuschung spürbar. Dann geht er wieder in Opposition. In den »Komet« baut er eine Satire auf den Wiener Kongreß ein: »Das große magnetische Gastmahl«, bei dem (als Sinnbild der Leibeigenschaft und des Rückschritts) »moskowitisches Rindfleisch und ein Krebspastetel« auf den Tisch kommen, von dem die Völker aber mit leerem Magen wieder aufstehen müssen. Deutlicher noch als in dieser schwer entschlüsselbaren Satire wird er in den Vorreden zum ersten und zweiten Band. Da werden die Karlsbader Beschlüsse mit ihren, erstmalig alle deutschen Staaten umfassenden, Zensurmaßnahmen attackiert und ein Denunziant verspottet: der preußische Regierungsrat Schmalz, der schon vier Jahre vor Beginn der sogenannten Demagogenverfolgung diese öffentlich forderte und dafür von Friedrich Wilhelm III. mit einem Orden ausgezeichnet wurde.

Während des Kongresses in Wien richtete Jean Paul Pensionsgesuche an den preußischen und den bayrischen König und an den russischen und den österreichischen Kaiser, ein Jahr danach aber besucht er den gestürzten und gemiedenen Dalberg in Regensburg. Wenn im Jahr des Wartburgfestes die Heidelberger Burschenschafter ihm zujubeln, gilt das mehr als dem Schriftsteller dem Fortschrittsfreund, der im gleichen Jahr über die Studentenbewegung schreibt: »Revolutionen wurzeln in der Adamserde der Jünglinge am tiefsten und treiben, oft lange bedeckt, unter dem Boden weiter.« Die Studentenbewegung macht ihn zu ihrem Idol, und er nimmt die Rolle an, ohne noch recht zu wissen, worauf er sich einläßt.

Denn was da lautstark oder geheimbündlerisch von den Studenten als deutsche Fortschrittsidee verkündet wird, ist ein Gemenge aus Demokratismus, Nationalismus, Romantik und religiöser Schwärmerei, wie es verwirrender nicht gedacht werden kann. Kaiser Barbarossa, die Germanen, Jesus Christus und die französische Revolution kommen da auf merkwürdige Weise zusammen. Deutsche Einheit und Konstitution will Jean Paul auch, aber Mittelaltersehnsucht und Mystizismus lehnt er entschieden ab. Das Wort deutsch braucht auch er jetzt mehr als sonst, aber das Franzosen- und Judenfeindliche, das bei den Nationalisten aller Schattierungen stets mitschwingt, fehlt bei ihm. Er genießt die Verehrung der Jugend sehr, doch bald ergibt sich auch die Notwendigkeit der Distanzierung.

Am 23. März 1819 kommt ein junger Mann in der von Arndt als vaterländisch gerühmten »altdeutschen Tracht«

(weite Hosen, verschnürte Litewka) nach Mannheim. Er steigt im Gasthof »Zum Weinberg« ab, gibt sich als ein Herr Heinrichs aus Mitau aus und fragt nach der Wohnung eines Predigers, den er besuchen will. Ganz nebenbei interessiert er sich auch für die Wohnung des Staatsrats von Kotzebue, den er am gleichen Tag noch erdolcht: Der fruchtbare Theaterdichter (er schrieb 211 dramatische Werke, vorwiegend Lustspiele) gilt den Burschenschaftern als Agent des Zaren, als Freiheitsfeind und Vaterlandsverräter. Seine Ermordung, die das Signal für die Revolution sein soll, wird zu dem schlimmster Unterdrückung. Die Panik, die an den Fürstenhöfen ausbricht, benutzt Metternich, um die Zwangsmaßnahmen, die dann als Karlsbader Beschlüsse berüchtigt werden, auf alle Staaten des deutschen Bundes auszudehnen.

Der wahre Name des Mörders ist Karl Ludwig Sand. Er ist 24 Jahre alt, sein Geburtsort der Jean Pauls: Wunsiedel. In Jena studiert er Theologie und gehört der radikalen Burschenschaft an, die der Dozent Karl Follen (eigentlich Follenius) geheimbündlerisch führt. Die »Unbedingten« nennen sie sich und pflegen das Erbe der Jakobiner auf ihre Weise: mit einer Mischung aus Christentum und Mordpropaganda. Mit Bibel und Dolch wollen sie Märtyrer der Revolution werden. In den Liedern, die Karl und sein Bruder Adolf Ludwig Follen für sie dichten, heißt es nicht nur: »Fürsten zum Land hinaus!« sondern auch: »O Jesu Christ, dein klares Wort ist: Freiheit, Gleichheit, allen«, und: »Ihr Geister der Freien und Frommen, Wir kommen, wir kommen, wir kommen, Eine Menschheit zu retten aus Knechtschaft und Wahn, Zur Blutbühn', zum Rabenstein führt unsre Bahn.«

Und was die Follen dichten, führt Sand aus, allerdings am ungeeigneten Objekt. Nachdem er Kotzebue den Dolch in die Kehle gestoßen hat, kniet er nieder, dankt Gott und richtet den Dolch auf das eigne Herz, das er aber verfehlt. Eine Anklageschrift gegen Kotzebue, die er neben die Leiche legt, schließt mit dem Follen-Zitat: »Ein Christus kannst du werden!« – er nämlich, der Mörder, durch den Mord.

In seinem Abschiedsbrief nennt Sand sich ruhig, selig in Gott, glücklich, seinem Vaterland geholfen zu haben. Im Gefängnis läßt er sich malen, in schwarzer Kleidung, blutroter Weste, die Hand unterm Rock, als zücke er gerade den Dolch. Zu seiner Hinrichtung drängt man sich. Haare von ihm und Späne des Blutgerüsts werden später als Reliquien gehandelt. Der Scharfrichter baut sich aus den Balken des Schafotts ein Häuschen in den Weinbergen bei Heidelberg, in dem noch jahrelang Burschenschafter geheime Treffen veranstalten. Arndt nennt die Tat groß; Görres mißbilligt die Handlung, ehrt aber ihre Motive.

Jean Paul aber distanziert sich scharf von dem »fanatischen Jüngling . . ., der an einem düstern Jugendfeuer eine Tat auskochte«, die nur deshalb an die des Cäsarmörders Brutus erinnert, weil »in beiden Fällen gerade die Freiheit, wofür Leben geopfert wurde, sich selber noch stärker nachgeopfert sah«. Er fühlt sich zu dieser Stellungnahme herausgefordert, als man ihn zum geistigen Urheber der Tat machen will. Sein Aufsatz »Über Charlotte Corday«, der den Tyrannenmord verherrlicht, habe Sand die ethische Rechtfertigung geliefert.

Der Berliner Theologieprofessor de Wette, der im Jahr zuvor auf einer Reise nach Wunsiedel (bei der er auch Jean Paul in Bayreuth besucht) die Mutter Sands kennenlernt, schreibt dieser einen Trostbrief, in dem er auch auf den Aufsatz des berühmten Wunsiedelers Jean Paul hinweist. Da der Brief veröffentlicht wird (worauf de Wette sein Amt verliert), muß Jean Paul reagieren. In einer Neuauflage der »Corday« behauptet er seinen girondistischen Standpunkt, grenzt ihn aber ab gegen Sands Tat. Marat sei für Handlungen gerichtet, Kotzebue aber für Meinungen ermordet worden. Nicht den Dolch, nur die Schreibfeder hätte der »Brausejüngling« benutzen dürfen.

Daß aus »solcher Verblendung des Gehirns und Herzens zugleich« ein Heldenmythos gemacht wird, erschreckt ihn, besonders da sein Sohn Max, inzwischen Student, erst in München, dann in Heidelberg, Neigung zeigt, dem Geist der Zeit gehor-

chend, aus dem vom Vater vermittelten venünftigen Prote-
stantismus in einen Mystizismus zu geraten, vor dem sein Vater
ihn nicht genug warnen kann. Als Max auch die Sand-Schwär-
merei mitmacht, weist Jean Paul ihn darauf hin, daß Sands
»ebenso unsittliche als unverständige Tat« nur dem Fürsten-
regime nützte und präzisiert noch einmal seine Meinung: »Nach
seinem [Sands] Grundsatz dürfte jeder Katholik Luthern, Vol-
tairen und jeden großen protestantischen Minister ermorden.
Sterben für eine Idee ist leichter als für eine leben ... Die
Spanreliquie ist gar lächerlich und hat etwas von heiligen Kreuz-
spänen. Ebensogut könnte man Mannheimer Sand, worauf er
getreten, verschicken. Warum nicht den Mond zu seiner Re-
liquie gemacht, weil er ihn oft angesehen?«

Das ist nur eine der vielen Ermahnungen, aus denen die
Briefe an den Sohn hauptsächlich bestehen. Unterbrochen werden sie nur durch Berichte von eigenen Krankheiten, Liebesbeteuerungen und Besorgnissen über des Sohnes Befinden. Seitdem Max aus dem Haus ist, ängstigt Jean Paul sich um ihn,
nicht ohne Grund. Immer wieder ermahnt er ihn, mehr zu
leben als zu lesen und sich vor allem nicht in »phantastische
theologische Melancholie« zu verlieren, in die er durch den
Einfluß Baaders und anderer »überchristlichen« Philosophen
geraten ist. Auch vor dem Umgang mit seinem Kommilitonen
Feuerbach, dem späteren Philosophen, der damals eine religiöse
Phase durchläuft, warnt er ihn. Den hat er 1819 bei einem
unbeschwerten Aufenthalt in Löbichau, auf dem Schloß der
Herzogin Dorothea von Kurland, kennengelernt und dabei
sicher Einblick in die mystische Verbohrtheit der jungen Generation gewonnen.

»Mich erquickt dein religiöses frommes und für Gott begei-
stertes Gemüt«, aber der modische Mystizismus hat »dir deinen frischen Lebens-Sinn weg und eine enge Orthodoxie einge-
predigt, bei welcher am Ende alles Feuer der Wissenschaft so
wie meine Hoffnungen von dir sinken müssen«. Einen Wechsel
von der Philologie zur Theologie erlaubt er Max nicht. »Was
deine Seele als theologische Nahrung bedarf, kann sie auch auf

der philologischen Laufbahn, seitwärts ohne gelehrtes Erlernen, sich verschaffen. Aber die echte und wahre Gotteslehre findest du nicht in der Orthodoxie, sondern in der Sternenkunde, Naturwissenschaft, Dichtkunst, in Plato, Leibniz, Antonin, Herder, eigentlich in allen Wissenschaften auf einmal.«

So lobenswert diese Ermahnungen auch sind, sie weisen vor allem auf den psychologischen Kern dieser Sohnes-Tragödie hin: Der starke, gutgemeinte Einfluß des Vaters zielt darauf ab, Max Richter zu einem zweiten Jean Paul zu machen.

Das ganz aufs Schöpferische gerichtete Erziehungssystem des Schriftstellers hat, wenn er selbst als Erzieher fungiert, den Nachteil, daß er allein das Maß für das ist, was man erreichen muß. Seine Tochter Emma, die bis zu seinem Tode bei ihm lebt (und seine Manuskripte abschreibt), beginnt schließlich selbst zu schreiben, ganz in seinem Stil, und denkt nach seinem Tod sogar daran, die »Flegeljahre« fortzusetzen; doch entgeht sie den Qualen des Nicht-genügen-Könnens durch Heirat und Kinder. Für Max aber bleibt der Vater der Gott, in der Familie, in Bayreuth, an den Universitäten. In der Schule lernt er ausgezeichnet, während des Studiums aber wird ihm klar, daß ihm das Schöpferische fehlt. Er will es erzwingen. Mit Erzählungen über die elende Jugend des Vaters aufgewachsen, versucht er diese nachzuerleben. Mystische Ideen von Vergeistigung durch Entbehrungen bestärken ihn darin.

Als Jean Paul ihn in München besucht, findet er ihn am Ende seiner Kräfte, von der eigenen Nichtigkeit überzeugt.

Er läßt nichts unversucht, dem Sohn die Minderwertigkeitsgefühle, deren Ursache er selbst ist, auszureden. Daß er ihn nach Heidelberg zu seinen Freunden schickt, kann die Selbstquälerei des Jungen nur verstärken; denn dort ist Gott-Vater noch allgegenwärtiger als in München. Wenn dort sein Mangel an Selbstbewußtsein mal in Größenwahn umschlägt und er Professor Voß gegenüber behauptet, eine Geschichte der Philosophie schreiben zu können, erfährt der Vater das im nächsten Brief und reagiert so: Da hätte er anwesend sein mögen, »um ihn $1\frac{1}{2}$ Stunde lang auszulachen.«

»Durchaus aber melde mir vorher, welche Kollegien du hören willst, damit nicht immer mein Rat nach deiner Tat ankomme«, schreibt er ihm am 4. September 1821 und rät zu einer Rheinreise. Am 18. aber ist Max plötzlich in Bayreuth, an Ruhr oder Typhus erkrankt. Wenige Tage danach stirbt er.

»Und so ist nun mein ganzes Leben kalt verfinstert auf immer.«

Im Jahr darauf erkrankt Heinrich Voß schwer. Noch in seinen »letzten matten, dämmernden Stunden« müht er sich mit der Korrektur der letzten »Komet«-Kapitel ab. Ein Jahr nach dem Sohn stirbt auch der Freund.

Nun findet Jean Paul keine Kraft mehr, die »komische Geschichte« fortzusetzen.

41

Anti-Titan

*

Zu den manchmal notwendigen Abwehrreaktionen der kindlichen Seele gegen die bedrückende Autorität der Eltern gehört der Gedanke, eigentlich nicht Kind dieser Eltern und damit zu Unrecht ihrer Gewalt unterworfen zu sein. In einer Gesellschaft, in der die Geburt schon weitgehend das künftige Schicksal bestimmt, wird dieser Wunsch noch wirksamer, wenn mit ihm auch noch der nach Standeserhöhung verbunden ist. Goethe beschreibt einen solchen inneren Vorgang im zweiten Buch von »Dichtung und Wahrheit«: Er stellte sich gern vor, eigentlich adliger Herkunft zu sein, »wenn es auch nicht auf die gesetzlichste Weise gewesen wäre«.

1817 wird diese Stelle aus Goethes Autobiographie Gegenstand eines Gesprächs zwischen Jean Paul und dem schwedischen Dichter Atterbom. Jean Paul ist von der Offenheit überrascht, mit der Goethe sich bloßstellt. Er kann sie sich nur dadurch erklären, daß Goethe nicht wußte, wie sehr er durch sie die Beschaffenheit seiner »moralischen Natur« enthüllte. Goethes Amoralität hängt für den Bürger Jean Paul eng mit Goethes Aristokratismus zusammen, und der kindliche Wunsch, von Adligen abzustammen, beweist ihm, wie früh diese Verderbtheit schon begann.

Sicher ist Jean Pauls Entrüstung echt. Sein Selbstverständnis erlaubt ihm nicht zuzugeben, daß Wunschvorstellungen dieser Art in einer sozialen Ordnung, in der die Stellung eines Menschen in ihr durch seine Herkunft schon festgelegt wird, fast zwangsläufig sich einstellen müssen, besonders bei überdurchschnittlich Begabten, die willens und fähig sind, über den Stand, in den sie hineingeboren sind, hinauszudrängen. Er verpflichtete sich früh einer Haltung, die Stolz auf seinen niederen Stand von ihm forderte und Verachtung der höheren Stände. Konsequent lebte er diese Haltung und widerstand allen Versuchungen, in höhere Klassen aufzusteigen.

Das bedeutet jedoch nicht, daß Jean Paul Wunschträume von adliger Geburt nicht kannte. Bekannt hat er sie freilich nicht. Goethe, der seine Wünsche auslebte, konnte freimütig über sie reden; Jean Paul, der sie sich versagte, verdrängte sie völlig aus seinem Bewußtsein. Nichts zeugt mehr von der Strenge, mit der er die sich auferlegte Verpflichtung erfüllte, als dieser Vorgang der Verdrängung der als nicht statthaft empfundenen Wünsche. Zum Verräter wird nur das Werk.

Schon die vielen liebenswerten adligen Mädchen und Frauen, die seine Bücher bevölkern, verraten viel. In der Realität des Lebens versagt der Autor sich ihnen, in der Fiktion seiner Werke nicht. Fixlein und Siebenkäs dürfen adlige Damen heiraten, Walt die Generalstochter lieben. Direkter in den Vordergrund aber schiebt sich der verdrängte Kinderwunsch in den drei »heroischen« Romanen, deren Fabeln alle das Geheimnis von Kindern adliger, ja, fürstlicher Abkunft umkreisen. Und wenn am Schluß des »Hesperus« der Ich-Erzähler Jean Paul sich als Prinz entpuppt (und dann im »Jubelsenior« und in den »Biographischen Belustigungen« auch als solcher auftritt), wird völlig klar, was da unterschwellig gärt. Die Spannung zwischen dem Wissen von eigner Bedeutung und der sozialen Armseligkeit entlädt sich in solchen Träumereien.

Wie viele Motive aus Jean Pauls Frühwerk, kehrt auch dieses im Alterswerk wieder, in seiner Umkehrung freilich. Da wird nicht ein heimlicher Wunsch zur (unwahrscheinlichen) Wirklichkeit, sondern der als Wirklichkeit angesehene Wunsch erweist sich als unrealisierbar: Ein Apothekerssohn hat die fixe Idee, ein Fürstensohn zu sein. Als Jean Paul das Gespräch über »Dichtung und Wahrheit« mit Atterbom führt, schreibt er schon lange an diesem Roman. Und in einem seiner vielen Arbeitsstadien sollte der auch mal heißen: »Wahrheit aus meinem Leben, Dichtung aus des Apothekers Leben«.

Nur drei Kapitel der »Selbstlebensbeschreibung« werden vollendet, drei Bände der Dichtung über den Apotheker, beides sprachlich und kompositorisch wohl das Vollkommenste, das Jean Paul geschrieben hat. Von dem Plan des Doppelromans bleibt nur die Gestalt des Kandidaten Richter aus Hof übrig, der gerade (der Hauptteil des »Komet« spielt um 1790) die »Auswahl aus des Teufels Papieren« beendet hat. Mit offenem Haar und offenem Hemd, dürr, singend, weinend, träumend spaziert er, mit Schreibtafel in der Hand, in das Ende des zweiten Bandes hinein, nicht wie früher schon einmal als imaginärer Ich-Erzähler Jean Paul, sondern als runde Gestalt, objektiv geschildert – bis auf die reizvollen Spielereien mit Fiktion und Wirklichkeit, die sich der souveräne Erzähler leistet. »Meine Leser werden erstaunen, der Kandidat war demnach niemand anders als – ich selber, der ich hier sitze und schreibe.« Und wenn der Kandidat die kluge Äußerung macht, daß nur der ein rechter Dichter sei, der auch im Glück zu dichten nicht aufhöre, lobt der Verfasser ihn und sich, weil er nämlich dieses Versprechen »redlich gehalten hat bis jetzo, wo er den Gesandtschaftsrats-Titel hat und Jahresgehalt und immer noch fortschreibt, als hätt' er keinen Kreuzer im Vermögen.«

Als Wetterprophet (die Rolle des Magnetiseurs ist schon anderweitig besetzt) wird der Kandidat in den Hofstaat des vermeintlichen Fürsten aufgenommen und ist selig darüber: hat er doch den »Hesperus« und den »Titan« noch zu schreiben, »worin Höfe treu und täuschend aufzutreten« haben. Doch: der Hof, an den er kommt, ist selber eine Täuschung, der Fürst ein Narr, der Reisemarschall dessen Freund und Pfleger, der aufpaßt, daß niemand den glücklichmachenden Wahn des

Apothekers zerreißt. Die Ausnahmestellung des Kandidaten Richter besteht nicht nur darin, daß er später der Autor seiner selbst wird: er allein hält die Wahnvorstellung des Pseudofürsten für Realität.

Der Kleinstadtapotheker Nikolaus Marggraf, der sich für den Markgrafen Nikolaus hält, erlebt eine Kindheit, wie sein Autor die eigne sah, träumt von Ruhm durch Weltbeglückung, verliebt sich in eine Prinzessin, deren Wachsbüste er anbetet, studiert in Leipzig, erfindet die Herstellung von Diamanten, umgibt sich mit einem Hofstaat von Halbnarren und zieht, auf der Suche nach seinem fürstlichen Vater und der Geliebten, in die Welt, um die Armen zu beglücken: mit Geld. Er kommt nicht weit in den drei Bänden, nur bis in die Residenz des nächsten Kleinstaates. Noch ist er glücklich in seinem Wahn. Da bringt der Ledermensch Beunruhigung in sein Leben, ein zweiter Wahnsinniger, der sich für Kain, den Sohn Evas und der Schlange hält. Damit endet der Torso. Das letzte Wort des komischen Romans eines Glücklichen ist: Entsetzen.

Als »Anti-Titan« bezeichnet Jean Paul selbst den »Komet«, und das ist er in vielerlei Hinsicht, vor allem aber in der, daß die Idee der Weltveränderung als Illusion entlarvt wird. Sicher hätte der Roman sich (Notizen zeugen davon), wäre er fortgesetzt worden, zu einem Riesengemälde der Zeit aus dem Blickwinkel der Restaurationsepoche entwickelt. Das Fragment weist (neben den beiden direkten Satiren) auf die Zeit seiner Entstehung vor allem dadurch hin, daß es hoffnungslos ist wie diese.

Auch der Traum von einem Leben als Dichterfürst, der die Welt beglückt und verändert, wird hier zu Grabe getragen. Richard Otto Spazier, Jean Pauls Neffe, der in den letzten Jahren viel bei ihm ist, erzählt, daß der dänische Dichter Baggesen bei einem Besuch in Bayreuth zur Begrüßung sagt: »Mein Gott, Jean Paul, ich bin ja der Nikolaus Marggraf!« worauf Jean Paul erwidert: »Als ob es nicht meine eigne Geschichte wäre!«

Im Januar 1823 schreibt Jean Paul an Cotta: »Der Komet

358

bleibt jetzo, Gott weiß wie lange, in seinem dritten Sternbilde stehen, wie es leider – aber aus schlimmern Gründen – die Flegeljahre auch getan.« Er hat keine Kraft mehr zum Komischen. Schon zum dritten Band mußte ihn Voß drängen. Jetzt ist Voß tot. Die Zeit, die Jean Paul noch bleibt, widmet er wieder der Religion. Schon am Begräbnistag des Sohnes nahm er sich vor, die in Erzählung eingekleideten Dialoge über die Unsterblichkeit der Seele des »Kampanertals« fortzusetzen. Es ist eine ständige Suche nach Hoffnung – übers Grab hinaus; es ist auch eine Rückkehr in die Jugend und eine in die Popularphilosophie des 18. Jahrhunderts. Auch wenn er sich in einem Aufsatz gegen die religiösen Überspanntheiten der Zeit wendet, spricht wieder der alte Heterodoxe. Doch weder die »Selina« noch die Schrift gegen das »Überchristentum« kann er noch beenden.

So bleibt die letzte Erstveröffentlichung zu Lebzeiten der dritte Band des »Komet«, der mit einem Anhang von »Enklaven« schließt, deren wichtigste »Des Kandidaten Richter Leichenrede auf die Jubelmagd Regina Tanzberger in Lukas-Stadt« ist, die Würdigung eines geknechteten Lebens und eine Anklage. »Es ist hart, den ganzen Tag im Kleinsten wie im Größten keinen andern Willen zu vollstrecken als den fremden und etwa höchstens in der Nacht durch Träume eine dunkle Freilassung zu gewinnen, falls sie nicht ganz wieder die Knechtschaft nachspiegeln ... Zum Glück ist Sterben der einzige Wunsch, der stets in Erfüllung geht, sei man noch so verlassen von Menschen und Göttern.« Wie der Anfang dieses grandiosen Lebenswerkes also, ist auch der Schluß den Armen und Entrechteten gewidmet.

Die letzte Enklave allerdings ist nichts als eine Aufzählung der sämtlichen Werke des Verfassers. Mit kleinen Schummeleien bekommt er 59 zusammen, um als Schlußbemerkung anfügen zu können, daß er »den 21. März 1822 aus der Eierschale des 59ten Jahres gekrochen« sei, also pro Jahr ein Buch gemacht habe. »Für die übrigen Jahre und Bücher sorgt Gott.«

Ganz ohne Zusätze zu einzelnen Büchern kommt er aber

auch bei dieser reinen Aufzählung nicht aus. Und so heißt es dann in der Zeit der Karlsbader Unterdrückungsbeschlüsse, die das Geistesleben Deutschlands völlig verdunkeln, zu Nummer 37, der Anti-Zensur-Schrift »Freiheits-Büchlein«: »Diese Abhandlung sollt' ich fast unsern Zeiten so sehr empfehlen, als sie selber es tut.«

42

November

*

»Ich erwarte ein schönes Leben mit Ihnen. Der Tag bis morgens zehn Uhr bleibt ganz Ihren Studien überlassen; dann werden Sie die buchhändlerischen Einteilungen der Aufsätze mir besorgen helfen; auch bitte ich Sie, mir für die Werke, die ich zwar keiner Quecksilberkur, doch aber an manchen Stellen einer Quecksilberpolitur unterwerfen werde, die eingeschalteten Verbesserungen für den Setzer aufzusammeln, auch mir für das Chaos meiner Bibliothek, wenn nicht die Hand, doch das Auge zu leihen. Ein wenig vorlesen – ein wenig Kopieren – ein wenig Sprechen – ein wenig Frohsein – das ist noch alles, was ich von Ihnen verlange ... Sie erraten gar nicht, welchen Balsam für meine verwundeten Augen und für die andere Hälfte des vom Schicksal zerquetschten Körpers Ihre Ankunft mir mitbringt.«

Das schreibt Jean Paul Anfang Oktober 1825 an seinen Neffen Richard Otto Spazier. 1822 lernte er den jungen Mann, der bis dahin noch kein Wort von ihm gelesen hatte, in Dresden kennen, und beeindruckte ihn durch seine Persönlichkeit so, daß das durch Vorurteile belastete Verwandtschaftsverhältnis sich schnell in das eines Jüngers zu seinem Meister verwandelt.

Der Student vertieft sich in das Werk seines berühmten Onkels und verbringt seine Ferien bei ihm, erst nur geduldet, später freudig erwartet. Denn Jean Pauls Körper verfällt mehr und mehr; Hilfe ist ihm willkommen. Es beginnt mit den Augen, deren Sehkraft rapide abnimmt. Durchfälle quälen ihn. Er magert ab. Wasser läßt die Beine anschwellen. Bald kann er das Haus nicht mehr verlassen. Nur sein Geist bleibt noch rege. Unter Anstrengungen diktiert er Tag für Tag die »Selina« weiter, sein Buch der Hoffnung, und zwar nicht nur einer aufs Jenseits gerichteten. Was Albano einst plante, führt Henrion, der jugendliche Held, nun aus: Er zieht in einen Befreiungskampf; in den der Griechen gegen die türkischen Unterdrücker. Aber auch die Herausgabe der ersten Werkausgabe, die der Verleger Reimer plant, muß vorbereitet werden. Deshalb der Notruf an den Neffen.

Am 24. Oktober trifft dieser, 22 Jahre alt, in Bayreuth ein und erschrickt vor der Veränderung, die mit dem Onkel vorgegangen ist. Das vorher runde Gesicht scheint sich durch die Magerkeit verlängert zu haben. Stumpf blicken die sonst so glänzenden Augen. Wo er denn sei, der Junge, fragt er und streckt suchend die Hand nach ihm aus, als Karoline den Neffen ins Zimmer führt. Er spricht leiser und langsamer, als bereite jedes Wort ihm Mühe, aber noch immer in Bildern: Der Himmel strafe ihn jetzt mit Ruten, von denen eine, das Augenleiden, zu einem tüchtigen Knüttel geworden sei.

Draußen fällt Regen. Die Fenstervorhänge sind zugezogen. Der Kranke liegt, halb sitzend, auf dem Kanapee, von dem, damit er die Beine ausstrecken kann, eine Lehne entfernt ist. Er friert ständig, ist deshalb in einen Pelzmantel gehüllt. Auf den Füßen türmen sich Kissen. Der Tisch vor ihm ist noch mit allem versehen, was er zur Arbeit braucht: mehrere Federn, verschiedenartiges Papier, auch farbiges darunter, Schreibunterlage, Federmesser, Brillen, Tintengläser, Arbeitslampe, Lichtschirme, ein Oktavbändchen der englischen Ausgaben von Swift und Sterne. Mitten im Raum, vom Arbeitsplatz aus leicht zu erreichen, steht wie immer das Repositorium, die Borde beladen mit Exzertenbänden und Manuskripten, an den Wänden entlang die Regale mit Büchern. In der Ecke liegt auf einem Kissen der Pudel, neben Rosenholzstock und Umhängetasche. Nie mehr wird Jean Paul die Wanderung zur Rollwenzelei antreten können.

An dem Tischchen vorm Fenster, auf dem früher die Vogelbauer standen, arbeitet nun täglich der junge Gehilfe. Er hat reichlich zu tun. Denn die Aktivität des Kranken ist noch enorm. In ein paar Tagen schon sind Umfang und Reihenfolge der Werkausgabe festgelegt. Es beginnt das riesige Vorhaben der Überarbeitung und der (für Jean Paul stets notwendigen) neuen Vorworte. Sie beginnen mit den Werken, die zum erstenmal eine Nachauflage erleben: »Auswahl aus des Teufels Papieren«, »Die unsichtbare Loge«, »Geschichte meiner Vorrede zur 2. Auflage des Quintus Fixlein«. Weit kommen sie nicht. Die Vorworte werden diktiert. Dann liest Spazier langsam die Texte vor, und Jean Paul unterbricht, wenn er Streichungen, Einschübe, Veränderungen beabsichtigt. Auch Vorschläge des Jungen weist er nicht ab. Die Arbeit heitert ihn auf. Im Werk seiner Jugend erlebt er diese noch einmal. Leicht gerät er ins Erzählen. Daß die »Flegeljahre« Fragment blieben, quält ihn. Die Autobiographie möchte er noch fortsetzen, um denen, die er geliebt hat, ein Denkmal zu setzen, Herder vor allem. Veränderungen am »Titan« will er noch vornehmen, Lindas Ende nicht mildern, aber besser motivieren.

Der Tagesablauf ist streng geregelt. Bis Mittag wird in seinem Zimmer gearbeitet. Nachmittags wird vorgelesen. Dazu schleppt der Kranke sich, an Karolines Arm, ins Wohnzimmer hinüber. Als auch dazu die Kraft nicht mehr reicht, wird ein Rollstuhl besorgt. Täglich will er das Wichtigste aus der Zeitung hören. Dann liest Spazier aus Herbarts gerade erschienener »Psychologie als Wissenschaft« vor. Aber der Anstrengung des Neuen ist der geschwächte Geist nicht mehr gewachsen. Immer häufiger schläft Jean Paul während des Vorlesens ein. Da hört er lieber Altbekanntes, seit der Jugend Vertrautes. Aber auch die komisch-satirischen »Physiognomischen Reisen« von Musäus können ihn nicht lange fesseln, und er verlangt nach Herders »Ideen«, ab und zu auch nach dessen Volksliedersammlung. Herder wird die letzte Lektüre des lesehungrigen Schreibers. Tag für Tag verringert sich die Zahl der Seiten, die er noch aufnehmen kann.

Für kurze Zeit munter können Gespräche ihn machen. Denen ist der Abend gewidmet. Aus dem Zeitschriftenbestand der »Harmonie« exzerpiert Spazier das Neueste aus Kunst und Wissenschaft, um Gesprächsstoff zu haben. Am meisten erfreuen den Kranken Kuriositäten. Wenn Christian Otto kommt, werden Erinnerungen an Glanzzeiten ausgetauscht, und Spaziers Rolle wird die nicht unwichtige des Zuhörers. Manchmal gelingen Jean Paul noch kühne Gedankenflüge, witzige Bilder, dann aber bittet er darum (was die anderen erschreckt, weil es ungewohnt ist), schweigend dem Fortgang des Gesprächs lauschen zu können. Wenige Wochen vor Spaziers Ankunft empfing er noch Schellings Besuch und philosophierte stundenlang mit ihm. Das wäre jetzt nicht mehr möglich.

Er ist ein geduldiger Kranker. Er jammert kaum. Immer versucht er, sich und anderen Hoffnung zu machen. Wenn Sonnenschein kurzfristig die grauen Herbsttage aufhellt, versichert er sofort, daß die Sehkraft in seine Augen zurückkehrt. Karoline und den Töchtern dankt er oft für ihre liebevolle Pflege.

Grauenhaft sind manchmal die Nächte: Er spürt die Vernichtung des Alls. Durch sprachliche Gestaltung bannen kann er die kosmischen Schreckensvisionen nicht mehr. Rettungslos ist er ihnen ausgeliefert. Einmal findet Karoline morgens den hilflosen Greis auf dem Fußboden liegen. Welcher Bedrohung hat er versucht zu entfliehen?

Je weniger er Vorgelesenem zu folgen vermag, desto mehr verlangt er nach Musik. Die begleitete sein ganzes Leben, angefangen vom vorzüglichen Klavier- und Orgelspiel seines Vaters. Musikalische Ausbildung hatte er nie. Noten kann er nicht lesen. Doch gehörte seit Leipzig ein geliehenes Klavier in sein Arbeitszimmer. Stundenlang konnte er auf ihm phantasieren. Wo immer er gute Konzerte hörte, war er entzückt. Wenn in seinen Romanen Gefühle hochschlagen, sind immer Töne beteiligt: Flöten, Harfen, Hörner, Glocken. Wenn Kinder singen, kommen ihm die Tränen. Jetzt musizieren am Abend Frau und Tochter für ihn.

Ein Klavier steht in seinem Zimmer, das bessere aber bei Karoline. Die Türen werden geöffnet. Er liegt auf dem Kanapee, die Augen geschlossen, das Gesicht zur Wand gewendet, und lauscht den Liedern, die man für ihn singt: Volkslieder, Lieder von Zelter und Schubert. Denn die »einfachen Tongesänge« waren es schon immer, »die ihn wie Erdstöße bewegten«.

Obwohl sein Körper sichtbar verfällt, Unterleib und Beine stärker anschwellen, die Augen gänzlich erblinden, nun auch noch chronischer Husten ihn quält, glaubt er nicht an baldigen Tod. Er hofft, daß eine Änderung des scheußlichen Novemberwetters ihm Besserung bringen wird, vertraut der Heilkraft des kommenden Frühjahrs und sogar den Medikamenten, die er jetzt ohne Widerrede vom Arzt sich verordnen läßt. Oft schläft er schon während der Mahlzeiten ein. Manchmal quält ihn die Vorstellung, daß jemand hinter ihm stehe und am Kopf ihn berühre. Aber die Arbeit geht weiter.

Am 13. November wird sie schon lange vor der Mittagszeit abgebrochen, weil Schwäche ihn überfällt. Die Nacht verbringt er so unruhig, daß Karoline den Arzt holt. Als Spazier am 14. morgens kommt, ist die Stimme des Kranken so leise geworden, daß man sich zu ihm hinunterbeugen muß, um ihn zu verstehen. Zum erstenmal irrt der Blinde, um den immer Nacht ist, sich in der Tageszeit. Einen guten Abend wünscht er dem Neffen. Zum erstenmal auch wird der Tagesplan nicht eingehalten. Spazier liest vor: erst die Zeitung, dann Herder. Bald aber verlangt der Kranke nach Gesprächen. Die Freunde werden geholt. Thema der Unterhaltung ist eine seltsame Zeremonie, die in diesen Tagen in Bayreuth stattfand: die Übergabe einer italienischen Braut an einen sächsischen Prinzen, und zwar an denselben, der seine erste Frau in Jean Pauls Jugendjahren in Hof hatte in Empfang nehmen lassen. Der Kranke wird lebhaft, stellt Fragen, versucht auch selbst zu erzählen:

wie komisch das damals war, als Sänftenträger das Brustbild des Prinzen vor der Braut her von Hof nach Plauen trugen. Ausführlich hatte er dieses fürstliche Spektakel im »Hesperus« verwendet.

Als die Freunde gegangen sind, wird er die Gedanken an den »Hesperus« nicht los. Er will ihn wieder ändern, verbessern. Vor allem die Kindesvertauschung könnte man den Lesern nicht zumuten. Spazier kann ihn nur verstehen, wenn er sein Ohr direkt an Jean Pauls Mund hält.

Mittags will er ins Bett gebracht werden. Er denkt, es ist Nacht, und verlangt wie üblich die Uhr und den Krug mit Wasser, das er bei seinem häufigen Aufwachen trinkt. Mehrfach versucht er noch etwas zu sagen, aber niemand versteht ihn. Da winkt er ab: »Wir wollen's gehen lassen!« Dann schläft er ein. Nachmittags um fünf kommt Emanuel, um sechs der Arzt. Um acht geht Jean Pauls Atem langsamer, setzt schließlich aus, sein Mund verkrampft sich. Karoline, die Töchter und Emanuel knien nieder. Spazier läuft im Novemberregen durch die Straßen, um Christian Otto zu holen.

Drei Tage später tut die Stadt so, als hätte sie es immer schon für eine Ehre gehalten, einen solchen Mann in ihren Mauern zu haben. Man feiert den Schriftsteller sehr, als man ihn zu Grabe trägt. Der beste Dichter ist der tote Dichter.

Alle Glocken der Stadt läuten. Langsam bewegt sich der pompöse Leichenzug von der Wohnung durch die Straßen Bayreuths zum Friedhof hinaus. Es ist fünf Uhr nachmittags, also schon dunkel. Fackeln, Laternen und Pechpfannen werden von Gymnasiasten getragen. Dem Zug voran schreitet der Kantor mit den Armenschülern und den Musikanten. Es folgen die Volksschüler, von denen zwei die »Levana« tragen, dann die Gymnasiasten mit der »Vorschule der Ästhetik« und der »Unsichtbaren Loge«. Der Leichenwagen wird von vier schwarzbehangenen Pferden gezogen und von zehn Lehrern begleitet. Auf dem Sarg liegt in rotem Einband die »Selina«, von einem Lorbeerkranz umgeben. Hinter den Familienangehörigen und Freunden folgen die Vertreter von Stadt, Staat und Militär.

Jean Pauls Witwe 1826
Zeichnung von E. Förster

Grabreden halten der Rektor des Gymnasiums und der Neffe Spazier, der alle Prunktitel des Ehrendoktordiploms wiederholt: Licht und Zierde des Jahrhunderts, Muster der Tugend und so fort. Der Pfarrer, der das kirchliche Zeremoniell ausführt, heißt Reinhart, hat mit dem Toten zusammen in Hof das Gymnasium besucht und den Wutausbruch des Französischlehrers provoziert.

Die wichtigere Ehrung findet am 2. Dezember im Frankfurter »Museum« statt. Ludwid Börne hält die Gedenkrede. Mit einem Pathos, das aus echter Begeisterung kommt, preist er den Dichter der Menschenliebe, den Dichter der Freiheit, den Dichter der Armen. Den Jeremias seines gefangenen Volkes nennt er ihn. »Die Klage ist verstummt, das Leid ist geblieben ... Wir wollen trauern um ihn, den wir verloren, und um die Andern, die ihn nicht verloren. Nicht Allen hat er gelebt! Aber eine Zeit wird kommen, da wird er Allen geboren, und alle werden ihn beweinen. Er aber steht geduldig an der Pforte des zwanzigsten Jahrhunderts und wartet lächelnd, bis sein schleichend Volk ihm nachkomme.«

Als im Sommer darauf der als Liederdichter bekannt gewordene Wilhelm Müller die Rollwenzelei besucht, gibt die redselige Wirtin ihrer Trauer so Ausdruck: »Ach Gott, wenn ich bedenke, wie viel der Herr Legationsrat hier, hier auf dieser Stelle geschrieben hat! Und wenn er sich hätte ausschreiben sollen! Fünfzig Jahre noch hätte er zu schreiben gehabt, das hat er mir selber oft gesagt, wenn ich ihn bat, sich zu schonen und das Essen nicht kalt werden zu lassen. Nein, nein, so ein Mensch wird nicht wieder geboren. Er war nicht von dieser Welt ... Eine Blume konnt' ihn selig machen über und über, oder ein Vögelchen, und immer, wenn er kam, standen Blumen auf seinem Tische, und alle Tage steckt' ich ihm einen Strauß ins Knopfloch. Es ist nun wohl ein Jahr, da blieb er weg und kam nicht wieder. Ich besucht' ihn drinnen in der Stadt, noch ein paar Wochen vor seinem Tode; da mußt' ich mich ans Bett zu ihm setzen, und er frug mich, wie es mir ginge. Schlecht, Herr Legationsrat, antwortete ich, bis Sie mich wieder beehren.

Aber ich wußt es wohl, daß er nicht wieder kommen würde, und als ich erfuhr, daß seine Kanarienvögel gestorben wären, da dacht' ich: er wird bald nachsterben. Sein Pudel überlebte ihn auch nicht lange, ich hab' ihn neulich gesehen, das Tier ist nicht mehr zu kennen. Gott, nun hast du ihn bei dir! Aber ein Begräbnis hat er bekommen, wie ein Markgraf, mit Fackeln und Wagen, und ein Zug von Menschen hinterdrein, man kann's nicht erzählen. Ich war vorangegangen auf den Gottesacker hinaus, und wie ich so allein vor dem Grabe stand, in das er hinunter sollte, da dacht' ich mir: Und da sollst du hinunter, Jean Paul? – Nein, dacht' ich, das ist Jean Paul nicht, der da hinunter kömmt. Und wie der Sarg vor mir stand, da dacht' ich wieder so: Und da liegst du drinnen, Jean Paul? Nein, das bist du nicht, Jean Paul. Sie haben auch eine Leichenpredigt gehalten, und sie haben mir einen Stuhl dicht beim Grabe gegeben, darauf hab' ich sitzen müssen, als ob ich dazu gehörte, und als alles zu Ende war, haben sie mir die Hände gedrückt, die Familie und der Herr Otto und noch viele große Herren.«

Anhang

*

Bibliographisches Nachwort

Als ich vor vielen Jahren mit den Vorarbeiten zu diesem Buch begann, stand von vornherein fest, daß es sich bei ihm nicht um eine wissenschaftliche Monographie (etwa mit dem Untertitel: Leben und Werk) handeln konnte. Denn wenn auch die Freude am Werk den Anstoß gegeben hatte, war es doch vor allem das Leben des Autors, das mich zur Darstellung reizte. Auch der flüchtig erwogene Plan eines Jean-Paul-Romans wurde bald verworfen. Fiktives hätte die Tatsachen dieses Schriftstellerlebens eher verwässern als verdichten können. Trotz des Erzähltons, der streckenweise vorherrscht, habe ich mich ausschließlich an Dokumentarisches gehalten, in der Hoffnung selbstverständlich, daß etwas von der Faszination, die das Material auf mich ausübte, auch auf den Leser übergeht.

Meinungen und Urteile auch sehr subjektiver Art zu unterdrücken habe ich mich nicht bemüht. Nicht Lehrmeinungen zu illustrieren oder literaturwissenschaftliche Thesen zu verfechten war meine Absicht. Ich wollte aus den vorhandenen Materialien ein Leben rekonstruieren, das mir Exemplarisches zu haben scheint. Nicht nur jede Zeit entdeckt ihre Dichter neu, sondern auch jeder einzelne. Vielleicht hätte ich diese Lebensbeschreibung »Mein Jean Paul« nennen sollen.

In den 150 Jahren, die seit seinem Tode vergangen sind, ist Jean Paul von einem vielgelesenen Autor zu einem Spezialthema für Germanisten geworden. Die Folge davon ist, daß auch Literaturkenner nicht viel mehr als seinen Namen von ihm kennen, es aber eine Unzahl von Arbeiten über seine Werke gibt. Wenn, wie manche meinen, eine Jean-Paul-Renaissance bevorsteht, so zeigt sie sich bisher vorwiegend darin, daß die Zahl der Dissertationen über Teilaspekte seines Werkes zunimmt und die literarisch Interessierten seine Bücher zwar nicht lesen, aber doch ein schlechtes Gewissen dabei haben.

Soweit die Sekundärliteratur das Thema meines Buches berührte, habe ich sie natürlich verwertet, habe aber konsequent vermieden, auf sie einzugehen; denn mein Thema ist Jean Pauls Leben, nicht der wissenschaftliche Streit über sein Werk. Ursprünglich hatte ich sogar geplant, seine Werke nur unter biographischem Aspekt zu betrachten. Daß ich in dieser Beziehung inkonsequent gewesen bin, indem ich den wichtigsten Werken doch mehr Platz eingeräumt habe, ist auf mein Bestreben zurückzuführen, die weithin unbekannten Bücher, die teilweise zu den besten der deutschen Literatur gehören, ein wenig bekannter zu machen. Wenn Verleger und Leser sich ihrer mehr annehmen würden, wäre daß der schönste Erfolg für mich.

Auf einen wissenschaftlichen Apparat wurde aus Gründen leichterer Lesbarkeit verzichtet. Im Text wurde darauf geachtet, daß bei Zitaten die Quelle ersichtlich bleibt. Als Quellenverzeichnis mögen die folgenden, in der Arbeit an dieser Lebensbeschreibung erprobten, bibliographischen Hinweise dienen, die Jean-Paul-Interessenten den Weg zu genaueren Studien weisen können.

Es muß da zuerst ein Name genannt werden, dem dieses Buch besonders verpflichtet ist: *Eduard Beren*d. Er hat sein ganzes Leben Jean Paul gewidmet und die Grundlagen geschaffen, auf denen alle Jean-Paul-Forschung dieses Jahrhunderts aufbaut. Er hat in vielen Aufsätzen, auf deren Nachweis hier verzichtet werden muß, die Kenntnis von Leben und Werk Jean Pauls bereichert, er hat die einzige vollständige *»Jean-Paul-Bibliographie« (2. Aufl. neubearb. u. ergänzt von J. Krogoll. Stuttgart 1963)* zusammengestellt, er hat das besonders für biographische Studien wichtige Werk *»Jean Pauls Persönlichkeit in Berichten der Zeitgenossen«*, Berlin, *Weimar 1956,* veröffentlicht und vor allem die historisch-kritische Ausgabe der sämtlichen *Werke und Briefe* geleitet und die Mehrzahl ihrer Einzelbände selbst bearbeitet und herausgegeben.

Mit den Vorarbeiten dazu begonnen hat Berend schon vor dem ersten Weltkrieg; der erste Band erschien 1927, der bisher letzte 1964, und obwohl das Wichtigste vorliegt, ist die Ausgabe bis heute noch nicht abgeschlossen. Sie ist in drei Abteilungen gegliedert, von denen die erste die von Jean Paul selbst veröffentlichten Werke, die zweite die ausgearbeiteten Schriften aus dem Nachlaß und die dritte seine Briefe enthält.

Diese Ausgabe (»Jean Pauls Sämtliche Werke. Hist.-krit. Ausg.« Weimar, Berlin 1927 ff) bildet heute mit ihrem gesicherten Text, ihren werkgeschichtlichen Vorworten und Anmerkungen die beste Grundlage für jedes Jean-Paul-Studium. Ersetzt werden kann sie notfalls durch die von Norbert Miller herausgegebene »Hanser-Ausgabe« (Jean Paul: Werke. Bd. 1–6. München 1959–63), die sich in Text und Kommentierung auf die Berendsche stützt, jedoch nicht alle Werke bringt und auf die Briefe ganz verzichtet. Die in der »Bibliothek Deutscher Klassiker« erschienene Auswahl (Jean Paul: Werke in 2 Bdn. Weimar 1968) kann auf Grund ihres geringen Umfangs und der schlechten Auswahl nicht einmal bescheidenen Ansprüchen genügen.

Die erste, bei Georg Andreas Reimer in Berlin erschienene Werkausgabe, die, wäre Jean Paul später gestorben, eine »letzter Hand« hätte werden können, will ich nur erwähnen, weil sie ein begehrtes Objekt für Büchersammler geworden ist. Jean Paul hatte nur die »Unsichtbare Loge« und einen Teil der »Auswahl aus des Teufels Papieren« noch bearbeiten können. Ernst Förster und Richard Otto Spazier übernahmen dann die Herausgabe, oberflächlich und ziemlich planlos. Die Ausgabe erschien 1826–28 in 60 Bänden, denen 1836–38 dann noch fünf mit Schriften aus dem Nachlaß folgten.

Wichtige Quellen für Beschäftigung mit Biographischem sind natürlich die Briefe. Die von Jean Paul geschriebenen sind in der Berendschen Ausgabe vollständig gesammelt, und darüber hinaus bieten die Anmerkungen dazu reiches Material. Auf die Briefe an ihn wird in dieser Ausgabe aber nur kurz verwiesen. Sie zu finden bietet schon größere Schwierigkeiten. Deshalb seien hier einige Quellen genannt:

Denkwürdigkeiten aus dem Leben von Jean Paul Friedrich
Richter. Hrsg. v. Ernst Förster. Bd. 1–4. München 1863.

(Enthält Briefe von Emanuel Osmund, Friedrich von Oertel, Emilie von Berlepsch, Josephine von Sydow, Karoline von Feuchtersleben, Karoline Mayer und anderen.)

Charlotte von Kalb. Briefe an Jean Paul und dessen Gattin.
Hrsg. v. Paul Nerrlich. Berlin 1882.

Jean Paul: Briefwechsel mit seiner Frau und Christian Otto.
Hrsg. v. Paul Nerrlich. Berlin 1902.

Johann Bernhard Hermann: Briefe an Albrecht Otto und Jean
Paul. Hrsg. v. Kurt Schreinert. Tartu (Dorpat) 1933.

Dorothea Berger: Jean Paul und Frau von Krüderer im Spiegel
ihres Briefwechsels. Wiesbaden 1957.

Jean Paul und Herder: Der Briefwechsel Jean Pauls und Karo-
line Richters mit Herder und der Herderschen Familie
1785–1804. Hrsg. v. Paul Stapf. Bern u. München 1959.

Eine Lebensbeschreibung, in der neben dem Leben Jean Pauls seine Zeit und Umwelt mit im Mittelpunkt stehen, gibt es bisher nicht. Alle *Biographien*, die geschrieben wurden, sind in stärkerem Maße Deutung und Erläuterung des Werkes. Die erste, sehr weitschweifige, aber in fortschrittlichem Geist verfaßte, ist die von Jean Pauls Neffen. *(Richard Otto Spazier: Jean Paul Friedrich Richter. Ein biographischer Commentar zu dessen Werken. Bd. 1–5. Leipzig 1833. 2. Aufl. 1840.)* Sie ist vor allem deshalb von Bedeutung, weil sie einige Materialien (besonders die Vorarbeiten zum »Komet«) auswertet, die später verlorengegangen sind. Spazier hat auch einen Bericht über Jean Pauls Tod geschrieben *(Richard Otto Spazier: Jean Paul Friedrich Richter in seinen letzten Tagen und im Tode. Breslau 1826),* dem Teile des letzten Kapitels meines Buches nacherzählt sind.

Altmodischer als Spaziers Biographie wirkt die von dem Hegelianer Paul Nerrlich. *(Paul Nerrlich: Jean Paul. Sein Leben und seine Werke. Berlin 1889.)* Sie ist außerordentlich trocken geschrieben, und die Erläuterungen zu den Werken wirken in ihrer Unbeholfenheit ungewollt komisch. Der strengen Systematik wegen, in die hier das Leben gezwängt wird, eignet sie sich gut zum Nachschlagen. Sie ist sehr materialreich, besonders was Jean Pauls Beziehung zu Zeitgenossen betrifft. Nerrlichs anderes Jean-Paul-Buch *(Paul Nerrlich: Jean Paul und seine Zeitgenossen. Berlin 1876.)* bietet darüber hinaus kaum Neues.

Die lesbarste Gesamtdarstellung ist die von Walther Harich. *(Walther Harich: Jean Paul. Leipzig 1925.)* Er bietet viel Biographie und erzählt die Fabeln der Werke in großer Ausführlichkeit nach. Obwohl er, da die Berendsche Gesamtausgabe noch nicht zur Hand war, in Einzelheiten manchmal irrt, ist er im wesentlichen zuverlässig. Die progressive Rolle Jean Pauls arbeitet er zum Teil heraus. Ärgerlich ist nur die Richtung, in die, unter dem Einfluß Josef Nadlers, seine Deutungen gehen: ins Mythische und Völkische. Im Gegensatz zu Kant (»der den Mythos tötete«) und Goethe (»Repräsentant einer im Persönlichkeitskultus hängenden Gesellschaftsschicht«) sieht er in Jean Paul den Verwirklicher »deutschen Wesens«.

Keine Biographie, sondern eine *Gesamtdarstellung* des Werkes von ihren künstlerischen Wesenszügen her ist *Max Kommerells: Jean Paul. Frankfurt/M. 1933. 3. Aufl. 1957* Kommerell gehört zur Schule Stefan Georges, der um 1900 Jean Paul als »lyrischen Dichter« wiederentdeckt hatte, nachdem er jahrzehntelang nur als Idylliker und kauziger Humorist gegolten hatte. Kommerells Buch gibt wertvolle Aufschlüsse über Jean Pauls Sprache und künstlerische Methode. Von ihm stammt der häufig zitierte Begriff der »singenden Prosa«. Walter Benjamin hat aus der Distanz einer anderen Weltanschauung Kommerells Buch anerkennend rezensiert.

Was Kommerell fehlt, bietet das neueste Buch über Jean Pauls Werk in überreichem Maße: das Historische, Soziale, Politische und Philosophische. Für *Wolfgang Harich (Jean Pauls Revolutionsdichtung. Versuch einer neuen Deutung seiner heroischen ·Romane. Berlin 1974.)* stehen zwar die »Unsichtbare Loge«, der »Hesperus« und der »Titan« im Mittelpunkt der Darstellung, doch da er der Verwurzelung der Romane im

Frühwerk ausführlich nachgeht, entsteht eine Darstellung der meisten Arbeiten bis zum »Titan«, wie es sie in einer solchen Gründlichkeit noch nicht gab. Diese erste umfassende Untersuchung Jean Pauls aus marxistischer Sicht stellt sich die Aufgabe, die »heroischen Romane als das relevanteste künstlerische Echo« zu zeigen, »das die Französische Revolution ... im deutschen Sprachraum zu antwortender Resonanz brachte«, und erfüllt sie in grandioser »Einkräftigkeit«. Auf ästhetische Wertung und auf Fragen der Wirkungsmöglichkeit der Romane verzichtet er bewußt, Biographisches zieht er heran, wenn es seine Thesen zu stützen vermag. Er entwirft ein einseitiges Bild Jean Pauls; da aber die Seite, die er beleuchtet, bisher wenig beachtet wurde, ist sein Verdienst um die Jean-Paul-Forschung groß. Seine Gründlichkeit, seine weitreichende Kenntnis und seine beweiskräftige Methode sind faszinierend. Sein Buch hat meins beeinflußt, wenn auch vielfach nur so, daß es mir meine eignen, oft den seinen entgegengesetzten, Meinungen bewußter machte. Ungewollt sind so einige Passagen zu indirekten Polemiken gegen ihn geworden.

Von Wolfgang Harich stammt auch die einzige Untersuchung über Jean Paul als Philosophen, in der er erkenntnistheoretische Fragen umfassend behandelt. *(Wolfgang Harich: Jean Pauls Kritik des philosophischen Egoismus. Leipzig 1968.)* Über Jean Pauls politische Haltung berichten: *Heinrich Bertram: Jean Paul als Politiker. Diss. Halle 1932*, und: *Günter Hannemann: Jean Pauls Stellung zu Krieg und Frieden. Diss. Berlin 1952*. Einen kurzen, zuverlässigen Überblick über Jean Pauls Leben, Werk und Wirkung gibt die Arbeit von *Uwe Schweikert: Jean Paul (Stuttgart 1970, Sammlung Metzler)*, die mit ihrem knappen Text und ihrer gut ausgewählten Bibliographie ausgezeichnet über den Stand der Jean-Paul-Forschung informiert. Spezialuntersuchungen über einzelne *Lebensabschnitte* gibt es viele, doch sind sie meist als Zeitschriftenaufsätze erschienen, die hier aus Platzgründen nicht verzeichnet werden können. An Büchern seien zwei genannt, die ich verwendet habe: *Ferdinand Josef Schneider: Jean Pauls Jugend* und erstes Auftreten in der Literatur. Berlin 1905, und: *Hans von Müller: E. T. A. Hoffmann und Jean Paul ... Köln 1927*, das interessante Einzelheiten aus Jean Pauls Berliner Aufenthalten bietet.

Aus der Unzahl von Arbeiten (besonders Dissertationen) zu *einzelnen Werken* seien hier nur einige genannt, die mir nützlich waren:

Olaf Reincke: Krisenerfahrungen und humoristische Erzählperspektive im Frühwerk Jean Pauls. Diss. Berlin 1974.

Hans Bach: Jean Pauls Hesperus. Berlin 1929.

Kurt Schreinert: Jean Pauls Siebenkäs. Diss. Berlin 1929.

Richard Rohde: Jean Pauls Titan. Untersuchungen über Entstehung, Ideengehalt und Form des Romans. Berlin 1920.

Karl Freye: Jean Pauls Flegeljahre. Materialien und Untersuchungen. Berlin 1907.

Dietrich Sommer: Jean Pauls Roman Dr. Katzenbergers Badereise. Diss. Halle 1960.

Ferdinand Josef Schneider: Jean Pauls Altersdichtung. Fibel und Komet. Berlin 1901.

Jochen Golz: Historische Position und Erzählhaltung im Werk Jean Pauls. Diss. Jena 1969.

Eine Fülle von Einzeluntersuchungen zur Biographie und zum Werk (von sehr unterschiedlicher Qualität) findet man in den Veröffentlichungen der *Jean-Paul-Gesellschaft:*

Jean-Paul-Jahrbuch. Bd. 1 (Mehr nicht erschienen) Berlin 1925.

Jean-Paul-Blätter. Jg. 1–19. Bayreuth 1926–1944.

Hesperus. Blätter der Jean-Paul-Gesellschaft. Nr. 1–30. Bayreuth 1951–1965.

Jahrbuch der Jean-Paul-Gesellschaft. Jg. 1 ff. Bayreuth, München 1966 ff.

Im einzelnen nachzuweisen, welche Ausgaben benutzt wurden, wenn Schriftsteller von Moritz bis Fontane zu Wort kommen, erübrigt sich hier. Sie sind in jeder Bibliothek leicht zu finden. Zum Schluß sollen noch aus der historischen, geistes- und kulturgeschichtlichen Literatur einige Titel genannt werden, die die von mir angeschnittenen Probleme der gesellschaftlichen Umwelt Jean Pauls ausführlicher behandeln.

Politische Geschichte:

Deutsche Geschichte von den Anfängen bis 1945. Hrsg. v. E. Müller-Mertens u. and. Leipzig 1965. (Kleine Enzyklopädie).

Lehrbuch der deutschen Geschichte. Hrsg. v. A. Meusel u. R. F. Schmiedt. Bd. 4: Gerhard Schilfert: Deutschland von 1648–1789. Berlin 1962. Bd. 5: Joachim Streisand: Deutschland von 1789–1815. Berlin 1961.

Karl Marx u. Friedrich Engels: Über Deutschland und die deutsche Arbeiterbewegung. Bd. 1–2. Berlin 1961.

Franz Mehring: Gesammelte Schriften. Bd. 5 u. 6: Zur deutschen Geschichte . . . (Berlin 1960)

Friedrich Kapp: Der Soldatenhandel deutscher Fürsten nach Amerika (1775–1783). Berlin 1864.

Clemens Theodor Perthes: Politische Zustände und Personen in Deutschland zur Zeit der französischen Herrschaft. Gotha 1862.

Friedrich Schulze: Die Franzosenzeit in deutschen Landen. Bd. 1–2. Leipzig 1908.

Die Befreiungskriege in Augenzeugenberichten. Hrsg. v. Eckart Kleßmann. Düsseldorf 1966.

Golo Mann: Friedrich von Gentz. Geschichte eines europäischen Staatsmannes. Zürich 1947.

Sozial- und Bildungsgeschichte:

Robert Alt: Bilderatlas zur Schul- und Erziehungsgeschichte. Bd. 1–2. Berlin 1965.

Konrad Fischer: Geschichte des deutschen Volksschullehrerstandes. Bd. 1–2. Hannover 1892. (Unveränd. Nachdr. Leipzig 1969.)

Johann Goldfriedrich: Geschichte des deutschen Buchhandels. Bd. 1–4. Leipzig 1909–13.

Hans Gerth: Die sozialgeschichtliche Lage der bürgerlichen Intelligenz um die Wende des 18. Jahrhunderts. Diss. Frankfurt/M. 1935.

Helmut Moeller: Die kleinbürgerliche Familie im 18. Jahrhundert. Berlin 1969.

Walter Hornstein: Vom »jungen Herrn« zum »hoffnungsvollen Jüngling«. Wandlung des Jugendlebens im 18. Jahrhundert. Heidelberg 1965.

Hanns Hubert Hofmann: Adelige Herrschaft und souveräner Staat. Studien über Staat und Gesellschaft in Franken und Bayern im 18. und 19. Jahrhundert. München 1962.

Walter Bruford: Kultur und Gesellschaft im klassischen Weimar. 1775–1806. Göttingen 1966.

Kultur- und Geistesgeschichte:

Das Jahrhundert Goethes. Kunst, Wissenschaft, Technik und Geschichte zwischen 1750 u. 1850. Weimar 1967.

Karl Aner: Die Theologie der Lessingzeit. Halle 1929.

Alfred Stern: Der Einfluß der französischen Revolution auf das deutsche Geistesleben. Berlin 1928.

Hedwig Voegt: Die deutsche jakobinische Literatur und Publizistik 1789–1800. Berlin 1955.

Joseph Rückert: Bemerkungen über Weimar 1799. Weimar 1969.

Rudolf Haym: Herder. Hrsg. v. W. Harich. Bd. 1–2. Berlin 1954.

H. H. Houben: Der polizeiwidrige Goethe. Berlin 1932.

Robert F. Arnold: Fremdherrschaft und Befreiung. 1795–1815. Leipzig 1932. (Deutsche Literatur. Reihe: Politische Dichtung.)

Ernst Heilborn: Zwischen zwei Revolutionen. Der Geist der Schinkelzeit. (1789–1848). Berlin 1927.

Günter Steiger: Aufbruch. Urburschenschaft und Wartburgfest. Leipzig, Jena 1967.

Memoiren:

Karl Friedrich Klischnig: *Erinnerungen aus den zehn letzten Lebensjahren meines Freundes Anton Reiser.* Berlin 1794.

Friedrich Christian Laukhard: *Leben und Schicksale, von ihm selbst beschrieben.* Leipzig 1955.

Karl August Varnhagen von Ense: *Denkwürdigkeiten des eigenen Lebens.* Bd. 1–2. Berlin 1971.

Ernst Moritz Arndt: *Erinnerungen des äußeren Lebens.* Arndts Werke in 12 Teilen. Hrsg. v. A. Leffson u. W. Steffens. Berlin o. J.

Karl von Holtei: *Vierzig Jahre. Lorbeerkranz und Wanderstab.* Berlin 1932.

Theodor von Kobbe: *Humoristische Erinnerungen aus meinem akademischen Leben in Heidelberg und Kiel in den Jahren 1817–19.* Bremen 1840.

Zeittafel

1763

21. März. Johann Paul Friedrich Richter in Wunsiedel (Fichtelgebirge) geboren.

1765

Übersiedlung nach Joditz an der Saale.

1776

Übersiedlung nach Schwarzenbach an der Saale.

1777

Karoline Mayer, Jean Pauls spätere Frau, geboren (gest. 1860).

1779

Besuch des Gymnasiums in Hof. Tod des Vaters.

1780/81

»Übungen im Denken« werden geschrieben.

1781

Beginn des Theologiestudiums in Leipzig. »Abelard und Heloise« wird geschrieben.

1781/82

»Lob der Dummheit« wird geschrieben.

1783

»Grönländische Prozesse« erscheinen anonym.

1784

Flucht aus Leipzig. Rückkehr nach Hof.

1786

»Mixturen für Menschenkinder aus allen Ständen« (Aufsätze Jean Pauls und seiner Freunde) erscheinen anonym. Tod des Freundes Lorenz Adam von Oerthel.

1787

Hauslehrer in Töpen.

1789

Rückkehr nach Hof. »Auswahl aus des Teufels Papieren« erscheint. Selbstmord des Bruders Heinrich.

1790

Winkelschullehrer in Schwarzenbach. Tod des Freundes Johann Bernhard Hermann. 15. November: Todesvision.

1793

Die »Unsichtbare Loge« erscheint. (Darin: »Wutz«.) Reise nach Bayreuth und Erlangen.

1794

Rückkehr von Schwarzenbach nach Hof.

1795

»Hesperus« erscheint.

1796

»Biographische Belustigungen« und »Quintus Fixlein« erscheinen. Besuch in Weimar.

1796/97

»Siebenkäs« erscheint (in 3 Bänden).

1797

»Geschichte meiner Vorrede«, »Der Jubelsenior« und »Das Kampanertal« erscheinen. Tod der Mutter. Übersiedlung nach Leipzig.

1798

»Palingenesien« erscheinen. Reisen nach Dresden, Halberstadt, Weimar. Übersiedlung nach Weimar.

1799

»Briefe und bevorstehender Lebenslauf« erscheint.

1800

»Titan«, 1. Band, »Komischer Anhang zum Titan«, 1. Bändchen, und »Clavis Fichtiana« erscheinen. Besuch in Berlin. Übersiedlung nach Berlin.

1801

»Titan«, 2. Band, »Komischer Anhang«, 2. Bändchen, »Das heimliche Klagelied« und »Die wunderbare Gesellschaft in der Neujahrsnacht« erscheinen. Hochzeit mit Karoline Mayer. Besuch in Weimar. Übersiedlung nach Meiningen.

1802

»Titan«, 3. Band, erscheint. Geburt der Tochter Emma.

1803

»Titan«, 4. Band, erscheint. Geburt des Sohnes Max. Übersiedlung nach Coburg.

1804

»Flegeljahre«, 1. und 2. Band, und »Vorschule der Ästhetik« erscheinen. Übersiedlung nach Bayreuth. Geburt der Tochter Odilie.

1805

»Flegeljahre«, 3. und 4. Band, und »Freiheitsbüchlein« erscheinen.

1807

»Levana« erscheint.

1808

»Friedenspredigt« und die Rezension von Fichtes »Reden« erscheinen.

1809

»Schmelzle«, »Dr. Katzenberger« und »Dämmerungen« erscheinen. Pension vom Fürstprimas des Rheinbundes Dalberg.

1810

»Herbst-Blumine«, 1. Band, erscheint. Reise nach Bamberg.

1811

Reise nach Erlangen

1812

»Fibel« erscheint. Reise nach Nürnberg.

1814

»Mars und Phöbus Thronwechsel« und »Museum« erscheinen.

1815

»Herbst-Blumine«, 2. Band, erscheint.

1816

Reise nach Regensburg.

1817

»Politische Fastenpredigten« erscheinen. Reise nach Heidelberg, Mannheim und Frankfurt a. M.

1818

Zweite Reise nach Heidelberg und Frankfurt.

1819

Reisen nach Stuttgart und Löbichau.

1820

»Komet«, 1. und 2. Band, »Über die deutschen Doppelwörter« und »Herbst-Blumine«, 3. Band, erscheinen. Reise nach München.

1821

Reise nach Bamberg. Tod des Sohnes Max.

1822

»Komet«, 3. Band, erscheint. Reise nach Dresden. Tod von Heinrich Voß.

1825

»Kleine Bücherschau« erscheint. 14. November: Jean Paul stirbt in Bayreuth.

Personenregister

Rembrandt, Harmensz van Rijn (1606–1669) 231

Richter, Adam (1764–1816) 15, 17, 24, 66

Richter, Emma (1802–1853) 250, 251, 317, 322, 324, 353, 365, 383

Richter, Gottlieb (1768–1850) 17

Richter, Heinrich (1770–1789) 89, 98, 382

Richter, Johann Christian Christoph (1727–1779) 12 f, 15, 17 ff, 21, 22 ff, 27, 29, 31, 32, 34, 382

Richter, Johannes (1687–1763) 12, 318

Richter, Karoline geb. Mayer (1777–1860) 172 f, 210, 215, 221, 224 ff, 229 f, 243, 245, 250, 318, 321–324, 325, 326, 328, 329, 330, 333–335, 362, 363, 364, 365, 366, 367, 375, 382, 383

Richter, Max (1803–1821) 251, 330, 335, 351–354, 383, 385

Richter, Odilie (1804–1865) 252, 384

Richter, Samuel (1778–1807) 195, 197, 200

Richter, Sophie Rosine (1737–1797) 7, 44, 48 ff, 52, 55, 58, 59, 68, 71, 86, 112, 129, 148, 162, 168, 181, 193, 195, 323

Riedel, Ernst Ludwig (?–1782) 49

Robespierre, Maximilian de (1758–1794) 109, 218

Rohde, Richard 378

Rollwenzel, Anna Dorothea (1756–1830) 318–321, 368

Rousseau, Jean Jaques (1712–1778) 79, 83, 100, 101, 131 f, 133, 186, 215, 322, 326

Rückert, Joseph (1771–1813) 202, 380

Saint-Pierre, Bernardin de (1737–1814) 191

Sand, Dorothea Johanna Wilhelmina (1766–1826) 351

Sand, Karl Ludwig (1795–1820) 116, 349–352

Scharnhorst, Gerhard Johann David von (1755–1813) 276

Schelling, Friedrich Wilhelm Joseph von (1775–1854) 107, 197, 294, 364

Schilfert, Gerhard 379

Schiller, Friedrich von (1759–1805) 17, 60, 69, 104 f, 106, 107 f, 110, 133, 134, 138, 142, 144, 151 ff, 156 ff, 161, 172, 173, 200, 204, 205, 211, 230, 231, 239, 249, 265, 277 f, 282, 283, 318, 344

Register der Werke Jean Pauls

(Lange Titel wurden gekürzt. Die Jahreszahlen geben das Erscheinen der Erstausgabe an. Bei Werken, die erst nach Jean Pauls Tod veröffentlicht wurden, ist nach dem Vermerk: geschr. das Jahr der Entstehung angegeben. Bestimmte Artikel am Anfang des Titels wurden weggelassen.)

Bildernachweis

Seite 2: Deutsche Staatsbibliothek Berlin, Handschriftenabteilung/Literaturarchiv.

Seite 10: Deutsche Staatsbibliothek Berlin, Handschriftenabteilung/Literaturarchiv. Jean-Paul-Nachlaß, Kasten 10.

Seite 30: Jean Pauls sämtliche Werke. Historisch-kritische Ausgabe. 3. Abt. Bd. 1. Berlin 1956.

Seite 99: Deutsche Staatsbibliothek Berlin, Handschriftenabteilung/Literaturarchiv. Jean-Paul-Nachlaß Kasten 10.

Seite 128: Paul Ortwin Rave: Das geistige Deutschland im Bildnis. Berlin 1949.

Seite 139: Eduard Berend: Jean Pauls Persönlichkeit in Berichten der Zeitgenossen. Berlin, Weimar 1956.

Seite 153: Anne Gabrisch: Schattenbilder der Goethezeit. Leipzig 1966.

Seite 174: Paul Ortwin Rave: Das geistige Deutschland im Bildnis. Berlin 1949.

Seite 177: Jean Pauls sämtliche Werke. Historisch-kritische Ausgabe. 3. Abt. Bd. 2. Berlin 1958.

Seite 187: Jean Pauls sämtliche Werke. Historisch-kritische Ausgabe. 3. Abt. Bd. 2. Berlin 1958.

Seite 190: Deutsche Staatsbibliothek Berlin, Handschriftenabteilung/Literaturarchiv.

Seite 216: Jean Pauls sämtliche Werke. Historisch-kritische Ausgabe. 3. Abt. Bd. 3. Berlin 1959.

Seite 219: Jean Pauls sämtliche Werke. Historisch-kritische Ausgabe. 3. Abt. Bd. 3. Berlin 1959.

Seite 270: Deutsche Staatsbibliothek Berlin, Handschriftenabteilung/Literaturarchiv. Jean-Paul-Nachlaß, Kasten 22.

Seite 279: Deutsche Staatsbibliothek Berlin, Handschriftenabteilung/Literaturarchiv.

Seite 284: Deutsche Staatsbibliothek Berlin, Handschriftenabteilung/Literaturarchiv.

Seite 299: Friedrich Schulze: Die Franzosenzeit in deutschen Landen. Bd. 2. Leipzig 1908.

Seite 320: Eduard Berend: Jean Pauls Persönlichkeit in Berichten der Zeitgenossen. Berlin, Weimar 1956.

Seite 320: Deutsche Staatsbibliothek Berlin, Handschriftenabteilung/Literaturarchiv.

Seite 329: Deutsche Staatsbibliothek Berlin, Handschriftenabteilung/Literaturarchiv. Jean-Paul-Nachlaß, Kasten 10.

Seite 367: Eduard Berend: Jean Pauls Persönlichkeit in Berichten der Zeitgenossen. Berlin, Weimar 1956.

Inhaltsverzeichnis

*

Günter de Bruyn

Fischer Taschenbuch Verlag

fi 555 020 / 1

Günter de Bruyn

Zwischenbilanz

Eine Jugend in Berlin

Band 11967

Günter de Bruyn erzählt von seiner Jugend in Berlin zwischen
dem Ende der zwanziger und dem Beginn der fünfziger Jahre.
Die Stationen sind: seine Kindheitserfahrungen während des
Niedergangs der Weimarer Republik, die erste Liebe im Schatten der nationalsozialistischen Machtwillkür, seine Leiden und
Lehren als Flakhelfer, Arbeitsdienstmann und Soldat, schließlich die Nachkriegszeit mit ihrem kurzen Rausch anarchischer
Freiheit und die Anfänge der DDR. Der Autor beherrscht die
seltene Kunst, mit wenigen Worten Charaktere zu skizzieren
und die Atmosphäre der Zeit spürbar zu machen. Das Buch spie-
gelt den Lebenslauf eines skeptischen Deutschen wider, der sich
nie einverstanden erklärte mit den totalitären Ideologien, die
sein Leben prägten. Er macht allerdings auch kein Hehl daraus,
daß er nie ein Umstürzler war, der sich lautstark gegen die
Machthaber erhob. So ist dieses Buch, allem Ernst zum Trotz,
auf wunderbare Weise gelassen und heiter.

Fischer Taschenbuch Verlag

Günter de Bruyn

Vierzig Jahre

Ein Lebensbericht

Band 14209

Die Gründung der DDR erlebte de Bruyn im Alter von 22 Jahren – ihr Ende, als er 63 Jahre alt geworden war. Von den vierzig Jahren, die dazwischen liegen und den größten Teil seines Lebens ausmachen, berichtet er in diesem Buch – und setzt damit seine vielbeachtete autobiographische *Zwischenbilanz* fort. Günter de Bruyn erzählt sein Leben farbig, lebendig und fesselnd, aber er prüft dabei auch sein Handeln und Unterlassen als Bürger eines diktatorischen Staates gewissenhaft und ohne Schonung für sich selbst. Er beschreibt seine frühen Arbeitsjahre als Bibliothekar in Ost-Berlin, seine ersten Erfolge als Schriftsteller mit Romanen, die seinen Namen auch im Westen bekanntmachten. Er schildert Begegnungen mit Autoren wie Heinrich Böll, Wolf Biermann und Christa Wolf, mit SED-Funktionären wie Hermann Kant und Klaus Höpke, aber auch mit unbekannten Freunden und Kollegen.

Fischer Taschenbuch Verlag

fi 365 / 6

Günter de Bruyn
Deutsche Zustände
Über Erinnerungen und Tatsachen, Heimat und Literatur
Mit Fotografien von Barbara Klemm

Band 15044

Wie ist es um die vorherrschende Bewußtseinslage in Deutschland bestellt, zehn Jahre nach der Wiedervereinigung, dem größten politischen Glücksfall dieses Jahrhunderts? Günter de Bruyns Bestandsaufnahme ist so knapp wie kritisch: »Die Nation hat schlechte Laune. Sie ist wieder vereint, aber nicht glücklich.« Eine Reaktion, für die es gewichtige Gründe gibt, deren eigentliche Ursachen aber, auf einem falschen, allzu bequemen Verhältnis zur Geschichte beruhen. Der Autor geht mit seinen Landsleuten in Ost und West weit schärfer ins Gericht, als man es von diesem sonst so zurückhaltenden Schriftsteller gewohnt ist.

Engagiert nimmt er Stellung gegen den fortschreitenden – viel zu oft als selbstverständlich hingenommenen – Werteverfall und die zunehmende Entchristianisierung unserer Gesellschaft. Er mahnt dazu, die Traditionen und auch unbewußt wirksamen Kräfte der Kulturnation nicht aus dem Blick zu verlieren, sondern sie für die Gegenwart Deutschlands nutzbar zu machen.

Fischer Taschenbuch Verlag

fi 15044 / 1

Dieter Kühn

Der Parzival des Wolfram von Eschenbach

Band 13336

Wolfram von Eschenbach (vermutlich 1170-1220) hat mit seinem höfischen Vers-Roman ›Parzival‹ eines der bedeutendsten Werke der deutschen Literatur verfaßt.

Dieter Kühn führt im ersten Band seiner ›Trilogie des Mittelalters‹ den Leser auf der Zeitachse zurück und erzählt Leben, Werk und Zeit Wolframs von Eschenbach. »Eine komplette Kulturgeschichte des mittelalterlichen Alltagslebens« (FAZ) rollt sich da auf und macht neugierig auf den – leicht gekürzten – Vers-Roman im zweiten Teil des Buches. Die Genauigkeit im Detail, die wissenschaftliche Fundierung und nicht zuletzt die vielgerühmte Übersetzung selbst machen Dieter Kühns ›Parzival‹ zu einer lehrreichen und zugleich unterhaltsamen Lektüre.

Fischer Taschenbuch Verlag

fi 182 / 5

J. M. Coetzee

Mr. Cruso, Mrs. Barton und Mr. Foe

Roman

Aus dem Englischen von Wulf Teichmann

Band 13251

Auf den ersten Blick scheint dieser Roman nichts mit Schwarz-afrika zu tun zu haben. Susan Barton, von meuternden Matrosen auf einer Insel irgendwo im Atlantik ausgesetzt, trifft auf Robin-son und Freitag. Doch anders als in dem berühmten Roman von Defoe gibt es auf der Insel keine Abenteuer zu bestehen, gibt es keine wilden Tiere und keine Kannibalen. Robinson, bei Coetzee ein alter Mann, ist nicht sonderlich erfolgreich bei der Feldbestel-lung. Er konnte Freitag auch nichts beibringen, denn Freitag war stumm. Schließlich wird das Trio gerettet (Robinson hat gar keine Lust mehr, in die Zivilisation zurückzukehren und stirbt auf der Rückreise nach London). Susan Barton, in Begleitung von Freitag, will jetzt vom Schriftsteller Foe ihre Geschichte aufschreiben las-sen, die Geschichte der »ersten englischen Schiffbrüchigen«. Mr. Foe hat als professioneller Schreiber freilich ganz andere Vorstel-lungen von der (Aus-)Gestaltung der Geschichte als die Erzähle-rin. Eigentliche Hauptperson ist Freitag, der wichtigste Zeuge, der steht aber nicht zur Verfügung, er kann nicht sprechen. Ihm hatte man – wie den Schwarzen in Südafrika – die Sprache gestohlen.

Fischer Taschenbuch Verlag